O jeito **Warren Buffett** de investir

ROBERT G. HAGSTROM

O jeito Warren Buffett de investir

Os segredos do maior investidor do mundo

2ª edição
(tradução da 3ª edição americana)

Tradução
Maria Silvia Mourão Netto

Benvirá

Título original: *The Warren Buffett Way*

Consultoria técnica Miguel Longuini
Preparação Trivium
Revisão Laila Guilherme
Diagramação Eduardo Amaral
Capa Deborah Mattos
Imagem de capa Bloomberg/Getty Images
Impressão e acabamento Ricargraf

Dados Internacionais de Catalogação na Publicação (CIP)
Angélica Ilacqua CRB-8/7057

Hagstrom, Robert G., 1956-
O jeito Warren Buffett de investir : os segredos do maior investidor do mundo / Robert G. Hagstrom; tradução de Maria Silvia Mourão Netto. -- 2. ed. -- São Paulo: Benvirá, 2019.
296 p.

Tradução da 3ª edição americana
ISBN 978-85-5717-306-4
Título original: *The Warren Buffett Way*

1. Buffett, Warren, 1930- 2. Capitalistas e financistas Estados Unidos - Biografia 3. Investimentos 4. Mercado financeiro I. Título II. Mourão Netto, Maria Silvia

CDD 332.6
19-0624 CDU 332.76

Índices para catálogo sistemático:
1. Investimentos

2ª edição, maio de 2019 | 10ª tiragem, março de 2021

Av. Paulista, 901, 3º andar
Bela Vista – São Paulo – SP – CEP: 01311-100

SAC: sac.sets@saraivaeducacao.com.br

CÓDIGO DA OBRA 12482 CL 670873 CAE 646956

Sumário

Prefácio: A exceção

O que explica o sucesso excepcional dos investimentos de Warren Buffett? Essa é uma das perguntas que mais me fazem. E é também a pergunta que quero abordar neste prefácio.

Quando eu estava fazendo MBA na Universidade de Chicago, no final da década de 1960, tomei conhecimento de uma nova teoria sobre finanças que havia sido recém-elaborada na época, em grande parte naquela instituição. Um dos elementos mais importantes do pensamento da "Escola de Chicago" era a hipótese do mercado eficiente. Segundo essa hipótese, os esforços combinados de milhões de investidores inteligentes, motivados, objetivos e informados fazem com que as informações sejam imediatamente refletidas nos preços de mercado, de tal modo que os ativos fornecem um retorno justo em relação ao risco – nem maior, nem menor. Os preços nunca são tão baixos ou tão altos que possam ser comercialmente aproveitados, o que significa que nenhum investidor tem condições de identificar, de forma consistente, oportunidades que o beneficiem. É essa hipótese que sustenta a mais famosa máxima da Escola de Chicago: você não consegue derrotar o mercado.

A hipótese do mercado eficiente fornece a base intelectual para essa conclusão, e realmente existe uma grande quantidade de dados empíricos que demonstram que, apesar de todo o seu empenho, a maioria dos investidores não consegue derrotar o mercado. Trata-se de um argumento bastante convincente para justificar a incapacidade de se sair melhor.

Não é que nenhum investidor consiga derrotar o mercado. De tempos em tempos, alguns conseguem retornos acima da média a ponto de derrotá-lo, do mesmo jeito que muitos performam abaixo do mercado. A eficiência do mercado não é uma força tão poderosa a ponto de tornar impossível que o retorno do investidor individual seja superior (ou mesmo inferior) ao retorno do mercado. Simplesmente o que se afirma é que ninguém é capaz de fazer isso em um nível suficiente e com consistência o bastante para refutar a hipótese do mercado eficiente. Como na maioria dos processos, existem pontos fora da curva, mas seus retornos superiores são atribuídos a fatores aleatórios e, portanto, efêmeros. Quando eu era jovem, havia um ditado que dizia: "Se você colocar um número razoável de chimpanzés numa sala com máquinas de escrever, um deles acabará escrevendo a Bíblia". Ou seja, quando fatores aleatórios estão presentes, praticamente qualquer coisa pode acontecer de vez em quando. Contudo, como minha mãe costumava dizer, "é a exceção que prova a regra". Uma regra geral não se sustenta em 100% dos casos, mas o fato de as exceções serem tão raras confirma sua verdade essencial. Todos os dias milhões de investidores – tanto amadores como profissionais – provam que não se pode derrotar o mercado.

Eis, então, que surge Warren Buffett.

Warren e alguns outros célebres investidores – entre eles, Ben Graham, Peter Lynch, Stan Druckenmiller, George Soros e Julian Robertson – possuem históricos de desempenho que derrubam a argumentação da Escola de Chicago. Eles se destacaram com uma margem de vitórias grande o bastante, por períodos longos o suficiente e com acúmulo de dinheiro em um nível tal que os defensores da eficiência do mercado se viram forçados a adotar uma postura defensiva. O histórico desses investidores mostra que aqueles que são excepcionais conseguem derrotar o mercado por habilidade, e não por acaso.

No caso de Warren, especialmente, é difícil argumentar diante das evidências. Na parede de seu escritório, encontra-se uma declaração, que o próprio investidor datilografou, mostrando que ele deu início à Buffett Partnership em 1956 com 105 mil dólares. Desde então, tem atraído capital adicional e auferido retornos sobre esse valor, de modo que hoje a Berkshire Hathaway possui investimentos que totalizam 143 bilhões de dólares e um valor líquido de 202 bilhões. Há muitos anos ele vem dando uma tremenda surra nos índices. E, nesse processo, tornou-se o segundo homem mais rico dos Estados Unidos. Essa última conquista não se baseou em ativos imobiliários herdados ou em uma invenção tecnológica inovadora, como se dá com muitos nomes incluídos na lista da *Forbes*. Em vez disso, ela resultou de muito trabalho e muita habilidade aplicados em mercados de investimento que são abertos a todos.

Mas, afinal, como explicar as fantásticas conquistas de Warren Buffett? Para mim, as razões são estas:

- **Ele é extremamente inteligente.** Uma das muitas tiradas atribuídas a Warren é esta: "Se você tem um QI de 160, venda 30 pontos. Você não precisa deles". Como Malcolm Gladwell salientou em seu livro *Fora de série: outliers*, você não precisa ser um gênio para ter muito sucesso, só precisa ser esperto o suficiente. Além disso, ter uma inteligência acima da média não necessariamente aumenta suas chances. Na verdade, há pessoas muito inteligentes que não conseguem sair daquilo que já conhecem ou encontrar o caminho para o sucesso (e para a felicidade) no mundo real. Ter um QI alto não é o bastante para tornar a pessoa uma grande investidora – se fosse assim, provavelmente, os professores universitários seriam os mais ricos dos Estados Unidos. Também é importante ter uma cabeça voltada para os negócios, bem como saber as manhas da profissão.

  Eu desconfio que o QI de Warren seja bem superior a 130... E que ele não fez nenhum esforço para se livrar dos pontos extras "não essenciais". Sua capacidade de ir direto ao cerne de uma questão, chegar a uma conclusão bem fundamentada e sustentar essa conclusão mesmo que, no início, as coisas lhe sejam adversas constitui elemento-chave de quem ele é e daquilo que conquistou. Em resumo, Warren é extremamente analítico.

  Ele também é muito rápido: Warren não precisa de semanas ou meses para chegar a uma conclusão, nem de um corpo de analistas para lidar com números. Ele não sente necessidade de conhecer e levar em conta todos os dados, mas só aqueles que importam – e tem uma ótima percepção de quais são eles.
- **Ele se orienta por uma filosofia predominante.** Muitos investidores acham que são espertos o bastante para dominar qualquer coisa – ou, pelo menos, agem como se fossem. Além disso, eles acreditam que o mundo está em constante mudança e que é preciso ser eclético e alterar a abordagem utilizada para se adaptar, sempre correndo atrás da mais recente maravilha. O problema é que ninguém consegue realmente saber tudo; é difícil se reequipar e aprender novos truques a todo

momento, e essa mentalidade impede o desenvolvimento de conhecimentos especializados e de atalhos úteis.

Warren, por outro lado, sabe aquilo que não sabe, mantém-se firme àquilo que sabe e deixa o resto para os outros. Isso é essencial, pois, como disse o escritor Mark Twain, "não é aquilo que você não sabe que o coloca em encrenca, mas aquilo que tem certeza de que sabe e, na verdade, não sabe". Warren investe somente nos setores que entende e com os quais se sente à vontade. Dá ênfase a áreas razoavelmente prosaicas e evita, por exemplo, empresas de alta tecnologia. É famoso por deixar de lado coisas que não cabem em sua filosofia e não fazem parte de seu campo de conhecimento. E o mais importante: consegue conviver com a possibilidade de que aquilo que deixou passar gerará dinheiro para os outros, enquanto ele ficará olhando isso acontecer. (A maioria das pessoas não consegue.)

- **Ele é flexível.** O fato de ser importante ter uma filosofia norteadora não significa que nunca seja bom mudar. Pode ser desejável se adaptar de maneira significativa a circunstâncias que se alteraram. É inclusive possível acabar se deparando com uma filosofia melhor. O segredo está em saber quando mudar e quando se manter firme.

No início de sua carreira, Warren adotou a abordagem de seu grande professor Ben Graham. Chamada de "valor profundo", consiste em comprar ativos que estejam próximos de ser liquidados, sobretudo se a empresa puder vir a ser adquirida por menos que seu caixa líquido – às vezes, essa abordagem é ridicularizada, sendo chamada de "compra de pontas de cigarro". Depois de algum tempo, contudo, diante da insistência de seu sócio Charlie Munger, Warren mudou de tática e passou a dar ênfase a empresas de alta qualidade com "fossos econômicos" de proteção e poder de precificação, dirigidas por pessoas notáveis e negociadas a preços razoáveis, mas não necessariamente irrisórios.

Um elemento antigo da abordagem de Warren consistia em rejeitar empresas de capital intensivo, mas ele conseguiu superar esse ponto na compra da ferrovia Burlington Northern Santa Fe, podendo se beneficiar da fragilidade econômica da empresa que saía do colapso financeiro em 2008, assim como de suas perspectivas para a incrementação do transporte ferroviário.

Uma filosofia deve oferecer orientação, e não rigidez. Como muitas outras coisas no mundo dos investimentos, esse é um dilema complicado de decifrar. Warren não recua diante do desafio, assim como não muda a cada nova moda que surge nem torna suas ideias imutáveis.

- **Ele é impassível.** Muitos obstáculos ao sucesso nos investimentos têm a ver com as emoções humanas. A principal razão para o fracasso da hipótese do mercado eficiente é que os investidores raramente atendem ao requisito da objetividade. A maioria se torna ambiciosa, confiante e eufórica quando os preços sobem, comemorando seus ganhos e comprando mais, em vez de aproveitar e lucrar. Então, quando os preços caem, eles ficam deprimidos e temerosos, vendendo seus ativos a preços irrisórios e invariavelmente desanimando diante de novas compras. E o que talvez seja ainda pior: esses investidores têm uma terrível propensão a julgar aquilo que estão fazendo com base nas ações dos outros, permitindo que a inveja pelo sucesso alheio os force a correr riscos adicionais pelo simples motivo de os outros estarem agindo assim. A inveja é tamanha que faz as pessoas seguirem a multidão até para investir no que desconhecem por completo.

  Warren parece absolutamente imune a essas influências emocionais. Ele não se deixa levar pela alegria quando as coisas se valorizam, nem fica abatido quando os resultados não são bons. Seu sucesso é claramente definido por ele mesmo, e não pelas massas ou pela mídia. Warren não se importa se os outros acham que ele tem razão ou se suas decisões de investimento logo dão a impressão de que está certo. (No início do ano 2000, escreveram que ele tinha "passado do ponto" por não ter participado daquilo que acabou se tornando a bolha da internet, mas ele nunca mudou suas posições.) Warren só se importa com o que ele (e Charles Munger) pensa... e se seus acionistas estão ganhando dinheiro.
- **Ele é contestador e iconoclasta.** Enquanto o investidor típico acredita que deve seguir a manada – apesar de toda a sua suscetibilidade aos erros decorrentes das emoções –, os melhores investidores se comportam de modo contestador, divergindo da maioria nos momentos críticos. Mas não basta fazer o oposto do que os outros estão fazendo. É preciso compreender o que eles estão fazendo, entender por que está errado, saber o que fazer no lugar, ter coragem para agir de forma contrária (ou seja, adotar e sustentar o que David Swensen, de Yale, chama de "posições desconfortavelmente idiossincráticas") e estar disposto a parecer absurdamente errado até que as coisas mudem

de rumo e você, afinal, mostre que tinha razão desde o início. Este último elemento pode dar a sensação de que a situação vai durar para sempre – como diz o velho ditado, "estar muito à frente de seu tempo é indistinguível de estar errado". Juntando tudo isso, fica claro que não é nada fácil.

É óbvio que Warren é extremamente capaz de apresentar um comportamento contestador. Inclusive, ele se diverte muito com isso. Certa vez, ele me escreveu dizendo que tinha visto títulos de alto rendimento que o mercado havia precificado como flores, mas que já os tinha visto antes, quando eram considerados mato: "Gostava mais deles quando eram mato". O contestador prefere comprar coisas quando estão em um momento desfavorável. Warren faz isso como ninguém.

- **Ele é contracíclico.** Investir consiste em lidar com o futuro. No entanto, muitos dos melhores investidores aceitam o fato de que não podem prever o que o futuro trará em termos de acontecimentos econômicos, taxas de juros e flutuações de mercado. Se não podemos ser excelentes naquilo em que a maioria das pessoas quer apostar, o que podemos fazer? Na minha maneira de ver, há grandes ganhos em adotar um comportamento contracíclico.

Do ponto de vista emocional, é fácil investir quando a economia está melhorando, as empresas estão reportando ganhos maiores, os preços dos ativos estão subindo e está sendo recompensador correr riscos. Mas comprar ativos valorizados não é a resposta para garantir resultados de investimento superiores. Pelo contrário, as melhores barganhas são adquiridas quando a economia e as empresas estão passando por dificuldades – é mais provável que, nesse momento, os preços dos ativos estejam abaixo de seu valor potencial. No entanto, isso também não é fácil.

Warren tem repetidamente demonstrado sua capacidade – na verdade, sua preferência – de investir na baixa do ciclo, quando o otimismo é escasso. Seu investimento de 5 bilhões de dólares em 10% das ações preferenciais do Goldman Sachs e da General Electric, no auge da crise financeira de 2008, e a compra da economicamente frágil Burlington Northern por 34 bilhões de dólares em 2009 são exemplos clássicos disso. Vista em retrospecto, hoje, a sabedoria desses investimentos é óbvia. Mas quantos agiram com a mesma ousadia quando o temor de um colapso financeiro predominava?

- **Ele tem foco no longo prazo e não se preocupa com a volatilidade.** Ao longo de meus 45 anos no mundo dos negócios, o horizonte de tempo dos investidores foi ficando cada vez menor. Provavelmente, isso se deve a uma maior atenção da mídia para os resultados dos investimentos (nos anos 1960, nem havia essa atenção), ao contágio dessas informações entre investidores e seus clientes e ao empenho em obter ganhos anuais, introduzidos pelas taxas anuais de incentivo dos fundos de investimento. Mas, como algumas pessoas permitem que vieses sem sentido contaminem suas ideias e ações, podemos nos beneficiar quando nós os evitamos. Desse modo, a excessiva preocupação da maioria dos investidores com resultados trimestrais e anuais gera oportunidades de lucro para aqueles que pensam em termos de períodos mais longos.

  Há uma famosa frase dita por Warren: "O período em que se mantém um investimento é para sempre". Ele também afirmou que prefere "15% ao ano em um investimento irregular do que 12% em um estável". Isso permite a ele sustentar ótimas ideias por longos períodos, compondo seus ganhos e possibilitando o aumento não taxado dos lucros, em vez de alterar o portfólio anualmente e pagar impostos sobre retornos de curto prazo. Essa estratégia também evita que ele seja afetado por períodos de volatilidade – na verdade, permite-lhe tirar proveito dessas condições. Com efeito, em vez de insistir na liquidez e se aproveitar da possibilidade de parar de investir, as atitudes de Warren deixam claro que ele fica feliz em fazer investimentos de que nunca precisará abrir mão.
- **Ele não tem medo de apostar alto em suas melhores ideias.** Há muito tempo, a diversificação tem desempenhado um papel de destaque na chamada "política de investimentos prudentes". Em poucas palavras, ela reduz a probabilidade de grandes perdas individuais – e de ser processado por ter ganhado demais em uma posição de perdas. Mas, embora essa política diminua a dor causada pela perda de investimentos, um alto grau de diversificação reduz, em medida correspondente, o potencial de ganho.

  Warren, como você já deve imaginar, tem uma visão diferente a respeito da diversificação: "A estratégia que adotamos nos impede de seguir o dogma-padrão da diversificação. Muitos gurus diriam, portanto, que essa estratégia deve ser mais arriscada do que a empregada por investidores mais convencionais. Na verdade, acreditamos que uma política de concentração de portfólio pode diminuir o risco se aumentar, como deve acontecer, tanto a intensidade com que o investidor pensa no negócio como o nível de conforto que ele sente com suas características econômicas antes de comprá-lo".

Warren entende que grandes ideias só ocorrem em raras ocasiões, por isso ele mantém o padrão elevado, investindo apenas em ótimas ideias e apostando alto quando se depara com uma delas. Assim, ele se compromete de modo significativo com as empresas e as pessoas em que acredita; não sustenta algo só porque os outros o fazem, preocupando-se que o investimento tenha bom desempenho e ele não esteja representado; e se recusa a diversificar e abrir espaço para coisas que não valoriza somente para mitigar o impacto dos erros – ou seja, para praticar o que chama de "de-worstification"*. É óbvio que todas essas coisas são essenciais para que você tenha chance de conseguir ótimos resultados, mas isso não impede que elas sejam a exceção na gestão do portfólio, e não a regra.

- **Ele se permite ficar inativo.** Muitos investidores agem como se sempre houvesse algo espetacular a ser feito – ou talvez achem que precisam dar a impressão de que são muito inteligentes e estão sempre em busca de um investimento fantástico. Porém, grandes oportunidades de investimento são raras... E, por definição, isso significa que não estão disponíveis todos os dias.

  Warren é conhecido por estar disposto a se manter inativo por longos períodos, recusando uma proposta atrás da outra até que apareça a certa. É famosa sua analogia envolvendo Ted Williams, um dos maiores rebatedores da história do beisebol – ele fica lá, em pé ao lado da base, bastão no ombro, à espera do lançamento perfeito. Esse exemplo ilustra a insistência de Warren em só investir quando a oportunidade se mostra imperdível. Quem pode afirmar que o fluxo de boas ofertas é constante ou que sempre é um momento bom para investir?
- **Por fim, ele não tem medo de perder o emprego.** Pouquíssimos investidores são capazes de pôr em prática tudo aquilo que lhes parece certo. Muitos são limitados no que diz respeito à habilidade de adquirir

* Buffett brinca com os termos "diversification" (diversificação) e "worst" (pior), compondo uma nova palavra que transmite o sentido de que diversificar é, de fato, uma decisão ruim, pior que qualquer outra. [N.E.]

ativos sem liquidez, controversos ou inconvenientes; de vender ativos em apreciação que "todos" têm certeza de que irão ainda mais longe; e de concentrar o portfólio em suas poucas boas ideias. Por quê? Porque têm medo das consequências de estarem errados.

Os "agentes" que gerenciam dinheiro para os outros receiam que atitudes ousadas possam expô-los ao risco de serem demitidos pelos empregadores ou pelos clientes. Desse modo, moderam suas ações e só fazem o que é considerado prudente e indiscutível. Foi essa tendência que levou John Maynard Keynes a observar: "A sabedoria mundana ensina que, para a reputação, é melhor fracassar de modo convencional do que ter sucesso de modo não convencional". Mas essa tendência introduz um aspecto importante: se você não está disposto a assumir uma posição audaciosa, que pode envergonhá-lo caso fracasse, é impossível, na mesma medida, assumir uma posição que pode fazer uma real diferença caso tudo dê certo. Os grandes investidores conseguem dar prosseguimento a suas conclusões por meio de atitudes – em resumo, eles ousam ser grandes.

Warren, evidentemente, não tem que se preocupar com a possibilidade de ser mandado embora por seu empregador. Seu posto é o que se pode chamar de permanente, assim como seu capital. Não existem clientes que podem sacar o capital deles, impondo a venda de ativos a preços irrisórios – como acontece com o típico gestor financeiro nos períodos de crise no mercado. Esse simples fato tem um papel significativo no sucesso de qualquer grande investidor, e tenho certeza de que não foi por acaso que Warren estruturou as coisas desse modo, passando de uma estrutura de fundos de investimento para a forma corporativa da Berkshire Hathaway. Ele não agiria de outro jeito.

É claro que Warren Buffett compartilha vários outros atributos com investidores de destaque. Ele é focado, disciplinado e movido por um propósito; trabalha muito; é extremamente lógico e adepto aos números; é um coletor voraz de informações – e faz isso por meio de leituras e de sua rede de contatos, formada por pessoas que respeita. A essa altura, Warren investe porque sente prazer em resolver o complexo problema intelectual que isso representa, e não para conquistar fama ou fazer dinheiro. Aliás, estou certo de que esses dois últimos elementos são decorrência de seu trabalho, e não o objetivo de seus esforços.

Em tese, muitos outros poderiam ter feito o que Warren Buffett fez ao longo dos últimos 60 anos. Os atributos aqui citados são raros, mas não exclusivos. E cada um deles faz muito sentido – quem tomaria o outro lado de qualquer uma das proposições apresentadas? Acontece que poucas pessoas são capazes de demonstrar essas proposições por meio de atitudes. E foi a combinação de todas elas – com o acréscimo daquele intangível "algo a mais" que torna a pessoa especial – que permitiu a Warren conhecer um sucesso tão excepcional ao investir do seu próprio jeito.

Howard Marks
Cofundador do fundo de investimentos Oaktree
Julho de 2013

Prefácio à segunda edição

Quando Robert Hagstrom publicou a primeira edição americana de *O jeito Warren Buffett de investir*, em 1994, o livro logo se tornou um fenômeno. Até o momento [2004], mais de 1,2 milhão de exemplares foram vendidos nos Estados Unidos. A popularidade deste livro comprova a precisão de suas análises e o valor de seus conselhos.

Sempre que o assunto é Warren Buffett, é fácil se sentir assoberbado só pelo tamanho dos números. Enquanto a maioria dos investidores pensa em termos de centenas ou talvez milhares, Buffett transita no universo dos milhões e bilhões. Mas isso não significa que ele não tem nada para nos ensinar. Muito pelo contrário. Se olharmos para o que ele faz e fez, e se formos capazes de discernir as ideias por trás disso, poderemos tomar nossas decisões com base no modelo dele.

Essa é a principal contribuição do livro de Robert. Durante anos, ele estudou de perto as atitudes, as palavras e as decisões de Warren Buffett, analisando-as para encontrar elementos comuns. Para este livro, agrupou esses elementos em 12 princípios atemporais que, a despeito das circunstâncias e dos mercados, orientam a filosofia de investimentos de Buffett – e, da mesma forma, podem orientar qualquer investidor.

O valor do trabalho de Robert reside na clareza de seu foco: embora o livro trate de técnicas de investimentos, aborda fundamentalmente os princípios de investimentos. E princípios não mudam. Eu quase consigo ouvir Warren afirmando com seu sorriso irônico: "É por isso mesmo que são chamados de princípios".

Os últimos dez anos nos brindaram com uma vívida demonstração dessa verdade fundamental. Nesse período, as tendências do mercado de ações mudaram inúmeras vezes. Testemunhamos o surgimento de uma bolha que voou alto e enriqueceu muita gente, até que furou e deu início a um prolongado e sofrido período de baixa do mercado – o qual chegou ao fundo do poço na primavera de 2003 e, somente então, começou a dar a volta por cima.

Durante esse tempo, a abordagem de investimentos de Warren Buffett não mudou. Ele continuou seguindo os mesmos princípios descritos neste livro:

- Pense na compra de ações como sendo a aquisição de frações ou partes da empresa como um todo.
- Construa uma carteira focada e de baixo giro.
- Invista somente naquilo que consegue entender e analisar.
- Exija uma margem de segurança entre o preço de compra e o valor da empresa a longo prazo.

Os investidores da Berkshire Hathaway, como sempre, colhem os benefícios dessa abordagem estável. Desde o início da recuperação, em 2003, as ações da Berkshire Hathaway subiram em torno de 20 mil dólares por unidade, mais de 30%, superando em muito o retorno geral do mercado no mesmo período.

Existe uma corrente de pensamento para investidores em valor que começa com Benjamin Graham, passa por Warren Buffett e seus contemporâneos e chega à geração seguinte com adeptos como Robert Hagstrom. Buffett, o discípulo mais conhecido de Graham, costuma aconselhar os investidores a ler *O investidor inteligente*, de Graham. Eu mesmo costumo fazer essa recomendação. E estou convencido de que o livro de Robert compartilha uma qualidade essencial com o clássico de Graham: os conselhos talvez não o tornem rico, mas é muito improvável que o deixem pobre. Se entendidos e adotados com inteligência, os princípios e as técnicas apresentados aqui devem transformá-lo em um investidor melhor.

Bill Miller
Presidente e CIO do LMM
Outubro de 2004

Prefácio à primeira edição

Eu estava em casa no começo da noite, em um dia de semana no início de 1989, quando o telefone tocou. Nossa filha do meio, Annie, então com 11 anos, correu para atender e me disse que Warren Buffett queria falar comigo. Eu tinha certeza de que era trote. O homem do outro lado da linha começou dizendo: "Aqui é o Warren Buffett, de Omaha (como se eu pudesse confundi--lo com algum outro Warren Buffett)". E prosseguiu: "Acabei de ler seu livro, adorei e gostaria de citar uma de suas frases no relatório anual da Berkshire. Sempre quis escrever um livro, mas nunca consegui me organizar para isso". Ele falava rapidamente, com muito entusiasmo – deve ter dito umas 40 palavras em 15 ou 20 segundos, entremeadas por algumas risadinhas. Concordei com o pedido dele na hora, e acho que conversamos por uns cinco ou dez minutos. Lembro-me de que, para encerrar a conversa, ele disse: "Se algum dia você vier a Omaha e não me visitar, seu nome vai para a lama em Nebraska".

Como eu não queria que meu nome fosse para a lama em Nebraska, claro, atendi ao convite dele cerca de seis meses depois. Warren Buffett me levou para conhecer cada metro quadrado de seu escritório – o que não demorou muito tempo, porque sua operação toda cabia em menos da metade de uma quadra de tênis – e eu cumprimentei todos os 11 funcionários. Não vi nenhum computador, nenhum terminal com cotações da bolsa.

Depois de mais ou menos uma hora, fomos a um restaurante local, onde aceitei sua sugestão e pedi um filé sensacional e minha primeira Cherry Coke em 30 anos. Falamos dos empregos que tivemos na juventude, de beisebol e de *bridge*. Também compartilhamos histórias sobre empresas nas quais havíamos investido no passado. Warren falou ou respondeu às minhas perguntas sobre cada ação e cada operação que a Berkshire possuía – ele nunca chamava sua empresa de Berkshire Hathaway.

Por que Warren Buffett é considerado o melhor investidor da história? Como ele é como pessoa, acionista, gestor e dono de empresas inteiras? que há de tão peculiar no relatório anual da Berkshire Hathaway, por que ele dedica tanto esforço a isso, o que se pode aprender com ele? Para tentar responder a essas perguntas, conversei diretamente com Buffett e reli os cinco últimos relatórios anuais da Hathaway, bem como seus primeiros relatórios como presidente da empresa (os relatórios de 1971 e de 1972 tinham somente duas páginas cada). Além disso, conversei com nove pessoas que conviveram com Warren Buffett em diferentes tipos de relacionamento, segundo pontos de vista variados, em um intervalo que abrangia dos últimos 4 anos a mais de 30: Jack Byrne, Robert Denham, Don Keough, Carol Loomis, Tom Murphy, Charlie Munger, Carl Reichardt, Frank Rooney e Seth Schofield.

No que diz respeito às suas qualidades pessoais, as respostas foram bastante consistentes. Para começar, Warren Buffett é um indivíduo muito feliz. Ele ama o que faz, seja lidar com pessoas ou ler volumes enormes de relatórios anuais e trimestrais, além de numerosos jornais e periódicos. Como investidor, tem disciplina, paciência, flexibilidade, coragem e capacidade de decisão. Warren está sempre buscando investimentos em que o risco está eliminado ou minimizado. Além disso, é um adepto das probabilidades e um criador de possibilidades. Acredito que essa habilidade venha de seu amor natural por cálculos matemáticos simples, de sua dedicação ao *bridge* e de sua longa experiência em subscrever e aceitar altos níveis de risco em seguros e resseguros. Ele se dispõe a correr riscos onde as chances de perda total são baixas e as de retornos positivos são substanciais. Warren lista seus erros e fracassos e não inventa desculpas. Gosta de fazer piada de si mesmo e elogia seus associados em termos objetivos.

Warren Buffett é um grande estudioso dos negócios e um ouvinte maravilhoso, sendo capaz de identificar os elementos-chave de uma empresa ou de uma questão complexa com rapidez e precisão. Ele pode levar menos de dois minutos para tomar a decisão de não investir em algo, assim como pode concluir após somente alguns poucos dias de pesquisa que está na hora de efetuar uma grande aquisição. Como disse em um relatório anual, ele está sempre preparado: "Noé não começou a construir a arca quando estava chovendo".

Como gestor, Warren quase nunca telefona para um diretor ou para o CEO de uma empresa, mas gosta muito que eles o procurem, a qualquer hora do dia ou da noite, para relatar um fato ou pedir conselho. Após investir em certas ações ou comprar uma operação inteira, Warren se torna um incentivador: "Na Berkshire, não dizemos aos melhores rebatedores como girar o taco", diz ele fazendo uma analogia com o beisebol.

Dois exemplos da disposição de Warren Buffett para aprender e se adaptar são: falar em público e usar o computador. Na década de 1950, Warren investiu 100 dólares em um curso de Dale Carnegie, "não para evitar que meus joelhos tremessem quando fosse falar em público, mas para falar em público com eles tremendo". Na reunião anual da Berkshire, diante de mais de 2 mil pessoas, Warren Buffett sempre se senta no palco ao lado de Charlie Munger e, sem anotações, palestra e responde a perguntas de uma maneira que agradaria a Will Rogers, Ben Graham, o rei Salomão, Phil Fisher, David Letterman e Billy Crystal. No início de 1994, para jogar mais *bridge*, Warren aprendeu a usar o computador – com isso, passou a fazer parte de uma rede em que se pode jogar com outras pessoas espalhadas por diversas regiões do país. Talvez em um futuro próximo ele comece a utilizar algumas das centenas de serviços de informações e coleta de dados sobre empresas, disponíveis nos computadores hoje em dia, para pesquisar sobre investimentos.

Warren Buffett salienta que, no investimento, o principal fator consiste em determinar o valor intrínseco de um negócio e pagar um preço justo ou irrisório por ele. Warren não se importa com aquilo que o mercado de ações em geral fez nos últimos tempos ou com aquilo que fará no futuro. Ele adquiriu mais de 1 bilhão de dólares da Coca-Cola entre 1988 e 1989, depois de as ações da empresa terem subido mais de cinco vezes nos seis anos anteriores e mais de 500 vezes ao longo de 60 anos. Em três anos, quadruplicou seu dinheiro e planeja aumentá-lo ainda mais nos próximos 5, 10 e 20 anos com a Coca. Em 1976, comprou uma grande participação na GEICO, quando as ações da empresa tinham caído de 61 para 2 dólares e a percepção geral era de que chegariam a zero.

Como o investidor mediano pode empregar os métodos de Warren Buffett? Ele nunca investe em negócios que não consegue entender ou que não pertencem a seu "círculo de competência". Com o tempo, todos os investidores podem obter e ampliar seu círculo de competência em setores em que estejam profissionalmente envolvidos ou sobre os quais gostem de pesquisar. Também não é preciso estar certo muitas vezes na vida, pois, como Warren afirma, foram 12 decisões de investimento ao longo de seus 40 anos de carreira que fizeram toda a diferença.

O risco pode ser muito reduzido com a concentração em algumas poucas empresas, se isso forçar os investidores a serem mais cuidadosos e minuciosos em suas pesquisas. Normalmente, mais de 75% das participações em ações ordinárias da Berkshire são representadas por apenas cinco títulos diferentes. Um dos princípios claramente demonstrados várias vezes neste livro consiste em comprar bons negócios quando estão passando por um problema temporário ou quando o mercado de ações está em baixa, gerando preços irrisórios para empresas de destaque. Pare de tentar prever a direção do mercado de ações, da economia, das taxas de juro ou das eleições, e pare de desperdiçar dinheiro com gente que faz disso seu ganha-pão. Estude os fatos e as condições financeiras, avalie as perspectivas futuras da empresa e compre quando tudo estiver a seu favor. Muitas pessoas investem como se estivessem jogando pôquer a noite toda, sem ao menos olhar para as cartas que têm em mãos.

Pouquíssimos investidores teriam a coragem e o conhecimento necessários para adquirir as ações da GEICO a 2 dólares, ou então as do Wells Fargo e da General Dynamics quando estavam em baixa, já que diversos especialistas afirmavam que essas empresas estavam enfrentando problemas substanciais. No entanto, Warren Buffett também adquiriu ações de empresas como Capital Cities/ABC, Gillette, Washington Post, Affiliated Publications, Freddie Mac e Coca-Cola, que geraram mais de 6 bilhões de dólares de lucros para a Berkshire Hathaway ou 60% dos 10 bilhões de dólares de patrimônio dos acionistas. Todas essas empresas eram bem administradas, com robustos históricos de lucratividade, e líderes em seus setores.

Além de seus próprios acionistas, Warren Buffett utiliza o relatório anual da Berkshire para ajudar o público em geral a investir melhor. Dos dois lados da família, Warren descende de editores de jornal, e sua tia Alice foi professora de escola pública por mais de 30 anos. Ele gosta muito de ensinar e de escrever sobre negócios em geral, e também especificamente sobre investimentos. Aos 21 anos, foi professor voluntário na Universidade de Nebraska, em Omaha. Em 1955, quando estava trabalhando em Nova York, deu aulas em um curso sobre mercado de ações para adultos na Scarsdale High School.

Durante dez anos, entre o final das décadas de 1960 e 1970, ofereceu uma série de palestras gratuitas na Universidade Creighton. Em 1977, atuou em um comitê liderado por Al Sommer Jr., prestando consultoria para a Securities and Exchange Commission [Comissão de Valores Mobiliários] sobre divulgação de informações corporativas. Após essa participação, a escala do relatório anual da Berkshire mudou drasticamente, como pode ser visto no relatório de 1977, escrito entre o final desse ano e o início de 1978. Seu formato tornou-se mais parecido com o dos relatórios societários que ele havia produzido entre 1956 e 1969.

Desde o início da década de 1980, os relatórios anuais da Berkshire informam os acionistas acerca do desempenho das ações detidas pela empresa e de seus novos investimentos, atualizam a situação do setor de seguros e resseguros e (desde 1982) relacionam os critérios de aquisição de negócios que a Berkshire gostaria de comprar. O relatório é generosamente pontuado de exemplos, analogias, histórias e metáforas, mostrando o que fazer e o que não fazer ao investir em ações.

Warren Buffett estipulou um alto padrão para o desempenho futuro da Berkshire ao determinar como objetivo um valor intrínseco de crescimento da ordem de 15% ao ano a longo prazo, algo que poucas pessoas – e ninguém além dele mesmo entre 1956 e 1993 – já conseguiram fazer. Ele afirma que será um padrão difícil de manter devido ao porte muito maior da empresa, mas que sempre existem oportunidades e que a Berkshire mantém um grande volume de caixa pronto para ser investido, além de crescer a cada ano. Sua confiança é, em certa medida, reforçada pelas palavras finais do relatório anual de junho de 1993, na página 60: "A Berkshire não declara dividendos desde 1967".

Warren Buffett já afirmou que sempre quis escrever um livro sobre investimentos. Vamos torcer para que isso aconteça algum dia. Até lá, seus relatórios anuais cumprem essa função de uma maneira em parte parecida com o que faziam autores do século XIX que escreviam em folhetins, como Edgar Allan Poe, William Makepeace Thackeray e Charles Dickens. Os relatórios anuais da Berkshire Hathaway de 1977 a 1993 constituem 17 capítulos de tal livro. Também nesse ínterim temos agora *O jeito Warren Buffett de investir*, em que Robert Hagstrom descreve a carreira de Buffett e traz exemplos que mostram a evolução de suas técnicas e métodos de investimento, além de apresentar as pessoas importantes envolvidas nesse processo. O livro ainda detalha as principais decisões de investimento que resultaram no inigualável histórico de Buffett. Por fim, contém as ideias e a filosofia de um investidor que tem feito dinheiro de maneira consistente, usando ferramentas disponíveis para qualquer um, seja qual for sua situação financeira.

Peter S. Lynch
Outubro de 1994

Introdução

Meu pai, Philip A. Fisher, via com grande orgulho a adoção, por Warren Buffett, de algumas de suas ideias e o longo e amigável relacionamento entre eles. Se estivesse vivo para escrever esta introdução, teria agarrado a oportunidade de compartilhar alguns dos bons sentimentos que vivenciou ao longo do seu relacionamento de décadas com um dos poucos homens cuja estrela dos investimentos brilhava a ponto de empalidecer a sua. Meu pai gostava sinceramente de Warren Buffett e sentia-se honrado com o fato de ele ter adotado algumas de suas ideias. Meu pai faleceu em 1996 – exatamente três meses antes de eu receber uma carta inesperada contendo um convite para escrever sobre ele e Warren Buffett. Essa introdução me ajudou a ligar alguns pontos e a tirar algumas conclusões em relação ao meu pai e ao sr. Buffett. Espero poder proporcionar aos leitores desta obra uma visão muito pessoal de um período importante da história dos investimentos e algumas ideias sobre como utilizar este livro maravilhoso.

Não discorrerei sobre o sr. Buffett, já que ele é o objeto deste livro e Robert Hagstrom explorou esse tema com elegância e discernimento. Já se sabe que meu pai foi uma influência importante para Warren Buffett e, como ilustrado pelo sr. Hagstrom, essa influência tem transparecido de forma mais clara no pensamento de Buffett nos últimos anos. Quanto mais meu pai conhecia Warren Buffett, mais admirava suas qualidades, que sentia serem essenciais para o sucesso nos investimentos, apesar de raras entre gestores de investimentos.

Quando Buffett visitou meu pai há 40 anos, em um mundo com ferramentas de informação relativamente primitivas para os padrões atuais, meu pai tinha suas próprias técnicas para a coleta de dados. Ao longo das décadas, ele vinha construindo um círculo de amizade com pessoas que pudessem compartilhar boas ideias com ele – profissionais de investimento que ele respeitava e que o conheciam bem o suficiente para compreender no que ele se interessava ou não. Para esse fim, ele concluiu que conversaria com qualquer jovem profissional da área de investimentos pelo menos uma vez. Se o jovem lhe causasse uma boa impressão, ele marcaria um novo encontro e desenvolveria um relacionamento. Ele raramente via uma pessoa duas vezes. Padrões muito altos! Para ele, se você não tirasse um 10, sua nota era um 0. E, se sua primeira impressão de alguém fosse negativa, ele simplesmente descartava aquela pessoa; para sempre. A pessoa tinha apenas uma chance de desenvolver um relacionamento. O tempo era escasso.

Warren Buffett foi um jovem entre os pouquíssimos que impressionaram meu pai o suficiente no primeiro encontro para merecer um segundo encontro e muitos outros depois daquele. Meu pai era um julgador perspicaz de caráter e habilidades. Um raro talento! Ele baseou toda a sua carreira em julgar as pessoas. Essa era uma de suas melhores qualidades e um dos principais motivos pelos quais, em suas análises de ações, ele dava tanta importância à capacidade de julgamento qualitativo da gestão de negócios. Meu pai sempre se orgulhou muito de ter dado nota máxima a Warren Buffett antes de ele ter conquistado a merecida fama e aprovação.

O relacionamento entre os dois sobreviveu aos lapsos ocasionais do meu pai, que se confundia e chamava o sr. Buffett de "Howard". Trata-se de uma história inusitada que nunca foi contada e talvez revele muita coisa, tanto sobre meu pai quanto sobre Warren Buffett.

Meu pai era um homem franzino com uma grande mente, intensamente ativa. Apesar de gentil, ele era nervoso, normalmente agitado e pessoalmente inseguro. Era também um indivíduo com hábitos muito, muito enraizados. Tinha uma rotina diária que seguia com rigor porque ela o deixava mais seguro. E adorava dormir, porque, quando dormia, não se sentia nervoso nem inseguro. Assim, quando não conseguia acalmar a mente à noite, o que era frequente, ele se envolvia em jogos de memória em vez de contar carneiros. Um jogo do qual ele gostava era memorizar o nome e o distrito de todos os membros do Congresso até pegar no sono.

Por isso, desde 1942, ele memorizou o nome Howard Buffett e o associou a Omaha, repetidamente, noite após noite, por mais de uma década. Seu cérebro já ligava mecanicamente os nomes "Omaha", "Buffett" e "Howard" como uma série relacionada muito antes de conhecer Warren Buffett. Mais tarde, conforme a carreira de Warren começou a se consolidar e sua estrela subiu aos céus, foram necessárias duas décadas para que meu pai conseguisse desvincular completamente Buffett e Omaha, de "Howard". Não conseguir controlar a própria mente irritava o meu pai, pois ele gostava do sr. Buffett e valorizava o relacionamento. Ele sabia exatamente quem era Warren Buffett, mas, em uma conversa casual, frequentemente dizia algo como: "Aquele jovem brilhante, Howard Buffett, de Omaha". Quanto mais ele dizia isso, mais difícil ficava eliminar a relação de sua fraseologia. Um homem enraizado nos hábitos e atormentado por eles.

Certa manhã, quando combinaram de se encontrar, meu pai estava decidido a desvincular "Howard" de "Warren". Apesar disso, em um momento da conversa, meu pai chegou a dizer "Howard". Se Warren reparou nisso, não demonstrou, e com certeza não corrigiu meu pai. Isso ocorria esporadicamente ao longo da década de 1970. Já na década de 1980, meu pai finalmente conseguiu expurgar por completo o nome "Howard" de qualquer frase na qual se referia a Buffett. Ele ficou verdadeiramente orgulhoso quando conseguiu excluir "Howard" para sempre. Anos mais tarde, perguntei se ele chegou a explicar isso a Warren. Ele disse que nunca tinha tocado no assunto, porque ficava muito envergonhado.

O relacionamento dos dois sobreviveu por ser baseado em elementos bem mais sólidos. Acredito que um dos núcleos desse relacionamento tenha sido a filosofia compartilhada por ambos de se associar apenas com pessoas íntegras e competentes. Quando o sr. Buffett diz, referindo-se à supervisão dos administradores da Berkshire Hathaway, que "não dizemos aos melhores rebatedores como girar o taco", essa frase representa uma menção quase direta à estratégia de meu pai. Associe-se com os melhores, não se engane em relação a isso e não lhes diga o que fazer.

Ao longo dos anos, meu pai se impressionou muito com a forma como o sr. Buffett evoluiu como investidor sem abrir mão de nenhum de seus princípios. A cada década, o sr. Buffett fez coisas que ninguém poderia prever ao ler sobre seu passado, e fez isso muito bem. No mundo dos investimentos, a maioria das pessoas aprende, com profissionais mais experientes, algum estilo de investimento e nunca muda. Elas compram ações de baixo índice preço/lucro, adquirem empresas líderes do setor de tecnologia ou seguem qualquer outro critério. Desenvolvem esse pensamento e nunca mudam, ou mudam apenas superficialmente. Warren Buffett, por outro lado, adotou repetidamente novas abordagens, década após década, de forma que era impossível prever seu próximo passo. Você não teria como prever a estratégia de Buffett na década de 1970 com base em sua inclinação original para a geração de valor. Não teria como prever, a partir de suas abordagens anteriores, sua tendência, na década de 1980, a comprar empresas de bens de consumo a um índice preço/lucro acima da média do mercado. Sua capacidade de mudar – e fazer isso com sucesso – seria um tema para um livro à parte. Quando a maioria das pessoas tenta evoluir como ele, elas fracassam. Meu pai acreditava que o sr. Buffett não fracassou por nunca ter perdido de vista quem era. Ele sempre se manteve fiel a si mesmo.

Meu pai nunca passou muito tempo fisicamente distante do famoso poema "Se", de Rudyard Kipling. Em sua mesa, na cabeceira de sua cama, em seu escritório – sempre por perto. Ele lia e relia o poema e muitas vezes o citava para mim. Mantenho o poema na minha mesa para manter meu pai perto de mim. Inseguro, mas ao mesmo tempo destemido, ele o aconselharia, no estilo de Kipling, a levar sua carreira e seus investimentos muito a sério, mas a não levar a si mesmo muito a sério. Ele o incentivaria a levar em consideração as críticas dos outros em relação a você, mas nunca a tomá-las como se fossem a declaração de um juiz. Ele o motivaria a se desafiar, mas a nunca se julgar radicalmente e, quando acreditar que fracassou, a se forçar a tentar de novo. E o estimularia a seguir em frente, mesmo que fosse em direção ao desconhecido.

Era essa faceta do sr. Buffett, esse talento para evoluir em perfeita conformidade com seus valores e seu passado – fazer a próxima coisa desconhecida –, que meu pai mais admirava. Seguir em frente livre das limitações do passado, das opiniões, das convenções ou do orgulho. Buffett, de acordo com meu pai, incorporava algumas das qualidades imortalizadas por Kipling.

Infelizmente, sempre haverá uma pequena porcentagem da sociedade – mas mesmo assim um grande número de pessoas – formada por incrédulos invejosos e de mentalidade limitada incapazes de criar vida própria. Em vez disso, eles adoram jogar lama nos outros. O objetivo de vida dessas almas perdidas é tentar criar dor onde não conseguem criar valor. Ao fim de qualquer carreira bem-sucedida, lama terá sido lançada em quase todas as pessoas que conseguiram realizar alguma coisa. E, se um pouco dessa lama puder macular uma pessoa, é isso que acontecerá. Meu inseguro pai sempre imaginava que as pessoas jogariam lama em todos, inclusive nele. Mas, no caso de pessoas que admirava, ele esperava que a lama não deixasse manchas. E, quando a lama era atirada, ele esperava que as pessoas que admirava, à maneira de Kipling, contemplassem a crítica ou a alegação sem se sentirem julgadas por isso. Sempre através dos olhos de Kipling!

Com uma carreira mais longa do que a maioria das pessoas, Warren Buffett conseguiu se sair notavelmente ileso – pouca lama foi jogada nele, e nenhuma o manchou. É de fato um legado. Kipling ficaria orgulhoso. Assim como meu pai. Tudo devido aos valores essenciais do sr. Buffett: manter sempre em mente exatamente quem é e o que faz. Ele não se atormenta com conflitos de interesse que possam desgastar seus princípios e levar a comportamentos pouco admiráveis. Não havia lama para ser atirada, então a lama nunca o maculou. E essa é a principal característica de Warren Buffett que se deve tentar espelhar. Saiba quem você é.

Escrevo esta introdução em parte para sugerir uma forma de utilizar este livro. Ao longo da minha carreira, as pessoas têm me perguntado por que não faço as coisas como meu pai, ou por que não faço as coisas como o sr. Buffett. A resposta é simples. Eu sou eu, e não eles. Eu preciso utilizar minhas próprias vantagens comparativas. Não tenho a grande capacidade de julgar as pessoas que meu pai tinha, nem a genialidade de Buffett.

É importante utilizar este livro para aprender, e não para tentar ser como Warren Buffett. Você não pode ser Warren Buffett, e, se tentar fazer isso, sofrerá. Use este livro para compreender as ideias de Buffett e então combinar essas ideias com sua própria abordagem para os investimentos. Só é possível gerar grandes realizações a partir de suas próprias ideias. Todos os insights apresentados neste livro só serão úteis se incorporados à sua própria personalidade, ao invés de tentar torcê-la para que se encaixe aos insights. (Uma pessoa com personalidade torcida ou pervertida é um mau investidor, a menos que sua personalidade tenha sido naturalmente torcida ou seja naturalmente pervertida.) Independentemente disso, posso garantir que você não poderá ser Warren Buffett, por mais que leia ou por mais que tente. Você precisa ser você mesmo.

Esta é a maior lição que aprendi com meu pai, um verdadeiro professor em muitos sentidos: não ser como ele ou qualquer outra pessoa, mas ser o melhor que eu pudesse ser, sem jamais abrir mão da evolução. Qual é a maior lição que você pode captar dos ensinamentos de Warren Buffett? Aprender com ele sem desejar ser como ele. Se você é um jovem leitor, a maior lição de investimento é descobrir quem você realmente é. Se é mais velho, a melhor lição é que você na verdade é muito mais jovem do que pensa e deve agir como tal – um raro dom. Se isso não fosse possível, o sr. Buffett não continuaria a evoluir com tanta competência em uma idade na qual muitas pessoas já se aposentaram. Pense em Warren Buffett como um professor, não como uma figura exemplar, e pense neste livro como a melhor explicação dos ensinamentos dele, de forma clara e de fácil entendimento. Você pode aprender muito com este livro, e ele pode compor as bases para que desenvolva sua própria filosofia de investimentos bem-sucedida.

Kenneth L. Fisher
Julho de 2013

Apresentação

Em junho de 1984, matriculei-me num programa de treinamento na Legg Mason Wood Walker, em Baltimore, Maryland. Durante duas semanas, assisti a apresentações sobre investimentos, análise de mercado, compliance e técnicas de venda. Em breve eu daria início à minha carreira como corretor de investimentos, mas não conseguia me livrar da sensação de que tinha cometido um erro terrível.

A Legg Mason era uma corretora. Seu programa de treinamento focava em obras clássicas sobre o assunto, incluindo o livro de Benjamin Graham e David Dodd intitulado *Security Analysis*, bem como *O investidor inteligente*, de Graham. Todo dia, os corretores veteranos da firma passavam pela sala para compartilhar sua experiência sobre mercado e ações. Deram a cada um de nós um relatório de pesquisa da consultoria de investimentos Value Line, indicando suas ações favoritas. Todas as empresas listadas tinham os mesmos atributos em comum: baixo índice preço/lucro e alto rendimento dos dividendos. Em geral, a companhia também estava em posição bem desfavorável perante o mercado, o que era evidenciado pelo longo período de baixo desempenho de suas ações. Ouvíamos repetidas vezes que era melhor evitar as ações populares e de crescimento alto e rápido; em vez dessas, devíamos nos concentrar nas depreciadas para as quais a taxa risco/retorno era muito mais favorável. Eu entendia a lógica da abordagem de investir em valor; a matemática não era difícil. O relatório da Value Line nos fornecia uma referência instantânea do balanço de uma empresa e de seu informe de rendimentos, começando 20 anos antes. No começo do documento sobre cada companhia, vinha um gráfico do preço de suas ações acompanhado dos resultados de cada ano. Mas, por mais que eu olhasse para o balanço de qualquer uma daquelas empresas, eu achava que alguma coisa estava faltando.

Na quinta-feira à tarde, um dia antes da conclusão do treinamento, meu instrutor me entregou uma cópia do relatório anual de 1983 da Berkshire Hathaway, uma companhia da qual eu nunca tinha ouvido falar. O documento fora escrito por Warren Buffett, um sujeito do qual eu também nunca tinha ouvido falar. Nossa tarefa era ler a "Carta do Presidente" e nos prepararmos para discuti-la no dia seguinte.

Naquela noite, no meu quarto no hotel, folheei rapidamente o relatório anual da Berkshire e, para minha decepção, reparei que não trazia figuras nem gráficos. A "Carta do Presidente" para os acionistas se estendia por quase 20 páginas. Depois de me instalar numa poltrona, comecei a lê-la. É difícil descrever o que aconteceu a seguir, mas naquela noite mudei toda a minha visão sobre investimentos.

Durante duas semanas eu tinha me debruçado sobre números, razões e fórmulas, e agora estava lendo a respeito de empresas e das pessoas que as dirigiam. Buffett me apresentou Rose Blumkin, uma senhora de 80 anos, imigrante russa, que estava gerando 100 milhões de dólares em vendas na Nebraska Furniture Mart, uma loja de móveis e eletrodomésticos. Tomei conhecimento do trabalho de Stan Lipsey, editor do jornal *Buffalo News*, e de Chuck Higgins e sua fabricante de doces See's Candies. Fiquei sabendo como era a dinâmica econômica de dirigir um jornal e as vantagens competitivas de ter uma confeitaria. Em seguida, Buffett apresentava os resultados operacionais do negócio de seguros da Berkshire, inclusive a National Indemnity Company e um terço da participação na GEICO. Só que Buffett não expunha apenas os números; ele mostrava as nuances do ramo de seguros, incluindo os prêmios anuais, as provisões para perdas, os índices do setor e as vantagens tributárias de acordos estruturados. Como se isso não fosse suficiente, Buffett também ministrava aos acionistas um tutorial bastante simples sobre como o valor intrínseco de uma companhia poderia exceder seu valor contábil com a magia das vantagens econômicas intangíveis.

No dia seguinte de manhã, voltei mudado para a sala do treinamento. As folhas do relatório da Value Line e suas fileiras intermináveis de números continuavam lá, mas aqueles esqueletos numéricos de repente tinham adquirido músculos, pele e propósito. Em suma, aquelas empresas haviam ganhado vida. Em vez de enxergar apenas números, comecei a pensar em termos de uma companhia com pessoas dirigindo seus negócios, com produtos e serviços que, enfim, tinham gerado os números indicados nas planilhas.

Quando fui trabalhar na semana seguinte, estava repleto de um senso de propósito. Eu não tinha mais nenhuma dúvida do que iria fazer. Investiria o dinheiro de meus clientes na Berkshire Hathaway e nas ações que a Berkshire comprasse para seu próprio portfólio. Toda vez que Buffett deixasse uma migalha de pão no caminho, eu a recolheria e a compraria para meus clientes. Se Buffett adquirisse ações, eu telefonaria para a empresa, pediria uma cópia de seu relatório anual e o estudaria detidamente, tentando descobrir o que ele havia percebido mas outros, não. Antes do advento da internet, você podia enviar um cheque de 25 dólares para a Comissão de Valores Mobiliários e eles enviavam uma fotocópia de qualquer relatório anual que você pedisse. Solicitei todos os relatórios anuais da Berkshire Hathaway. Além disso, reuni cópias de todos os artigos de jornal e revista escritos sobre Buffett. Eu obtinha uma cópia de tudo que Buffett e a Berkshire tivessem feito, lia e arquivava. Eu parecia um garoto fã de algum atleta.

Alguns anos depois, em 11 de abril de 1998, Carol Loomis escreveu um artigo para a revista *Fortune* intitulado "The Inside Story of Warren Buffett" [A história privada de Warren Buffett]. Marshall Loeb, o então gerente editorial da *Fortune*, achou que estava na hora de publicar um perfil completo sobre Buffett e sabia que Carol era a redatora perfeita. Até essa época, o único vislumbre mais detalhado disponível sobre Warren eram suas "Cartas do Presidente" e sua presença uma vez ao ano na assembleia anual da Berkshire em Omaha. Mas, como Carol Loomis também editava os relatórios anuais da Berkshire, ela certamente era a pessoa ideal para escrever uma história rica em detalhes sobre Buffett. Corri até a banca para pegar o que eu tinha certeza que era o último exemplar.

Carol dizia que queria escrever um tipo diferente de matéria, enfatizando Buffett não apenas como investidor, mas também como um "empresário extraordinário" – e ela não decepcionou. Num belo artigo de 7 mil palavras, ela de fato proporcionou ao fã de Buffett uma visão mais íntima do homem que tinha então apelidado de "O mago de Omaha". Carol nos brindou com muitos insights, mas o que me pareceu mais importante foram três breves frases, discretamente incluídas no texto. "Aquilo que fazemos não está além da competência de qualquer um", disse Buffett. "Para mim, administrar e investir são a mesma coisa. Simplesmente não é necessário fazer coisas extraordinárias para obter resultados extraordinários."

Agora tenho certeza de que muitos que leram esse artigo atribuíram essas palavras de Buffett à sua típica humildade de nativo do Meio-Oeste. Buffett não é convencido, tampouco engana os outros. Tenho certeza de que não teria feito esse tipo de declaração se não acreditasse que é verdade. E, se aquilo era verdade como eu acreditava que era, significava que devia existir um mapa do caminho ou – melhor ainda – o mapa do tesouro, descrevendo o que Buffett pensa sobre investimentos em geral e, especificamente, sobre a escolha das ações. Foi essa a minha motivação para escrever *O jeito Warren Buffett de investir*.

Depois de ler os relatórios anuais da Berkshire Hathaway ao longo de duas décadas, os relatórios anuais das empresas que a Berkshire comprou e os muitos artigos escritos sobre Buffett, cheguei a um entendimento do que ele pensa a respeito do investimento em ações ordinárias. Dentre todos, o insight mais importante a que cheguei foi saber que, esteja adquirindo ações ordinárias ou empresas inteiras, Buffett trata cada transação da mesma maneira. Seja a compra de uma empresa pública ou privada, Buffett segue o mesmo processo, mais ou menos na mesma sequência. Ele pensa no negócio, nas pessoas que o dirigem, nos aspectos econômicos desse negócio e então no valor do negócio; em cada caso, confronta o que fica sabendo com suas próprias referências. Chamei essas referências de "princípios de investimento" e as dividi em quatro categorias: princípios do negócio, princípios de gestão, princípios financeiros e princípios de mercado. O objetivo de *O jeito Warren Buffett de investir* era analisar as principais empresas que ele comprou para a Berkshire Hathaway e descobrir se, de fato, estavam alinhadas com os princípios expostos em seus textos e pronunciamentos. Na minha opinião, o mais valioso – sobretudo para investidores – seria um exame detalhado de suas ideias e estratégias, alinhadas com as compras que a Berkshire efetuou ao longo dos anos, todas compiladas numa única fonte. Tendo essa finalidade em vista, creio que fomos bem-sucedidos.

Nunca tinha encontrado Warren Buffett pessoalmente antes de escrever a primeira edição deste livro. Não o consultei enquanto desenvolvia o texto. Consultá-lo sem dúvida teria sido um bônus, mas tive a grande felicidade de contar com seu próprio farto material sobre o tópico investir. Ao largo deste livro, usei extensas citações dos relatórios anuais da Berkshire Hathaway, especificamente as "Cartas do Presidente". O sr. Buffett me autorizou a usar material com direitos autorais, mas somente depois de ter tido oportunidade de revisar o livro. Sua autorização, porém, de modo nenhum significa que ele tenha cooperado com a redação desta obra ou que tenha revelado segredos ou estratégias ainda não disponíveis em seus escritos. Quase tudo que Warren Buffett faz é público, mas não é alvo de grande atenção.

O principal desafio que enfrentei para fazer este livro foi comprovar ou refutar sua confissão: "O que eu faço não está além da competência de qualquer um". Alguns críticos dizem que, apesar de seu sucesso, as idiossincrasias de Warren Buffett impedem que sua abordagem em relação a investimentos seja amplamente adotada. Discordo. Ele de fato é idiossincrático – uma fonte de seu sucesso –, mas defendo que sua metodologia, uma vez compreendida, é aplicável tanto por investidores individuais como institucionais. O objetivo deste livro é ajudar investidores a empregar as estratégias que acredito terem levado Warren Buffett ao sucesso.

Ainda assim, existem os céticos. A reação mais negativa que recebemos em todos estes anos foi que ler um livro sobre Warren Buffett não vai garantir que a pessoa se torne capaz de gerar os mesmos retornos que ele alcançou. Em primeiro lugar, nunca insinuei que alguém que lesse o livro poderia alcançar os mesmos retornos que Buffett. Em segundo lugar, fiquei surpreso que alguém pudesse pensar uma coisa dessas. Era como esperar que, lendo um livro sobre jogar golfe como Tiger Woods, a pessoa conseguisse chegar ao nível dele no campo. Você lê o livro porque acredita que ali encontrará dicas que irão ajudá-lo a melhorar sua maneira de jogar. É a mesma coisa com este *O jeito Warren Bufftett de investir*. Se, ao ler este livro, você assimilar algumas lições que ajudem a melhorar seus resultados como investidor, então ele é um sucesso. Considerando que a maioria das pessoas se dá mal no mercado de ações, obter algum progresso não será uma tarefa tão difícil.

Certa vez, Buffett e Charlie Munger, vice-presidente da Berkshire e parceiro intelectual de Buffett, foram indagados sobre a possibilidade de esses dois grandes pensadores instruírem uma nova geração de investidores. Na verdade, é exatamente isso que ambos vêm fazendo nos últimos 40 anos. Os relatórios anuais da Berkshire Hathaway são famosos por sua clareza, por sua ausência de disparates e pelo excepcional valor educacional. Qualquer pessoa que tenha a imensa sorte de participar de uma assembleia anual da Berkshire Hathaway sabe quanto podem ser esclarecedoras.

Adquirir conhecimento é uma grande jornada. Ao percorrer a sua, Warren Buffett aproveitou muito a sabedoria de outros luminares, a começar por

Benjamin Graham e Phil Fisher. A isso, podemos acrescentar as muitas lições de negócios que obteve com seu sócio, Charlie Munger. Coletivamente, essas experiências ajudaram a compor um mosaico de informações sobre investimento que, por sua vez, Buffett generosamente compartilha com os outros, quer dizer, com aqueles dispostos a fazer sua própria lição de casa e aprender tudo que puderem, com mente aberta, vigorosa e receptiva.

Na assembleia anual da Berkshire Hathaway em 1995, Charlie Munger disse: "É extraordinário como as pessoas resistem a aprender qualquer coisa". Buffett acrescentou: "O que é realmente espantoso é quanto são resistentes, ainda que aprender seja de seu próprio interesse". Então, num tom mais reflexivo, Buffett continuou: "Existe uma resistência incrível contra pensar ou mudar. Certa vez, citei Bertrand Russell, que afirmou: 'A maioria das pessoas prefere morrer a pensar. E isso aconteceu com muitos'. E, num sentido financeiro, isso é bastante verdade".

Nestes 20 anos desde que escrevi a primeira edição de *O jeito Warren Buffett de investir*, o barulho do mercado de ações tem aumentado. E bem quando você acha que não pode ficar mais estridente, torna-se um berro ensurdecedor. Comentaristas de televisão, autores de artigos sobre finanças, estrategistas de mercado, todos querem falar mais do que os outros, em disputas acirradas pela atenção dos investidores. Todo mundo concorda que a internet é um poço espantoso de informações. Mas ela também dá livre acesso ou, na verdade, uma plataforma gratuita a qualquer pessoa com uma opinião financeira. Contudo, apesar da avalanche de informações, os investidores continuam lutando para obter algum lucro. Alguns chegam inclusive a se perguntar se devem continuar. Os preços das ações disparam por qualquer motivo, depois despencam com a mesma rapidez. As pessoas que buscam o mercado de ações para investir no futuro da educação de seus filhos ou pensando em sua própria aposentadoria ficam desconcertadas. Parece que o mercado desconhece nexo ou razão; só registra loucura.

Bem acima da insanidade do mercado, erguem-se firmes a sabedoria e os conselhos de Warren Buffett. Num ambiente que parece favorecer especuladores mais do que investidores, as recomendações de Buffett têm se mostrado inúmeras vezes um porto seguro para milhões de investidores perdidos. Vez ou outra, investidores fracassados esbravejam: "Mas desta vez é diferente!" – e vez ou outra estão certos. A política introduz surpresas, a economia reage e o mercado de ações reverbera todas essas circunstâncias num tom ligeiramente diferente. Novas empresas nascem, e outras amadurecem. Setores evoluem e se adaptam. A mudança é constante, mas os princípios de investimento descritos neste livro resistem ao tempo. "É por isso que são chamados princípios", Buffett assinalou certa vez.

Eis uma sucinta e poderosa lição extraída do relatório anual de 1996: "Seu objetivo como investidor deve simplesmente ser comprar, por um preço racional, uma participação num negócio facilmente compreensível cujos lucros sejam praticamente certos de serem concretamente mais altos daqui a 5, 10 e 20 anos. Com o tempo, você vai descobrir que apenas algumas companhias atendem a esse requisito. Então, quando você encontra uma que corresponde a esses critérios, você deve comprar uma quantidade significativa de ações".

Seja qual for o nível de recursos à sua disposição para investir, o ramo ou a empresa pelo qual tem interesse, você não encontrará critério melhor do que esse.

Robert G. Hagstrom
Villanova, Pensilvânia
Outubro de 2013

I

Um evento 5 sigmas

O MAIOR INVESTIDOR DO MUNDO

"Prepare-se!", disse Buffett, com um sorriso maroto. Ele estava em sua sala de estar em Manhattan, em uma manhã de primavera, na companhia de uma de suas mais antigas e queridas amigas: Carol Loomis. Autora de grande sucesso e jornalista premiada, Carol é editora sênior na revista *Fortune*, onde trabalha desde 1954, e é considerada uma das maiores especialistas em Warren Buffett. Também é de amplo conhecimento dos seguidores de Buffett que ela edita os relatórios anuais da Berkshire Hathaway desde 1977.

Naquele dia de 2006, Buffett disse a Carol que tinha mudado de ideia a respeito de como e quando doaria sua fortuna em ações da Berkshire Hathaway. Assim como muitas pessoas, Carol sabia que, fora uma pequena quantia para seus três filhos, Buffett deixaria 99% de sua fortuna para a caridade. Sempre se havia pensado, contudo, que o dinheiro iria para a Fundação Buffett, criada por sua falecida esposa, Susan. Agora, ele estava dizendo que tinha mudado de ideia: "Eu sei o que quero fazer, e é melhor começar logo com isso".[1]

Assim, um pouco antes do almoço, em 26 de junho de 2006, Warren Buffett, então o segundo homem mais rico do mundo, aproximou-se do microfone em um auditório na Biblioteca Pública de Nova York. Em pé, a plateia – composta por centenas das pessoas mais ricas da cidade – o recepcionou com uma estrondosa ovação. Após algumas breves palavras, Buffett levou a mão ao bolso do paletó e tirou dali cinco cartas. Cada uma delas continha a distribuição de sua fortuna, e só faltava que ele as assinasse. As três primeiras cartas foram tranquilas – Buffett só assinou "Papai" e as entregou a seus herdeiros: a filha, Suze; o filho mais velho, Howard; e o segundo filho, Peter. A quarta carta foi entregue a um representante da fundação beneficente de sua falecida esposa. Em conjunto, essas quatro cartas prometiam doar um valor combinado de 6 bilhões de dólares.[2]

A quinta carta era a surpresa. Buffett a assinou e a entregou para a esposa do único homem do planeta mais rico do que ele: Bill Gates. Nessa última carta, Buffett se comprometia a doar mais de 30 bilhões de dólares em ações da Berkshire Hathaway para a maior organização filantrópica do mundo, a Fundação Bill e Melinda Gates. De longe, era o maior volume de dinheiro já doado, muito maior do que as contribuições feitas por Andrew Carnegie (7,2 bilhões de dólares em valores atualizados), John D. Rockefeller (7,1 bilhões) ou John D. Rockefeller Jr. (5,5 bilhões).

Nos dias que se seguiram a esse episódio, surgiram muitas dúvidas. Será que Buffett estava doente, quem sabe até mesmo morrendo? "Não, de jeito nenhum. Estou me sentindo ótimo", garantiu ele. O falecimento de sua esposa tinha alguma coisa a ver com essa decisão? "Tem, sim", confessou. Era sabido que Susie, em tese, herdaria a fortuna de Buffett para sua fundação. "Ela teria gostado do processo todo", afirmou ele. "Ela tinha um certo receio, por conta do aumento no volume das operações. Mas teria gostado de trabalhar nisso e o teria feito muito bem."[3]

No entanto, depois da morte da esposa, Buffett mudou de ideia. Deu-se conta de que a Fundação Bill e Melinda Gates era uma organização espetacular e já estruturada para lidar com os bilhões de dólares que Buffett lhe enviaria. Eles "não precisariam passar pela enorme trabalheira de se transformar em uma megaoperação, como seria o caso da Fundação Buffett, e poderiam usar meu dinheiro de forma produtiva", declarou Buffett. "Em qualquer coisa que você deseja fazer, o que pode ser mais lógico do que encontrar alguém mais bem preparado do que você para fazê-lo?".[4]

Essa era a quintessência de Buffett. Prevaleceu a racionalidade. Na Berkshire Hathaway, ele nos lembra de que há uma quantidade imensa de gerentes cuidando de empresas e fazendo um trabalho muito melhor na gestão dessas operações do que ele faria. Da mesma forma, a Fundação Bill e Melinda Gates faria um trabalho melhor na gestão de sua filantropia do que ele seria capaz.

A respeito de seu amigo, Bill Gates disse: "Warren será lembrado não só como o maior dos investidores, mas também como o maior investidor no bem do mundo".[5] Muito provavelmente, isso acontecerá. Mas é importante lembrar que o bem que sua generosidade filantrópica fará apenas se tornou possível, antes de tudo, por causa de sua incomparável habilidade para investir. Quando Buffett entregou a carta e o cheque no valor de 30 bilhões de dólares a Melinda Gates, imediatamente me lembrei de outro cheque que ele havia preenchido 50 anos antes, no valor de 100 dólares, como investimento inicial na Buffett Partnership Ltd.

Buffett sempre afirmou que ganhou na loteria do ovário. Segundo seus cálculos, as chances de nascer nos Estados Unidos em 1930 eram de aproximadamente 30:1. Ele confessa que nunca conseguiu correr rápido e que jamais teria sido um bom jogador de futebol americano – nem teria se tornado um violinista de concerto, apesar de seu talento para tocar ukulele. Mas era "ligado de um jeito" que lhe permitia "prosperar em uma grande economia capitalista com uma boa dose de ação".[6]

"Minha fortuna resultou da seguinte combinação: viver nos Estados Unidos, ter alguns genes sortudos e usar lucros compostos", explicou Buffett. "Minha sorte foi acentuada pelo fato de eu viver em um sistema de mercado que, às vezes, produz resultados distorcidos, mas que, no geral, presta um bom serviço ao nosso país." Para manter todos esses fatores em perspectiva, Buffett humildemente nos lembra de que ele por acaso trabalha "em uma economia que recompensa com uma medalha uma pessoa que salva a vida de outras no campo de batalha, que recompensa um grande professor com bilhetes de agradecimento dos pais e que recompensa com cifras na casa dos bilhões o sujeito que é capaz de detectar seguros mal precificados". Ele chama essa distribuição voluntariosa do destino de "palitos mais longos".[7]

Isso pode ser verdade. Mas, para mim, Buffett construiu seu próprio caminho, e foi isso que determinou seu destino – não o contrário. Nesse sentido, esta é a história de como Warren Buffett criou seu próprio palito mais longo.

História pessoal e início dos investimentos

Warren Edward Buffett nasceu no dia 30 de agosto de 1930 em Omaha, estado de Nebraska. Era a sétima geração dos Buffett a chamar Omaha de lar. O primeiro Buffett de Nebraska abriu um empório em 1869. O avô de Buffett também tinha um empório e certo dia contratou um jovem chamado Charlie Munger, o futuro vice-presidente da Berkshire Hathaway. O pai de Buffett, Howard, era um corretor de ações e trabalhava num banco local, e mais tarde se tornou deputado pelo Partido Republicano.

Dizem que Warren Buffett é fascinado pelos números desde que nasceu. Pode ser exagero, mas é bem documentado o fato de que antes mesmo de entrar na pré-escola ele já era uma verdadeira calculadora. Ainda crianças, ele e Bob Russell, seu melhor amigo, ficavam sentados na varanda da casa de Russell memorizando os números das placas dos carros que passavam. Quando escurecia, ele e Bob iam para dentro, abriam o exemplar do *Omaha World-Herald* no chão e ficavam contando quantas vezes cada letra aparecia no jornal. Depois, anotavam seus cálculos em um caderno, como se fosse uma informação ultraconfidencial.

Um dos brinquedos de que Buffett mais gostava tinha sido presente de tia Alice, que era muito afeiçoada ao sobrinho incomum – mas imensamente querido. Ela lhe fez uma proposta irresistível: se ele concordasse em comer aspargos, ela lhe daria um cronômetro. Buffett ficou fascinado com a exatidão daquela máquina de contar e passou a usá-la em suas intermináveis aventuras infantis, como as corridas de bolinha de gude. Ele convocava suas duas irmãs para irem ao banheiro, enchia a banheira com água e, então, pedia que soltassem sua bolinha em uma ponta da banheira. Ganhava a corrida aquela cuja bolinha chegasse ao tampão do ralo primeiro (valendo-se do formato inclinado da banheira). Buffett parava o cronômetro no ato, verificava o tempo e registrava cada corrida.

Mas foi o segundo presente de tia Alice que encaminhou Warren, então com 6 anos, para uma nova direção: o fascínio não só por números, mas também por dinheiro. No Natal, Buffett rasgou o papel que embrulhava seu presente e encaixou em seu cinto aquilo que se tornaria seu bem mais precioso: um porta-moedas feito de níquel. Rapidamente, ele encontrou muitas maneiras de colocá-lo em uso. Montou uma mesa em frente à sua casa para vender chiclete a quem passasse por ali. Começou a bater de porta em porta para vender chiclete e refrigerante – ele comprava um fardo de seis garrafas de Coca-Cola no empório do avô por 25 centavos de dólar e vendia cada uma por 5 centavos, obtendo um lucro de 20% sobre o investimento. Também vendia exemplares das revistas *Saturday Evening Post* e *Liberty* pelas casas. Nos finais de semana, vendia pipoca e amendoim nos jogos locais de futebol americano. O porta-moedas estava com ele em todas essas iniciativas, guardando o dinheiro e oferecendo o troco.[8]

O que até agora soa como sendo uma infância idílica sofreu uma mudança abrupta quando o pai de Warren chegou em casa certa noite e informou à família que o banco em que trabalhava havia fechado. Ele não tinha mais trabalho e perdera suas economias. A Grande Depressão tinha, enfim, chegado a Omaha. O avô de Warren, dono do empório, precisou dar dinheiro a Howard para ajudá-lo a sustentar a família.

Felizmente, a sensação de desamparo não durou muito. Howard Buffett logo se reergueu e começou a anunciar que a Buffett, Sklenicka & Company estava operando no prédio do Union State na Farnam Street – mesma rua onde, no futuro, Buffett compraria uma casa e daria início à sua própria sociedade de investimentos.

Embora breve, o efeito da Grande Depressão foi forte para a família Buffett, deixando uma profunda e duradoura marca no jovem Warren. "Ele emergiu daqueles primeiros tempos de dificuldade com a absoluta decisão de se tornar muito, muito, muito rico", escreveu Roger Lowenstein, autor de *Buffett: A formação de um capitalista americano*. "Ele pensava nisso antes mesmo dos 5 anos de idade. E, desde então, praticamente não parou mais de pensar."[9]

Quando Buffett completou 10 anos, seu pai o levou a Nova York. Era um presente de aniversário que Howard dava a cada um de seus filhos. "Eu disse ao meu pai que queria ver três coisas lá", contou Warren. "Queria ver a Scott Stamp and Coin Company, a Lionel Train Company e a Bolsa de Valores de Nova York."[10] Depois da viagem de trem, que durou a noite toda, Buffett e o pai chegaram a Wall Street, onde se encontraram com At Mol, um operador da Bolsa. "Depois do almoço, veio um sujeito com uma bandeja que tinha diferentes tipos de folhas de tabaco", recordou Buffett. "Ele confeccionou um charuto para o sr. Mol, que tinha escolhido as folhas que queria. Então, eu pensei: 'É isso! Nada pode ser melhor do que isso. Um charuto customizado'."[11]

Em seguida, Howard Buffett apresentou o filho a Sidney Weinberg, sócio sênior no Goldman Sachs e considerado na época o homem mais famoso de Wall Street. Ao entrar na sala de Weinberg, Buffett ficou fascinado com as fotos e os documentos nas paredes. Reparou nas cartas originais emolduradas, perfeitamente ciente de que tinham sido escritas por pessoas bastante conhecidas. Enquanto Howard e Sidney conversavam sobre questões financeiras, Buffett apenas andava para lá e para cá pela sala, admirando as coisas, sem prestar a menor atenção na conversa. Quando chegou o momento de irem embora, Weinberg colocou o braço em volta de Warren e perguntou-lhe, em tom de brincadeira, de que ação ele gostava. "Ele provavelmente se esqueceu rapidamente desse encontro, mas eu me lembraria de tudo para sempre",[12] disse Buffett.

Mesmo antes de viajar para Nova York, Buffett já se interessava por ações e pelo mercado de ações. Ele visitava com frequência a corretora do pai, onde ficava contemplando os certificados que pendiam da parede, tal como vira na sala de Sidney Weinberg. Muitas vezes, descia dois lances de escada para visitar a corretora Harris Upham. Muitos corretores se afeiçoaram àquele menino insistente, que parecia nunca se cansar de fazer perguntas. De vez em quando, eles deixavam o pequeno Warren anotar com giz, no quadro-negro, o preço das ações.

Aos sábados de manhã, quando a Bolsa de Valores ficava aberta por duas horas, Buffett ia até a corretora na companhia de Frank Buffett, seu tio-avô paterno, e John Barber, seu tio-avô materno. Segundo Warren, tio Frank era o típico pessimista e tio John, o clássico otimista. Ambos competiam pela atenção do menino com histórias sobre o que achavam que aconteceria no mundo. O tempo todo, Warren fitava o indicador de ações Trans-Lux, tentando entender a contínua mudança no preço das ações. Todo final de semana, ele lia a coluna "Trader" no jornal *Barron's*. Quando terminou de ler todos os livros das estantes de seu pai, devorou as obras sobre investimento da biblioteca local. Em pouco tempo, começou a mapear sozinho o preço das ações, tentando entender os padrões numéricos que faiscavam diante de seus olhos.

Ninguém se surpreendeu quando, aos 11 anos, Buffett anunciou que estava pronto para comprar seu primeiro lote de ações. No entanto, ficaram chocados quando ele informou à família que queria investir 120 dólares, dinheiro que tinha juntado vendendo refrigerante, amendoim e revistas. Ele optou pela ação preferencial da Cities Service, uma das preferidas de seu pai, e insistiu para que sua irmã Doris o acompanhasse. Cada um comprou três ações, investindo 114,75 dólares. Buffett tinha estudado o gráfico dos preços e estava confiante.

Naquele verão, o mercado de ações caiu, atingindo seu ponto anual mais baixo em junho. Os dois jovens Buffett viram suas ações desvalorizarem 30%. Todo santo dia, Doris reclamava de suas perdas para Warren. Assim, quando as ações se recuperaram e passaram a valer 40 dólares por unidade, ele as vendeu, obtendo um lucro de 5 dólares.

Para decepção de Buffett, a Cities Service logo se valorizou, e cada uma das ações passou a valer 202 dólares. Descontadas as comissões, Buffett calculou que tinha deixado de lucrar mais de 492 dólares. Como ele tinha levado cinco anos para juntar 120 dólares, calculou que tinha perdido uns 20 anos de trabalho. Foi uma lição dolorosa, mas, no fim, inestimável. Buffett jurou que, em primeiro lugar, nunca mais se deixaria levar pelo valor que pagara por ação e, em segundo, não se contentaria com lucros pequenos. No auge de seus 11 anos, Buffett já tinha aprendido uma das lições mais importantes sobre investir: ter paciência. (Falaremos mais sobre esse atributo essencial no Capítulo 7.)

Em 1942, quando Warren contava 12 anos, seu pai foi eleito para o Congresso e a família se mudou para Washington. A mudança foi difícil para o menino. Sentindo-se infeliz e com muitas saudades da antiga vida, Warren foi autorizado a voltar para Omaha por um ano, indo morar com o avô e tia Alice. No ano seguinte, em 1943, ele deu uma nova chance a Washington.

Sem uma corretora amistosa para visitar, o interesse de Buffett foi, aos poucos, se distanciando do mercado de ações e se aproximando do mundo dos empreendimentos. Aos 13 anos, ele trabalhava como entregador para dois jornais da região: o *Washington Post* e o *Washington Times-Herald*. Na Woodrow Wilson High School, fez amizade com Don Danly, que rapidamente se contagiou com seu entusiasmo em fazer dinheiro. Os dois somaram suas economias e compraram uma máquina de pinball recondicionada por 25 dólares. Buffett convenceu um barbeiro local a instalar a máquina em seu estabelecimento pela metade dos lucros. Após o primeiro dia de operação, quando voltaram à barbearia, receberam 4 dólares em moedas de 5 centavos por sua primeira máquina. A Wilson Coin-Operated Machine Company expandiu suas operações e chegou a ter sete máquinas. Em pouco tempo, Buffett estava levantando 50 dólares por semana.

Quando Buffett terminou o ensino médio, suas economias derivadas das diversas atividades que empreendia totalizavam 9 mil dólares. Ele prontamente anunciou que não via motivo para cursar uma faculdade, uma vez que isso atrapalharia suas iniciativas comerciais. Mas seu pai não concordou, e, no outono, Buffett estava matriculado na Universidade da Pensilvânia para cursar a Wharton School of Business and Finance. Apesar da ênfase da Wharton em negócios e finanças, Buffett não ficou impressionado com a faculdade. "Não fiquei exatamente empolgado com aquilo. Não parecia que estava aprendendo muita coisa", confessou ele.[13] O programa da Wharton priorizava os aspectos teóricos dos negócios, ao passo que Buffett se interessava pelo lado prático e queria saber como fazer dinheiro. Assim, após dois anos na Wharton (1947-1949), Warren se transferiu para a Universidade de Nebraska. Em um ano, cursou 14 disciplinas e se formou em 1950. Ainda não tinha completado 20 anos.

De volta a Omaha, Buffett retomou a ligação com o mercado de ações. Começou a reunir dicas quentes de corretores e assinou várias publicações. Ressuscitou seus gráficos de preços e leu livros sobre análises técnicas. Aplicava o sistema de ponto e figura de McGee [sistema *point-and-figure*] e qualquer outro de que pudesse se lembrar, tentando descobrir qual deles funcionaria. Então, certo dia, perambulando pela biblioteca local, topou com um livro recentemente publicado: *O investidor inteligente*, de Benjamin Graham. "Aquilo foi como ver a luz", disse ele.[14]

Os tratados de Graham sobre investimento – incluindo *Security Analysis* (1934), escrito em coautoria com David Dodd – influenciaram Buffett a tal ponto que ele saiu de Omaha e foi até Nova York para ser aluno de Graham na Faculdade de Administração da Universidade Columbia. Graham defendia a importância de conhecer o valor intrínseco de uma empresa. Ele acreditava que os investidores que calculassem com precisão esse valor e comprassem ações a um preço inferior a ele poderiam lucrar no mercado. Essa abordagem matemática atraía Buffett e seu amor por números.

Havia 20 alunos na turma de Graham. Muitos eram mais velhos do que Buffett, e vários já trabalhavam em Wall Street. À noite, esses profissionais se sentavam na classe com Graham para discutir quais ações estavam muito subavaliadas – no dia seguinte, eles voltavam ao trabalho e compravam as ações analisadas na noite anterior, fazendo dinheiro.

Em pouco tempo, ficou claro para todo mundo que Buffett era o mais inteligente da turma. Muitas vezes, ele levantava a mão para responder à pergunta de Graham antes mesmo que o professor tivesse terminado de formulá-la. Bill Ruane, que depois fundaria o Sequoia Fund com Rick Cuniff, estava na turma. Ele se lembra de que houve uma ligação instantânea entre Graham e Buffett, e o restante da turma servia basicamente de plateia.[15] A nota de Buffett no curso foi A+. Em 22 anos lecionando, foi o primeiro A+ dado por Graham.

Depois de se formar em Columbia, Buffett pediu emprego para Graham, mas foi recusado. A princípio, ficou magoado com a rejeição, mas depois foi informado de que a Graham-Newman preferia preencher suas vagas com analistas judeus que, de acordo com a visão geral, estavam recebendo um tratamento injusto em Wall Street. Sem se deixar abater, Buffett voltou para Omaha e passou a fazer parte da Buffett-Falk Company, a corretora de seu pai. Ele começou a todo vapor, recomendando com entusiasmo as ações que correspondiam aos critérios de valor de Graham. O tempo todo, Buffett se manteve em contato com Graham, enviando-lhe diversas ideias sobre ações. Então, em 1954, Graham telefonou para lhe dar uma boa notícia: a barreira religiosa tinha sido suspensa e havia uma vaga na Graham-Newman, caso ele ainda se interessasse. Buffett pegou o primeiro voo para Nova York.

Durante o tempo que passou na Graham-Newman, Buffett mergulhou fundo na estratégia de investimento praticada por seu mentor. Além de Buffett, Graham contratou Walter Schloss, Tom Knapp e Bill Ruane – Schloss depois se tornou gestor de investimentos na WJS Ltd. Partners, onde ficou por 28 anos; Knapp, formado em química pela Princeton, foi um dos sócios fundadores da Tweedy, Browne Partners; Ruane foi cofundador do Sequoia Fund.

Para Buffett, Graham era muito mais do que um tutor. Segundo escreveu Roger Lowenstein, "foi Graham quem forneceu o primeiro mapa confiável daquela cidade maravilhosa e muitas vezes intimidadora que era o mercado de ações. Ele formulou uma base metodológica para a escolha de ações, até então uma pseudociência semelhante a jogos de azar".[16] Desde os 11 anos, quando comprou seu primeiro lote de ações da Cities Service, Buffett estudava os mistérios do mercado de ações – ou seja, naquela época, ele já tinha passado metade de sua vida estudando. Agora, tinha as respostas. Alice Schroeder, autora de *A bola de neve: Warren Buffett e o negócio da vida*, escreveu: "A reação de Warren foi a de um homem que sai da caverna em que passara a vida inteira, piscando por causa da luz do sol ao perceber a realidade pela primeira vez". Ainda segundo Schroeder, o conceito original de Buffett "resultava de padrões formados pelos preços dos papéis que eram negociados. Agora, ele via que esses papéis eram simplesmente símbolos de uma verdade subjacente".[17]

Em 1956, dois anos após Buffett ter chegado, a Graham-Newman foi desfeita, e Graham, então com 61 anos, decidiu se aposentar. Mais uma vez, Buffett retornou para Omaha. Munido com o conhecimento que tinha assimilado de Graham – e, também, com o apoio financeiro de familiares e amigos –, ele deu início a uma sociedade limitada de investimentos. Estava com 25 anos.

A Buffett Partnership Ltd.

A Buffett Partnership começou com sete sócios limitados que, juntos, contribuíram com 105 mil dólares. Buffett, o sócio-geral, entrou com 100 dólares. Os sócios limitados recebiam anualmente 6% de retorno sobre seu investimento e 75% dos lucros acima dessa referência. Buffett recebia os outros 25%. Mas o objetivo da sociedade era relativo, e não absoluto. Buffett deixou claro aos sócios que sua intenção era bater o índice da Dow Jones Industrial em 10 pontos percentuais.

Buffett prometeu aos sócios que os investimentos seriam escolhidos "com base no valor, e não na popularidade". Prometeu também que a sociedade tentaria "reduzir ao mínimo, permanentemente, a perda de capital (não a perda de cotação no curto prazo)".[18] Em um primeiro momento, a Buffett Partnership comprou ações ordinárias subavaliadas com base nos critérios estritos de Graham. Além disso, Buffett se envolveu na arbitragem de fusões, uma estratégia em que as ações de duas empresas em processo de fusão são simultaneamente compradas e vendidas para criar lucro sem risco.

Logo de início, a sociedade de Buffett apresentou números incríveis. Nos cinco primeiros anos (1957-1961) – período em que o índice Dow subiu 75% –, ela ganhou 251% (181% para os sócios limitados). Buffett bateu o índice Dow não pelos 10 pontos percentuais prometidos, mas por 35 pontos em média.

À medida que a reputação de Buffett se espalhava, mais pessoas lhe pediam que administrasse seu dinheiro. Com o aumento no número de investidores, mais sociedades foram formadas, até que, em 1962, Buffett decidiu reestruturar tudo em uma única organização. Naquele ano, ele mudou sua sede, transferindo-a de sua casa para Kiewit Plaza, em Omaha, onde seu escritório continua aberto até hoje. E, no ano seguinte, realizou um de seus mais famosos investimentos, que alavancou sua já crescente reputação.

Um dos piores escândalos corporativos dos anos 1960 se deu quando a Allied Crude Vegetable Oil Company, comandada por Tino De Angelis, descobriu que podia obter empréstimos com base no estoque de seu óleo de salada. Utilizando-se de um fato simples – o óleo flutua na água –, De Angelis manipulou a situação a seu favor. Ele construiu uma refinaria em Nova Jersey onde instalou 139 tanques de armazenagem, cada qual com cinco andares, para guardar óleo de soja. Então, encheu os tanques com água, deixando só alguns metros de óleo na superfície. Quando os fiscais chegavam para conferir o estoque, os funcionários da empresa subiam até o topo dos tanques, mergulhavam um bastão medidor no líquido e informavam um número falso para os fiscais que estavam lá embaixo. Quando o escândalo veio à tona, soube-se que o Bank of America, o Bank Leumi, a American Express e outras empresas internacionais do segmento financeiro tinham bancado mais de 150 milhões de dólares em empréstimos fraudulentos.

A American Express foi uma das empresas mais prejudicadas por aquele que ficou conhecido como o escândalo do óleo de salada. Ela perdeu 58 milhões de dólares, e o preço de suas ações caiu 50%. Se tinha uma coisa que Buffett havia aprendido com Ben Graham era: quando a ação de uma empresa forte está sendo vendida por um preço menor do que seu valor intrínseco, aja de maneira decisiva.

Buffett estava ciente da perda de 58 milhões de dólares, mas não sabia como os clientes estavam vendo o escândalo. Assim, fez uma pesquisa nos caixas dos restaurantes de Omaha e descobriu que o uso do famoso cartão de crédito verde da American Express não tinha diminuído. Ele também visitou diversos bancos na região e verificou que o escândalo financeiro não estava impactando em nada a venda dos cheques de viagem da empresa.

Quando voltou ao escritório, Buffett prontamente investiu 13 milhões de dólares – uma soma exorbitante, equivalente a 25% do patrimônio da sociedade – em ações da American Express. No decorrer dos dois anos seguintes, as ações triplicaram de valor, e os sócios obtiveram um belo lucro líquido de 20 milhões de dólares. Aquilo era puro Graham, e puro Buffett também.

No início, Buffett limitou a sociedade à compra de títulos subavaliados e a alguns avisos de arbitragem de fusão. No quinto ano de operação, contudo, ele comprou sua primeira participação no controle de uma empresa: a Dempster Mill Manufacturing Company, fabricante de equipamentos agrícolas. Logo em seguida, começou a comprar ações de uma tecelagem em apuros na Nova Inglaterra chamada Berkshire Hathaway e, em 1965, já detinha o controle dessa empresa.

* * *

No cálculo diferencial, um ponto de inflexão é aquele no qual, em uma curva, a curvatura muda de positiva para negativa ou de negativa para positiva. Pontos de inflexão também podem ocorrer com empresas, setores, economias, situações geopolíticas e indivíduos. Acredito que a década de 1960 foi o ponto de inflexão de Buffett, aquele em que o investidor se tornou o homem de negócios. Esse foi também um período em que o mercado atingiu um ponto de inflexão. Desde 1956, a estratégia de avaliação proposta por Graham e usada por Buffett dominava o mercado de ações. Contudo, em meados da década de 1960, estava despontando uma nova era, os chamados anos *go-go* – uma referência às ações em crescimento [*growth stocks*]. Foi nessa época que a cobiça começou a orientar o mercado e que se fazia e se perdia dinheiro rapidamente, na busca de ações com desempenho arrojado.[19]

Apesar da mudança intrínseca na psicologia do mercado, a Buffett Partnership continuava a apresentar resultados notáveis. No final de 1966, a sociedade auferiu ganhos da ordem de 1.156% (704% para os sócios limitados), desbancando a Dow, que tinha ganhado 123% no mesmo período. Mesmo assim, Buffett estava cada vez mais inquieto. Embora o mercado tivesse dançado segundo os princípios propostos por Graham, a nova música tocada pelo mercado de ações fazia pouco sentido para Buffett.

Em 1969, ele decidiu colocar um ponto-final na sociedade de investimentos. Para ele, o mercado estava extremamente especulativo, e os valores que valiam a pena, cada vez mais escassos. No final dos anos 1960, o mercado de ações estava dominado por ações de crescimento de preço elevado. As *nifty fifty* [as 50 ações mais atraentes] estavam na ponta da língua de qualquer investidor. Ações de empresas como Avon, Polaroid e Xerox eram negociadas a um valor entre 50 e 100 vezes maior do que seu lucro por ação. Buffett enviou uma carta a seus sócios, confessando que não estava no mesmo ritmo do atual ambiente de mercado. "De uma coisa, porém, tenho certeza", disse ele. "Não vou abandonar a abordagem anterior cuja lógica eu entendo – embora ache difícil colocar em prática –, ainda que isso possa significar abrir mão de lucros grandes e aparentemente fáceis, em nome de uma abordagem que não entendo completamente, não teve sucesso na prática e possivelmente levaria a uma perda de capital permanente e substancial."[20]

No começo da sociedade, Buffett tinha estipulado a meta de desbancar o índice Dow por uma média de 10 pontos percentuais por ano. Entre 1957 e 1969, ele de fato bateu esse índice, não por 10 pontos percentuais, mas por 22! Quando a sociedade foi encerrada, cada um dos investidores recebeu sua parte. Para alguns foram oferecidas aulas sobre títulos municipais, ao passo que outros foram encaminhados para um gestor de investimentos. O único que Buffett recomendava era Bill Ruane, seu antigo colega de turma da Columbia. Ruane concordou em administrar o dinheiro de alguns sócios. Foi assim que nasceu o Sequoia Fund. Outros membros da sociedade, incluindo Buffett, tiraram sua parte em ações da Berkshire Hathaway. A participação de Buffett na sociedade tinha aumentado para 25 milhões de dólares, o suficiente para lhe garantir o controle da companhia.

Quando Buffett desfez a sociedade, muitos pensaram que o auge daquele "trocador de moedas" tinha ficado para trás. Na verdade, ele só estava começando.

Berkshire Hathaway

A empresa original, Berkshire Cotton Manufacturing, foi criada em 1889. Quarenta anos depois, ela combinou suas operações com várias outras tecelagens, o que resultou em uma das maiores indústrias da Nova Inglaterra. Nesse período, a Berkshire produzia aproximadamente 25% do algodão necessário para os Estados Unidos e absorvia 1% da capacidade elétrica da Nova Inglaterra. Em 1955, a Berkshire se fundiu com a Hathaway Manufacturing, e o nome foi então mudado para Berkshire Hathaway.

Infelizmente, nos anos subsequentes, a fusão foi de mal a pior. Em menos de dez anos, os ganhos dos acionistas caíram pela metade, e as perdas com as operações excederam a casa dos 10 milhões de dólares. Ao longo dos 20 anos seguintes, Buffett e Ken Chace, gestor do grupo têxtil, trabalharam intensamente para reverter a situação das tecelagens da Nova Inglaterra. Mas os resultados eram decepcionantes. O retorno sobre o investimento sofria para atingir dois dígitos.

Nos anos 1970, os acionistas da Berkshire Hathaway começaram a questionar se era sensato continuar investindo no setor têxtil. Buffett não tentou encobrir as dificuldades e, em várias ocasiões, explicou seu modo de pensar: as tecelagens eram o maior empregador da região; essa mão de obra era composta por pessoas mais velhas que possuíam habilidades relativamente intransferíveis; a administração tinha apresentado um alto grau de entusiasmo; os sindicatos estavam sendo razoáveis, e – o que era importantíssimo – Buffett acreditava que o setor têxtil poderia gerar alguma lucratividade.

Entretanto, ele deixou claro que esperava que o grupo têxtil obtivesse um retorno positivo com modestos investimentos em capital. "Não vou fechar um negócio de lucratividade abaixo do normal somente para adicionar uma fração de ponto a nossos retornos corporativos", declarou Buffett. "Mas também considero inadequado, mesmo para uma empresa extremamente lucrativa, bancar uma operação que parece ter uma perspectiva de perdas intermináveis. Adam Smith discordaria da primeira proposta, e Karl Marx, da segunda. O meio-termo é a única posição que me deixa confortável."[21]

À medida que a Berkshire Hathaway adentrava os anos 1980, Buffett se familiarizava com algumas realidades. Em primeiro lugar, a própria natureza do setor têxtil tornava improvável a obtenção de altos retornos. Produtos têxteis são commodities, e estas, por definição, têm dificuldade para se distinguir dos produtos dos concorrentes. A competição estrangeira, empregando mão de obra barata, estava espremendo as margens de lucro. Em segundo lugar, para se manterem competitivas, as tecelagens precisariam contar com significativas injeções de capital, uma perspectiva que assusta em ambientes inflacionários e é desastrosa se o retorno do negócio é anêmico.

Buffett estava diante de uma escolha difícil. Se fizesse altos aportes de capital à divisão têxtil para que ela se mantivesse competitiva, a Berkshire teria um retorno reduzido para o que estava se tornando uma base de capital em expansão. Se não reinvestisse, as tecelagens da Berkshire se tornariam menos competitivas em relação a outros fabricantes têxteis nacionais. De qualquer modo, quer a Berkshire reinvestisse ou não, a competição estrangeira continuava a levar vantagem por empregar uma mão de obra mais barata.

Em 1980, o relatório anual trazia pistas sombrias acerca do futuro do grupo têxtil. Naquele ano, o grupo perdeu sua prestigiada posição de liderança, como se lia na Carta do Presidente. No ano seguinte, o grupo têxtil nem foi mencionado na Carta. Então, veio o inevitável: em julho de 1985, Buffett encerrou a contabilidade do grupo, pondo fim a um negócio que nascera cerca de cem anos antes.

Apesar dos infortúnios do grupo têxtil, a experiência não foi um fracasso completo. Para começar, Buffett aprendeu uma valiosa lição sobre reviravoltas corporativas: elas raramente dão certo. Além disso, nos primeiros anos, o grupo têxtil de fato gerou capital suficiente para a compra de uma seguradora – e esta é uma história muito melhor.

Operações de seguros

Em março de 1967, a Berkshire Hathaway comprou, por 8,6 milhões de dólares, as ações em circulação de duas seguradoras sediadas em Omaha: a National Indemnity Company e a National Fire & Marine Insurance Company. Esse foi o começo da espetacular história de sucesso da Berkshire Hathaway.

Para avaliar a dimensão desse fenômeno, é importante reconhecer o verdadeiro valor de possuir uma seguradora. As empresas de seguro às vezes são bons investimentos; outras vezes, não. No entanto, elas são sempre excelentes *veículos* de investimento. Ao pagar seus prêmios, os titulares proporcionam um fluxo constante de caixa, e as seguradoras investem esse dinheiro até que seja solicitada uma indenização. Dada a incerteza do momento em que a solicitação de ressarcimento será feita, as seguradoras optam por investir em títulos líquidos – basicamente, títulos de renda fixa de curto prazo, obrigações mais antigas e ações. Isso significa que Warren Buffett adquiriu não apenas duas empresas modestamente saudáveis, mas também um veículo blindado para gerenciar investimentos.

Em 1967, as duas seguradoras juntas tinham um portfólio de obrigações que valia mais de 24,7 milhões de dólares e um portfólio de ações equivalente a 7,2 milhões. Em dois anos, os portfólios combinados se aproximavam dos 42 milhões de dólares. Era um belo portfólio para um experiente selecionador de ações como Buffett. Ele já tinha experimentado um certo sucesso administrando a carteira da empresa de tecelagem. Quando Buffett assumiu o controle da Berkshire, em 1965, ela tinha 2,9 milhões de dólares em títulos negociáveis. No final do primeiro ano, Buffett tinha ampliado esse valor para 5,4 milhões de dólares. Em 1967, o retorno em dólares sobre o investimento era três vezes o retorno da divisão têxtil inteira, o qual tinha dez vezes a base de patrimônio líquido em relação ao portfólio de ações ordinárias.

Diz-se que, quando Buffett entrou no negócio de seguros e saiu do mercado têxtil, ele apenas trocou uma commodity por outra. Afinal, seguradoras, assim como tecelagens, vendem um produto indistinguível. As políticas de seguro são padronizadas e podem ser copiadas por qualquer um. Não há marcas registradas, patentes, vantagens de locação ou matérias-primas que diferenciem um produto dos outros. É fácil obter as licenças, e as taxas de seguro são um livro aberto. Em geral, o atributo mais distinguível de uma empresa de seguro é seu pessoal. O empenho de cada um dos gerentes tem um impacto enorme no desempenho da seguradora. Com o passar do tempo, Buffett adicionou várias empresas de seguro ao grupo securitário da Berkshire. Um acréscimo de destaque, hoje bastante conhecido graças a uma astuciosa campanha publicitária, foi a GEICO. Em 1991, a Berkshire Hathaway possuía praticamente metade das ações ordinárias em circulação da GEICO. Durante os três anos seguintes, o impressionante desempenho da empresa continuou aumentando, assim como a participação de Buffett. Em 1994, a Berkshire anunciou a posse de 51% da seguradora. Teve início, então, uma séria discussão acerca da integração da GEICO à família Berkshire. Dois anos depois, Buffett assinou um cheque no valor de 2,3 bilhões de dólares, e a GEICO se tornou uma empresa integralmente do grupo.

Mas Buffett ainda não tinha terminado. Em 1998, ele pagou sete vezes a quantia que tinha despendido com as ações em circulação remanescentes da GEICO – algo em torno de 16 bilhões do patrimônio da Berkshire Hathaway – para comprar uma companhia de resseguro chamada General Re. Tratava-se de sua maior aquisição até aquele momento.

Com o passar dos anos, Buffett continuou a comprar companhias de resseguro. Mas, sem dúvida, sua mais astuta jogada envolveu uma pessoa: Ajit Jain, que ele contratou para dirigir o grupo Berkshire Hathaway Reinsurance. Nascido em 1951, Ajit formou-se em engenharia no prestigiado Indian Institutes of Technology e, depois de trabalhar na IBM por três anos, matriculou-se em Harvard para o MBA.

Embora Ajit não tivesse experiência com seguros, Buffett rapidamente percebeu seu brilhantismo. Ele começou na empresa em 1985 e, em pouco mais de 20 anos, elevou a emissão do Reinsurance Group (prêmios recebidos, mas perdas não pagas) ao patamar de 34 milhões de dólares. De acordo com Buffett, Ajit "faz seguros de risco que ninguém mais quer fazer ou tem capital para assumir. Sua atuação combina capacidade, rapidez, tomada de decisão e, principalmente, inteligência de uma maneira inigualável no ramo dos seguros".[22] Não se passa um só dia sem que Buffett e Ajit conversem. Para se ter uma ideia do valor de Ajit, no relatório anual da Berkshire de 2009 Buffett escreveu: "Se Charlie, eu e Ajit estivermos em um barco prestes a afundar e vocês só puderem salvar um de nós, salvem Ajit".

O homem e sua empresa

Não é fácil descrever Warren Buffett. Fisicamente, ele não tem nada de especial, parecendo muito mais um avô do que um titã do mundo corporativo. Intelectualmente, é considerado um gênio, mas seu relacionamento prático com as pessoas não tem nada de complicado. Ele é uma pessoa simples, direta, franca e honesta. Exibe uma combinação envolvente de sofisticada e irônica perspicácia com humor sentimental. Sente uma profunda reverência por tudo que é lógico e abomina a imbecilidade. Adota o que é simples e evita o complicado.

Quando lemos os relatórios anuais, ficamos admirados com a facilidade com que cita a Bíblia, John Maynard Keynes ou Mae West. Claro que a palavra-chave aqui é *leitura*. Cada relatório traz entre 60 e 70 páginas de densas informações. Não há figuras, gráficos em cores ou diagramas. Aqueles que têm disciplina suficiente para começar na página 1 e continuar sem interrupção são recompensados com uma boa dose de sagacidade financeira, humor despretensioso e honestidade. Buffett é muito sincero em seus relatórios e enfatiza os aspectos tanto positivos como negativos dos negócios da Berkshire. Ele acredita que as pessoas que possuem ações da Berkshire Hathaway são donas da empresa e lhes diz tudo o que gostaria de saber se estivesse no lugar delas.

A empresa que Buffett dirige é a consolidação de sua personalidade, de sua filosofia de trabalho – que tem tudo a ver com sua filosofia de investimento – e de seu estilo único. A Berkshire Hathaway é complexa, mas não complicada. Há somente duas partes principais: os negócios em funcionamento e o portfólio de ações, gerado com os ganhos dos negócios não securitários e a emissão das seguradoras. O jeito prático de Buffett perpassa tudo isso, analisando por completo os negócios que está pensando em comprar, os que está avaliando para a compra de ações ordinárias ou a gestão de sua própria empresa.

Hoje, a Berkshire Hathaway está dividida em três grandes grupos: as operações de seguros, os negócios regulados de capital intensivo (que incluem a MidAmerican Energy e a ferrovia Burlington Northern Santa Fe) e as operações de manufatura, serviço e varejo (que produz de pirulitos a aviões a jato). Coletivamente, em 2012, esses negócios geraram 10,8 bilhões de dólares de lucro para a Berkshire Hathaway, comparados aos 399 milhões que Buffett, como homem de negócios, ganhou em 1988. No final do ano de 2012, o portfólio de investimentos da Berkshire Hathaway tinha um valor de mercado de 87,6 bilhões de dólares contra um custo básico de 49,8 bilhões. Em 1988, o investidor Buffett tinha um portfólio avaliado em 3 bilhões contra um custo básico de 1,3 bilhão.

Ao longo das últimas cinco décadas – começando em 1965, quando Buffett assumiu o controle da Berkshire Hathaway –, o valor contábil da empresa cresceu de 19 dólares por ação para 114,214 dólares, o que compõe um lucro anual de 19,7%. Durante esse mesmo período, as 500 empresas indexadas no índice Standard & Poor's (S&P) lucraram 9,4%, já incluindo os dividendos. Esse é um desempenho 10,3% superior ao obtido em quase cinco décadas. Como eu disse antes, quando o "trocador de moedas" fechou a Buffett Partnership, ele estava só começando.

Um evento 5 sigmas

Durante anos, acadêmicos e profissionais de investimento debateram sobre a validade daquilo que se tornou conhecido como a teoria do mercado eficiente. Essa polêmica teoria sugere que analisar ações é uma perda de tempo, porque toda a informação disponível já está refletida nos preços vigentes. Os adeptos dessa teoria afirmam – só em parte como brincadeira – que os investidores profissionais poderiam jogar dardos em uma página de ofertas de ações e acertar as vencedoras com a mesma margem de êxito de um analista financeiro veterano, que passa horas debruçado sobre o último relatório anual ou a apresentação trimestral.

O sucesso de algumas pessoas que continuamente superam os índices – em especial, Warren Buffett – sugere que a teoria do mercado eficiente contém erros. Seus teóricos, contudo, afirmam que não é a teoria que tem problemas. Segundo eles, indivíduos como Buffett são um "evento 5 sigmas", ou seja, um fenômeno estatístico tão raro que praticamente nunca ocorre.[23] É fácil concordar com quem considera Buffett uma raridade estatística. Até hoje, ninguém chegou perto de repetir seu desempenho como investidor, seja nos 13 anos de resultados da Buffett Partnership ou nas cinco décadas de recordes da Berkshire Hathaway. Quando tabulamos os resultados de quase todos os investidores profissionais, percebendo sua incapacidade de superar os principais índices ao longo do tempo, logo surge a questão: o mercado de ações é realmente invencível ou o problema são os métodos usados pela maioria dos investidores?

Por fim, temos as palavras do próprio Buffett para levar em consideração: "O que fazemos não está além da competência de ninguém. Para mim, administrar é a mesma coisa que investir: simplesmente não é preciso fazer coisas extraordinárias para obter resultados extraordinários".[24] A maioria entende que essa explicação de Buffett é apenas uma versão pessoal da humildade clássica do Meio-Oeste. Mas eu levei a sério suas palavras, e esse é o tema deste livro.

2

A formação de Warren Buffett

Até mesmo um fenômeno 5 sigmas dotado de um intelecto incrivelmente poderoso deve se basear nos ensinamentos daqueles que o antecederam, pois nem mesmo ele pode se furtar ao processo de aprender seu ofício. Como veremos, a formação de Warren Buffett é uma síntese de três filosofias de investimento distintas, resultantes da mente de três figuras poderosas: Benjamin Graham, Philip Fisher e Charlie Munger.

A influência de Graham em Buffett é bem conhecida; inclusive, há quem a considere a única influência que Buffett sofreu, o que não é de todo uma surpresa se considerarmos como a trajetória desses dois homens é entrelaçada. Primeiro, Buffett teve interesse em ler o livro de Graham; depois, foi seu aluno, seu funcionário, seu colaborador e, por fim, seu colega. Foi Graham quem moldou as primeiras ideias de Buffett. No entanto, os que pensam que Buffett é resultado unicamente dos ensinamentos de Graham não estão levando em conta a influência de dois outros pensadores de peso: Philip Fisher e Charlie Munger. Estudaremos todos eles neste capítulo.

Benjamin Graham

Graham é considerado o decano da análise financeira. Nas palavras do comentarista econômico Adam Smith, "antes dele não havia uma profissão voltada à análise financeira; depois dele, é assim que se referem a ela".[1] Atualmente, Graham é mais conhecido por dois livros consagrados: *Security Analysis*, em coautoria com David Dodd, originalmente publicado em 1934, e *O investidor inteligente*, cuja primeira edição saiu em 1949. Em parte, a duradoura importância de *Security Analysis* está relacionada ao momento em que a obra foi publicada. Esse livro seminal apareceu poucos anos após a quebra da Bolsa de Valores em 1929, evento que mudou o mundo e teve um profundo impacto no autor, influenciando intensamente suas ideias. Enquanto outros acadêmicos buscavam explicar esse fenômeno econômico, Graham ajudava as pessoas a recuperar suas bases financeiras e a prosseguir em um caminho lucrativo.

Ben Graham obteve seu bacharelado em Ciências pela Universidade Columbia em 1914, aos 20 anos. Falava grego e latim fluentemente e demonstrava interesse acadêmico por matemática e filosofia. No entanto, apesar de não ter uma formação específica na área de negócios, começou uma carreira em Wall Street. Seu primeiro emprego foi como mensageiro na corretora Newburger, Henderson & Loeb, onde recebia 12 dólares semanais para anotar no quadro-negro os preços das ações e dos títulos de dívidas. De mensageiro foi promovido à função de redigir relatórios de pesquisa e, daí a pouco, foi agraciado com uma participação na sociedade. Em 1919, aos 25 anos, ganhava um salário anual de 600 mil dólares, quase 8 milhões em valores atualizados de 2012.

Em 1926, Graham formou uma sociedade de investimentos com Jerome Newman. Foi essa sociedade que contratou Buffett cerca de 30 anos mais tarde. A Graham-Newman sobreviveu ao desastre de 1929, à Grande Depressão, à Segunda Guerra Mundial e à Guerra da Coreia antes de ser encerrada em 1956.

Poucas pessoas sabem que Graham conheceu a ruína financeira na crise de 1929. Pela segunda vez na vida (a primeira foi quando seu pai morreu e deixou a família desprotegida financeiramente), Graham arregaçou as mangas para reconstruir sua fortuna. Encontrou a inspiração para isso em sua *alma mater*, onde recentemente tinha começado a lecionar finanças, em cursos noturnos. O refúgio da academia lhe deu a oportunidade de refletir e reavaliar. Com os conselhos de David Dodd, também professor na Columbia, Graham elaborou o que se tornou o tratado clássico sobre o investimento conservador: *Security Analysis*. Os dois autores juntos acumulavam 15 anos de experiência em investimentos e levaram quatro anos para concluir a obra. Quando ela foi lançada, em 1934, Louis Ri ch escreveu no *New York Times*: "É uma vigorosa, madura e inteiramente meritória consequência da investigação acadêmica e da sagacidade prática. Se sua influência for alguma vez detectada, levará o investidor a pensar mais em títulos do que no mercado".[2]

Na primeira edição, Graham e Dodd deram uma atenção maior aos abusos corporativos. Dispunham de farto material sobre o assunto. Antes do Securities Act de 1933 e do Securities Exchange Act de 1934, as informações sobre as empresas eram totalmente inadequadas e muitas vezes contraditórias. A maioria se recusava a divulgar seus dados de vendas, e o valuation dos ativos era frequentemente suspeito. A desinformação corporativa era usada para manipular os preços de títulos, tanto na oferta pública inicial como no mercado secundário. Depois do Securities Acts, as reformas corporativas mostraram-se lentas, mas deliberadas. Quando apareceu a terceira edição do livro, em 1951, tinham sido eliminadas as referências aos abusos corporativos e, em seu lugar, Graham e Dodd abordaram os problemas de relacionamento entre acionistas e a administração, principalmente a competência da gestão e a política de dividendos.

A essência de *Security Analysis* é que um portfólio diversificado e bem escolhido de ações ordinárias, baseado em preços razoáveis, pode ser um investimento sólido. Cuidadosamente, passo a passo, Graham ajuda os investidores a enxergar a lógica de sua abordagem.

O primeiro problema que Graham teve de enfrentar foi a falta de uma definição universal de "investimento". Citando o juiz Louis Brandeis, Graham enfatizava que "'investimento' é uma palavra de muitos significados". Ele dizia que a questão não dependia de o item ser uma ação (e, portanto, especulativo por definição) ou um título de dívida (portanto, um investimento). Um título de dívida com garantia frágil não pode ser considerado um investimento só por ser um título. Tampouco uma ação com um preço por unidade menor do que seu valor presente líquido pode ser considerada especulação só porque é uma ação. Segundo Graham, a intenção é o que vale. Comprar um título com dinheiro emprestado na esperança de obter lucro rápido é especulação, não importa se é um título de dívida ou uma ação. Considerando a complexidade da questão, Graham propôs sua própria definição: "Uma operação de investimento é aquela que, após minuciosa análise, promete a segurança do principal e um lucro satisfatório. As operações que não cumprem esses requisitos são especulativas".[3] Essa sentença simples está densamente ocupada por ideias que merecem nossa cuidadosa atenção.

Em primeiro lugar, o que ele quis dizer com "minuciosa análise"? Ele começou com uma definição sucinta: "O estudo cuidadoso dos fatos disponíveis com a intenção de tirar conclusões deles com base em princípios estabelecidos e uma lógica consistente".[4] Depois foi um pouco mais adiante e descreveu a análise como um processo de três etapas: (1) descritiva, (2) crítica e (3) seletiva. A primeira etapa envolve a coleta de todos os fatos e sua apresentação de maneira inteligível. A segunda diz respeito a examinar os méritos dos padrões usados para comunicar informações: os fatos foram expostos de modo justo? A etapa final exige que o analista julgue a atratividade do título em questão.

Em seguida, Graham afirma que, para o título ser considerado um investimento, é preciso que duas condições sejam cumpridas: alguma medida de segurança do principal *e* uma taxa de retorno satisfatória. Quanto à primeira, ele alertava que a segurança não é absoluta; uma ocorrência altamente incomum ou improvável pode deixar um título seguro entrar em inadimplência. Em vez disso, ele dizia, o investimento deve ser considerado seguro contra perdas sob condições razoáveis.

Um retorno satisfatório – a segunda condição necessária – também merece cautela, porque "satisfatório", como Graham acertadamente observou, é um termo subjetivo. Ele de fato disse que o retorno pode ser qualquer valor, mesmo que baixo, desde que o investidor aja com inteligência e não se afaste da plena definição de investimento. A pessoa que realiza uma minuciosa análise financeira baseada numa lógica consistente e escolhe uma margem razoável de retorno, sem comprometer o principal, é, segundo a definição de Graham, um investidor, não um especulador.

Ao longo de toda a sua carreira, Graham continuou a sofrer com a controvérsia envolvendo investimentos e especulação. No final da vida, acompanhou desgostoso a atitude de investidores institucionais que preferiam ações claramente especulativas. Pouco depois do período adverso para o mercado entre 1973 e 1974, Graham foi convidado a participar de uma assembleia de gestores financeiros, presidida por Donaldson, Lufkin e Jenrette, e ficou profundamente chocado com o que ouviu: "Não conseguia compreender como a gestão de dinheiro pelas instituições havia degenerado tanto, indo de investimentos consistentes a essa corrida de ratos, em que se tenta conseguir o mais alto retorno possível no mais curto prazo".[5]

A segunda contribuição de Graham – depois de estabelecer uma clara e duradoura distinção entre investimento e especulação – foi uma metodologia para a compra de ações ordinárias que as qualifica como investimento em vez de especulação. Sua metodologia era baseada no conceito que ele chamava de "margem de segurança", e também neste caso ele pensava na crise de 1929.

O perigo de 1929 não era que a especulação tentasse se fazer passar por investimento, mas sim que o próprio investimento se tornasse especulação.

Graham observou que o otimismo baseado no histórico era desenfreado e perigoso. Incentivados pelo passado, os investidores projetavam uma era futura de crescimento e prosperidade contínua, e começaram a perder seu senso de proporção a respeito de preços. Graham dizia que as pessoas estavam pagando preços por ações sem nenhuma noção de expectativa matemática; as ações valiam qualquer preço que o mercado otimista apontasse. No ambiente dessa insanidade, a distinção entre investimento e especulação era muito tênue.

Como antídoto contra uma conduta tão arriscada, Graham propunha uma maneira de escolher ações com base no que ele chamava de "margem de segurança". Segundo essa abordagem, os investidores que são otimistas a respeito do crescimento de uma companhia têm duas técnicas para adicionar esse título a seu portfólio: (1) comprar ações quando o mercado global está negociando em baixa (o que geralmente ocorre durante um mercado adverso ou em um tipo similar de correção) ou (2) comprar ações quando são negociadas abaixo de seu valor intrínseco, mesmo quando o mercado global não está substancialmente barato. Em ambas as técnicas, Graham dizia, o preço de compra contém uma margem de segurança.

A primeira técnica – comprar somente quando o mercado está em baixa – contém algumas dificuldades inerentes. Ela provoca o investidor a desenvolver alguma espécie de fórmula que indique quando o mercado está caro e quando está barato. Então, o investidor se torna refém da previsão de reviravoltas do mercado, processo esse longe de certo. Além disso, quando o mercado está relativamente valorizado, os investidores são incapazes de lucrar com a compra de ações ordinárias. Contudo, esperar pela correção do mercado antes de comprar ações pode ser cansativo e, no final, frustrante.

Segundo Graham, o investidor direcionaria melhor suas energias se recorresse à segunda técnica: identificar títulos subavaliados, independentemente do nível de preços do mercado global. Para que essa estratégia funcione sistematicamente, o investidor precisa de uma maneira para identificar as ações que estão sendo vendidas abaixo de seu valor calculado. Seu objetivo era descrever essa estratégia e, com essa finalidade, desenvolveu uma abordagem quantitativa que só ficou conhecida depois de *Security Analysis*.

Graham reduziu o conceito de investimento consistente ao conceito que chamou de "margem de segurança". Com isso, almejava unir todos os títulos – ações ou títulos de dívida – numa única abordagem ao investimento.

Definir o conceito de margem de segurança para títulos não era muito difícil. Se, por exemplo, um analista examinasse o histórico operacional de uma companhia e descobrisse que, na média, nos últimos cinco anos, ela foi capaz de lucrar anualmente cinco vezes seus gastos fixos, então os títulos de dívida dessa empresa possuíam margem de segurança. Graham não esperava que os investidores determinassem com exatidão a renda futura da companhia. Em vez disso, pensava que, se a margem entre o lucro e os custos fixos era ampla o suficiente, os investidores estariam protegidos de algum declínio inesperado na renda da empresa.

O verdadeiro teste foi a capacidade de Graham de adaptar esse conceito para as ações ordinárias. Ele argumentava que existia margem de segurança para a ação ordinária quando seu preço ficava abaixo de seu valor intrínseco. E a próxima questão óbvia é: como se determina o valor intrínseco? Mais uma vez, Graham inicia a resposta com uma definição sucinta: valor intrínseco é "o valor determinado pelos fatos". Esses fatos incluem os ativos, os lucros e os dividendos da companhia e todos os futuros clientes definitivos.

Dentre todos esses, Graham acreditava que o fator mais importante era o poder de lucratividade futura. E isso o levou a uma fórmula simples: o valor intrínseco de uma empresa pode ser determinado estimando-se seus lucros futuros e multiplicando-os por um fator apropriado de capitalização. Esse fator de capitalização, ou multiplicador, é influenciado pela estabilidade dos lucros da empresa, por seus ativos, sua política de dividendos e sua saúde financeira.

Ele acrescentava uma importante advertência: o sucesso dessa abordagem é limitado por nossa capacidade de calcular o futuro econômico da companhia, cálculo esse inevitavelmente impreciso. Fatores como volume de vendas, precificação e despesas são difíceis de prever, o que torna mais complexo aplicar um multiplicador.

Apesar disso, Graham acreditava que a margem de segurança poderia ter sucesso em três áreas: (1) em títulos estáveis, como títulos de dívida e ações preferenciais; (2) na análise comparativa e (3) na escolha de ações, desde que o *spread* entre o preço e o valor intrínseco fosse grande o bastante. No livro, Graham diz que devemos aceitar que o valor intrínseco é um conceito esquivo. É diferente do preço de cotação do mercado. Originalmente, valor intrínseco era entendido como a mesma coisa que o valor contábil da companhia, ou a soma de seus ativos reais menos suas obrigações. Essa noção gerou a crença inicial de que o valor intrínseco era imutável. No entanto, os analistas acabaram percebendo que o valor de uma companhia não vinha apenas de seus ativos reais, mas também dos potenciais ganhos produzidos por esses ativos. Graham propunha que não era essencial determinar o valor intrínseco exato de uma empresa; um valor aproximado, cotejado com o preço de venda, seria suficiente para mensurar a margem de segurança.

A análise financeira não é uma ciência exata, como Graham nos faz lembrar. Sem dúvida, alguns fatores quantitativos se prestam a uma análise minuciosa: balanços patrimoniais, demonstrativos de resultado, ativos e passivos, lucros e dividendos. No entanto, não devemos ignorar alguns fatores qualitativos que não são fáceis de analisar, mas que se mostram essenciais na hora de determinar o valor intrínseco de uma companhia. Dois desses são a competência da gestão e a natureza do negócio. Para Graham, a questão era: quanta atenção se deve dar a eles?

Ele tinha dúvidas quanto à ênfase dada aos fatores qualitativos. Opiniões sobre a gestão e a natureza de um negócio não se medem facilmente, e o que é difícil de medir pode ser mal mensurado. Uma atitude otimista quanto a fatores qualitativos muitas vezes leva a um multiplicador mais alto. A experiência de Graham levava-o a acreditar que, quando os investidores se afastaram dos ativos fixos e passaram para os intangíveis, acabaram abrindo espaço para uma maneira de pensar potencialmente arriscada. Se, por outro lado, um volume maior do valor intrínseco de uma companhia é a soma de fatores quantitativos mensuráveis, Graham acreditava que a desvantagem do investidor se tornaria mais limitada. Ativos fixos são mensuráveis. Dividendos são mensuráveis. Lucros atuais e passados são mensuráveis. Cada um desses fatores pode ser demonstrado por números e se torna uma fonte de lógica corroborada por experiências de fato.

Tenha certeza de suas bases, Graham dizia. Comece com os valores dos ativos líquidos como o ponto de partida fundamental. Se você comprou ativos, sua desvantagem se limitou ao valor de liquidação desses bens. Ele afirmava que ninguém pode socorrer financeiramente uma pessoa se essas projeções não se concretizarem. Se a companhia foi considerada um negócio atraente e sua esplêndida gestão predizia potenciais lucros futuros, isso sem dúvida atrairia um número crescente de compradores de ações. Graham então dizia que "com isso, [os investidores] comprarão e, ao fazer isso, apostarão numa alta do preço e, portanto, do índice preço/lucro. Quantos mais investidores ficarem encantados com a promessa de retorno, mais os preços subirão, desvinculados do valor inerente, e dispararão sem controle, criando uma bolha que aumenta lindamente até que por fim estoure".[6]

Graham afirmava que ter boa memória era o que mais lhe pesava. A lembrança de ter conhecido a ruína financeira duas vezes na vida o havia levado a adotar uma abordagem em relação aos investimentos que enfatizava a proteção contra eventuais perdas, mais do que o potencial lucro.

Graham salientava que há duas regras para investir. A primeira é: não perca. A segunda é: não esqueça a primeira. E ele consolidou essa filosofia de "não perder" em duas diretrizes específicas e tangíveis que cimentavam sua margem de segurança: (1) comprar uma empresa por menos de dois terços do valor de seu ativo líquido; (2) concentrar-se em ações com baixo índice preço/lucro.

A primeira diretriz – comprar uma ação por um preço menor do que dois terços de seu valor líquido – correspondia ao conceito de momento presente de Graham e satisfazia seu desejo de certa expectativa matemática. Ele não dava valor às instalações da empresa, à sua propriedade e aos equipamentos. Além disso, deduzia tudo do passivo de curto e de longo prazo da companhia. O que restava eram os ativos atuais. Se o preço das ações estava abaixo desse valor por ação, Graham considerava tal método infalível para nortear um investimento. Ele esclarecia que os resultados se baseavam no provável desempenho de um grupo de ações (diversificação), e não em desempenhos individuais.

Existe somente um problema com essa abordagem: as ações que correspondem a esses critérios podem ser difíceis de encontrar, sobretudo em mercados em alta. Reconhecendo que esperar pela correção do mercado pode não ser razoável, Graham se voltou para sua segunda ideia: comprar ações com preço baixo que eram vendidas com baixo índice preço/lucro. Também logo acrescentou que a companhia deve ter *algum* valor de ativo líquido; em outras palavras, ela tem de dever menos do que vale.

Ao longo de sua carreira, Graham trabalhou com algumas variações dessa abordagem. Um pouco antes de falecer, em 1976, estava revisando a quinta edição de *Security Analysis* com Sidney Cottle. Nessa época, Graham analisava os resultados financeiros de ações compradas de acordo com estes critérios: baixo índice preço/lucro de 10 anos; preço da ação igual à metade de sua última alta no mercado; e, naturalmente, o valor do ativo líquido. Graham testou ações até o ano de 1961 e encontrou alguns resultados muito promissores.

Ao longo dos anos, vários outros investidores buscaram atalhos parecidos para determinar o valor intrínseco. E, embora a abordagem do baixo índice preço/lucro defendida por Graham ainda seja em geral adotada, aprendemos que tomar decisões apenas com base em índices contábeis não é suficiente para garantir um retorno lucrativo. Hoje, a maioria dos investidores se pauta pela clássica definição de valor apresentada por John Burr Williams em seu livro *The Theory of Investment Value* (Harvard University Press, 1938): o valor de qualquer investimento é o valor presente descontado de seus fluxos de caixa futuros. Veremos em mais detalhes o modelo do desconto de dividendos no Capítulo 3.

Por ora, vamos salientar que há uma característica comum aos dois métodos de Graham: comprar uma ação por menos de dois terços do valor do ativo líquido e comprar ações com baixos índices preço/lucro. As ações que ele escolheu com base nesses métodos estavam profundamente depreciadas no mercado e, por algum motivo, precificadas abaixo do seu valor. Para Graham, essas ações de preço "injustificadamente baixo" eram compras atraentes.

Sua convicção se devia a alguns pressupostos. Em primeiro lugar, ele acreditava que o mercado frequentemente atribui preços errados a ações, em geral por causa do medo e da cobiça – emoções humanas básicas. No auge do otimismo, a cobiça faz as ações subirem além de seu valor intrínseco, gerando um mercado inflacionado. Em outros momentos, o medo arrasta os preços abaixo de seu valor intrínseco, gerando um mercado subvalorizado. Sua segunda premissa estava baseada no fenômeno conhecido como "regressão à média", embora ele não usasse essa expressão. Com eloquência, ele citava o poeta Horácio: "Muitos que agora estão caídos se reerguerão, e muitos que agora são honrados cairão". Seja qual for sua fonte de inspiração – a estatística ou a poesia –, Graham acreditava que o investidor poderia se beneficiar das forças de correção de um mercado ineficiente.

Philip Fisher

Enquanto Graham escrevia *Security Analysis*, Philip Fisher estava começando sua carreira como consultor de investimentos. Depois de se formar na Graduate School of Business Administration na Universidade Stanford, Fisher começou a trabalhar como analista no Anglo London & Paris National Bank, em San Francisco. Em menos de dois anos, assumiu a direção do departamento de estatística do banco. De seu posto, acompanhou a quebra da Bolsa de Valores em 1929. Em seguida, após uma breve e improdutiva carreira numa corretora local, decidiu abrir sua própria empresa de consultoria. Em 31 de março de 1931, a Fisher & Company começou a aceitar clientes.

Abrir uma firma de consultoria de investimento no início dos anos 1930 pode ter parecido tolice, mas Fisher percebeu que tinha duas vantagens. A primeira era que qualquer investidor que ainda tivesse algum dinheiro depois da quebra da Bolsa provavelmente estava muito infeliz com seu corretor de sempre. A segunda era que, em plena depressão financeira, os homens de negócios tinham bastante tempo para conversar com Fisher.

Em Stanford, uma das disciplinas que Fisher cursou exigia que ele acompanhasse seu professor em visitas periódicas a empresas na área de San Francisco. O professor pedia que os gerentes das companhias falassem de suas operações e muitas vezes os ajudava a resolver algum problema imediato. No caminho de volta a Stanford, Fisher e o professor recapitulavam o que haviam observado nas empresas e falavam sobre os gerentes com quem tinham se encontrado. Mais tarde, Fisher comentou que "essa hora semanal foi o treinamento mais útil que recebi".[7]

Com base nessas experiências, Fisher acabou acreditando que lucros superiores podiam ser obtidos por meio de (1) investimento em companhias com potencial acima da média e (2) alinhamento com a gestão mais capaz. Para isolar essas empresas excepcionais, Fisher desenvolveu um sistema de pontuação que qualificava as companhias conforme as características de seu negócio e de sua gestão.

A característica de uma empresa que mais impressionava Fisher era sua capacidade de aumentar as vendas e os lucros ano a ano, a uma taxa maior do que a média do ramo.[8] Para fazer isso, segundo Fisher, a empresa precisava possuir "produtos ou serviços com potencial de mercado suficiente para tornar possível um aumento apreciável nas vendas ao longo de vários anos".[9] Ele não se importava tanto com aumentos consistentes de vendas anuais. Em vez disso, avaliava o sucesso de uma empresa ao longo de vários anos. Fisher tinha consciência de que mudanças no ciclo do negócio surtiriam um efeito material nas vendas e nos lucros. No entanto, acreditava que, década após década, dois tipos de empresa exibiriam a promessa de um crescimento acima da média: (1) as "sortudas e capazes" e (2) as "sortudas porque são capazes".

A Aluminum Company of America (Alcoa), segundo ele, era um exemplo do primeiro tipo. Essa companhia era "capaz" porque seus fundadores tinham sido pessoas de grande habilidade. A administração da Alcoa previu os usos comerciais de seu produto e trabalhou agressivamente para capitalizar o mercado de alumínio a fim de incrementar as vendas. A empresa também foi "sortuda", de acordo com Fisher, porque alguns eventos fora do controle imediato da administração estavam tendo um impacto positivo na companhia e em seu mercado. O acelerado desenvolvimento do transporte aéreo estava aumentando rapidamente as vendas de alumínio. Por causa da indústria da aviação, a Alcoa estava se beneficiando muito mais do que seus gestores tinham previsto.

A DuPont, por sua vez, era um bom exemplo de uma companhia "sortuda porque era capaz", de acordo com Fisher. Se a DuPont tivesse se limitado ao seu produto original – a pólvora –, teria se saído tão bem quanto as mineradoras típicas, mas, como a administração explorou o conhecimento que tinha obtido fabricando pólvora, a empresa foi capaz de lançar novos produtos, incluindo o náilon, o celofane e acrílico [*Lucite*], que criaram seus próprios mercados, gerando por fim bilhões de dólares em vendas para a DuPont.

O trabalho do setor de pesquisa e desenvolvimento de uma companhia, como salientou Fisher, pode contribuir de forma vigorosa para a sustentabilidade de um crescimento em vendas acima da média. Como ele mesmo explicou, evidentemente nem a DuPont nem a Alcoa teriam tido sucesso a longo prazo sem um significativo compromisso com pesquisa e desenvolvimento. Até mesmo negócios não técnicos necessitam de um esforço de pesquisa dedicado para produzir produtos melhores e oferecer serviços mais eficientes.

Além de pesquisa e desenvolvimento, Fisher analisava a organização de vendas da companhia. Ele dizia que a empresa até poderia desenvolver produtos e serviços notáveis, mas o trabalho de pesquisa e desenvolvimento só seria traduzido em renda se eles fossem "comercializados com habilidade". Fisher explicava que é responsabilidade da organização de vendas ajudar o cliente a entender os benefícios dos produtos e serviços de uma empresa. E também dizia que a organização de vendas deve monitorar os hábitos de compra de seus consumidores e ser capaz de identificar mudanças em suas necessidades. Para Fisher, a organização de vendas torna-se o elo inestimável entre o mercado e a divisão de pesquisa e desenvolvimento.

No entanto, apenas o potencial de mercado é insuficiente. Fisher acreditava que uma companhia, mesmo aquela capaz de gerar um crescimento de vendas acima da média, era um investimento inadequado se não conseguisse gerar lucro para os acionistas: "Todo o crescimento de vendas no mundo não produzirá o tipo certo de veículo de investimento se, ao longo dos anos, o lucro não crescer na mesma medida".[10] Dentro dessa perspectiva, Fisher buscava companhias que não somente eram os menos dispendiosos fabricantes de produtos e fornecedores de serviços, mas também eram dedicados a permanecer assim. A empresa com um ponto de equilíbrio baixo, ou com uma margem de lucro proporcionalmente alta, tem melhores condições de enfrentar um ambiente econômico em depressão. Em última análise, pode afastar competidores mais fracos e, assim, fortalecer sua própria posição no mercado.

Fisher dizia que uma empresa só será capaz de sustentar sua lucratividade se conseguir desdobrar os custos de suas operações e, ao mesmo tempo, entender o custo de cada passo de seu processo de fabricação. Para tanto, a companhia deveria instalar controles contábeis adequados e uma análise de custos eficiente. Ele acentuava que as informações sobre custos permitem à empresa direcionar seus recursos para os produtos ou serviços de potencial econômico mais alto. Além disso, os controles contábeis ajudam a identificar obstáculos às operações da companhia. Esses pontos de ineficiência ou obstáculos atuam como dispositivos de alerta precoce, destinados a proteger a lucratividade geral da empresa. A sensibilidade de Fisher quanto à lucratividade estava vinculada a outra preocupação: a capacidade da empresa de crescer no futuro sem precisar de financiamento para assegurar seu patrimônio. Segundo ele, se o único modo de uma empresa crescer é vendendo ações, um maior número de ações em circulação anulará os eventuais benefícios que os acionistas poderiam obter com o crescimento da companhia. Fisher explicava que a empresa que tem margens de lucro altas está mais bem preparada para gerar caixa internamente; esses recursos podem ser usados para sustentar seu crescimento sem diluir a participação dos acionistas. Além disso, a companhia que é capaz de manter um controle de custos adequado em relação a seus ativos fixos e às necessidades de seu capital de giro está em melhores condições para gerir suas necessidades de caixa e evitar aportes de capital.

Fisher tinha consciência de que as companhias superiores não só possuem características empresariais acima da média, como, o que é igualmente importante, são dirigidas por pessoas com habilidades administrativas acima da média. Esses gestores estão decididos a desenvolver novos produtos e serviços que continuarão a instigar o crescimento das vendas muito tempo depois que os produtos e os serviços existentes tiverem sido largamente explorados. Fisher notou que muitas companhias têm perspectivas adequadas de crescimento porque suas linhas de produtos e serviços as sustentarão por vários anos, mas poucas praticam políticas que asseguram ganhos consistentes durante 10 ou 20 anos. Ele dizia que "a gestão deve ter uma política viável para atingir esses objetivos com toda a disposição a fim de subordinar lucros imediatos para os maiores ganhos a longo prazo requeridos por esse conceito".[11] Ele explicava que "subordinar lucros imediatos" não deveria ser confundido com "sacrificar lucros imediatos". Um gestor acima da média tem habilidade para implantar os planos de longo prazo da companhia e, ao mesmo tempo, se concentrar nas operações diárias.

Há ainda outro atributo de importância crítica para Fisher: o negócio conta com uma gestão de integridade e honestidade inquestionáveis? Os gestores se comportam como se fossem os representantes dos acionistas ou parece que só se importam com seu próprio bem-estar?

Segundo ele, uma maneira de identificar a intenção dos gestores é observar como eles se comunicam com os acionistas. Todos os negócios, bons ou maus, atravessam períodos de dificuldades inesperadas. Normalmente, quando o negócio vai bem, os gestores falam livremente, mas, quando o negócio vai mal, alguns gestores se fecham em vez de abordar abertamente as dificuldades. Para Fisher, o modo como os gestores reagem a dificuldades na empresa diz muito a respeito das pessoas incumbidas do futuro da companhia.

Ele afirmava que, para o negócio ter sucesso, a gestão também deve desenvolver boas relações operacionais com todos os funcionários. Estes devem sentir genuinamente que aquela empresa é um bom lugar para trabalhar. Os funcionários administrativos e operacionais devem sentir que são tratados com respeito e decência, e os executivos devem sentir que as promoções são baseadas na capacidade, não no favoritismo.

Fisher também levava em conta a profundidade da gestão. Ele perguntava: o CEO conta com um time de talento? Ele é capaz de dar autonomia a dirigentes, para que se incumbam de determinados setores do negócio?

Por fim, Fisher examinava as características específicas da empresa: os atributos de seu negócio e sua gestão e como se comportava na comparação com outros negócios do mesmo ramo. Em sua pesquisa, tentava identificar indícios que pudessem levá-lo a entender a superioridade de uma companhia em relação às suas concorrentes. Ele dizia que apenas ler os relatórios financeiros de uma empresa não é suficiente para justificar um investimento. O passo essencial num investimento prudente, segundo ele, é descobrir o máximo possível sobre a companhia a partir das pessoas que a conhecem. Fisher admitia que essa era uma pesquisa genérica, capaz de gerar dados tendenciosos que ele classificava como "fofoca". Hoje diríamos que é a rede de boatos corporativos em ação. Fisher afirmava que, se tratada adequadamente, a fofoca fornece pistas substanciais para o investidor identificar ótimos investimentos.

A investigação das fofocas levava Fisher a entrevistar tantas fontes quanto possível. Ele conversava com clientes e fornecedores e ia em busca de antigos funcionários, assim como de consultores que tinham trabalhado para a empresa. Entrava em contato com pesquisadores em universidades, funcionários públicos e executivos de associações comerciais. Também entrevistava os concorrentes. Embora os executivos às vezes hesitem em expor muitas informações sobre sua própria empresa, Fisher descobriu que eles nunca deixam de ter uma opinião sobre seus adversários comerciais. Ele dizia que "era impressionante como dava para obter uma imagem precisa dos pontos fortes e fracos de cada companhia com base no cruzamento representativo das opiniões de alguém que, de alguma maneira, estava ligado a uma empresa específica".[12]

A maioria dos investidores não está disposta a comprometer o tempo e a energia que Fisher considerava necessários para entender uma companhia. Criar uma rede de fofoqueiros e organizar entrevistas são atividades que consomem tempo; replicar o processo da fofoca para cada empresa em análise pode ser exaustivo. Fisher encontrou um jeito simples de diminuir o montante de trabalho: reduzindo o número de companhias das quais possuía ações. Ele sempre dizia que preferia ter ações de poucas empresas de destaque do que ações de um número maior de negócios de desempenho médio. Em geral, seus portfólios incluíam menos de 10 empresas, sendo que três ou quatro delas representavam 75% do total de sua carteira de ações.

Fisher pensava que, para ter sucesso, o investidor precisava fazer bem apenas poucas coisas. Uma delas era investir em companhias que estivessem dentro de seu círculo de competências. Ele dizia que um de seus primeiros erros tinha sido "projetar minha capacidade além do limite da minha experiência. Comecei investindo fora dos contextos que eu achava que entendia plenamente, em esferas de atividade bastante diferentes, em situações sobre as quais eu não tinha um conhecimento básico suficiente".[13]

Charlie Munger

Quando Warren Buffett abriu sua sociedade de investimento em 1956, tinha somente pouco mais de 100 mil dólares de capital. Portanto, uma de suas tarefas iniciais foi persuadir mais investidores a entrar no negócio. Certo dia, quando Buffett estava apresentando sua cuidadosa e detalhada proposta aos vizinhos, o dr. Edwin Davis e sua esposa, de repente Davis o interrompeu e anunciou abruptamente que o casal lhe daria 100 mil dólares. Quando Buffett lhe perguntou por quê, Davis respondeu: "Porque você me lembra Charlie Munger".[14]

Embora os dois tivessem crescido em Omaha e contassem com muitos conhecidos em comum, Buffett e Charlie só se encontrariam de fato em 1959. Nessa época, Charlie estava morando no sul da Califórnia. Quando ele retornou a Omaha para o enterro de seu pai, o dr. Davis entendeu que estava na hora de os dois jovens se conhecerem e convidou-os para jantar com ele num restaurante local. Foi o começo de uma parceria extraordinária.

Filho de um advogado e neto de um juiz federal, Charlie tinha iniciado um bem-sucedido escritório de advocacia em Los Angeles, mas seu interesse pelo mercado de ações já era forte. Naquele primeiro jantar, os dois rapazes tiveram muito que conversar, inclusive sobre ações. Depois desse dia, passaram a se comunicar com frequência, e Buffett várias vezes insistia com Charlie para que deixasse a advocacia de lado e se concentrasse em investimentos. Por algum tempo, Charlie atuou nas duas áreas. Em 1962, fundou uma sociedade de investimentos, semelhante à de Buffett, ao mesmo tempo em que continuava advogando. Depois de três anos de muito sucesso, parou totalmente de atuar como advogado, embora até hoje mantenha uma sala na firma que leva seu nome.

Vamos examinar brevemente o histórico de desempenho da sociedade de investimentos de Charlie no Capítulo 5. Por ora, vale a pena destacar que sua sociedade em Los Angeles e a de Buffett em Omaha tinham uma abordagem similar: ambas buscavam comprar valendo-se de algum desconto sobre o valor intrínseco e ambas obtinham resultados notáveis em seus investimentos. Portanto, não surpreende que os dois tenham comprado algumas das mesmas ações. Assim como Buffett, Charlie começou comprando ações da Blue Chip Stamps no final da década de 1960; depois de algum tempo, tornou-se presidente do conselho. Quando a Berkshire e a Blue Chip Stamps se fundiram em 1978, Charlie se tornou o vice-presidente da Berkshire Hathaway.

O relacionamento de trabalho entre Charlie e Buffett não chegou a ser formalizado num contrato oficial de sociedade, mas, com os anos, evoluiu até se tornar talvez ainda mais próximo e simbiótico. Ainda antes de Charlie vir a integrar o conselho da Berkshire, os dois já tomavam juntos muitas decisões de investimento, em geral em reuniões diárias. Aos poucos, as questões relativas a seus negócios se tornaram ainda mais interligadas.

Hoje, Charlie continua no posto de vice-presidente da Berkshire Hathaway. Atua também como sócio cogestor oficial de Buffett e como seu alter ego. Para dar uma ideia de quão estreito é o alinhamento entre os dois, basta contar o número de vezes que Buffett diz que "Charlie e eu" fizemos isto, decidimos aquilo, acreditamos nisso, analisamos aquilo ou pensamos isso – quase como se "Charlie e eu" fosse o nome de uma pessoa só.

Para esse relacionamento profissional, Charlie contribuiu não só com conhecimentos financeiros de alto nível, mas também com os fundamentos do direito comercial, assim como uma perspectiva intelectual muito diferente da de Buffett. Charlie é apaixonado por muitas áreas do conhecimento –

Ciência, História, Filosofia, Psicologia, Matemática – e acredita que cada um desses campos tem conceitos importantes que as pessoas ponderadas podem e devem aplicar em todas as suas iniciativas, inclusive decisões a respeito de investimentos. Charlie dizia que, para alcançar um "conhecimento de mundo", é preciso construir uma rede de modelos mentais que una todas as grandes ideias do mundo.[15] Quem deseja ir mais fundo e conhecer em toda a sua amplitude o conhecimento de Charlie deve ler seu maravilhoso livro *Poor Charlie's Almanack: The Wit and Wisdom of Charles T. Munger*, lançado em 2005.

Juntos, todos esses fios – de conhecimentos financeiros, de formação em direito, além de muito apreço por outras disciplinas – acabaram redundando em Charlie numa filosofia de investimento um pouco diferente da praticada por Buffett. Enquanto este, inabalavelmente dedicado a Ben Graham, continuava buscando ações vendidas a preços irrisórios, Charlie estava se encaminhando na direção dos princípios defendidos por Phil Fisher. Para Charlie, era muito melhor pagar um preço adequado por uma grande companhia do que um preço grande por uma companhia adequada.

A história da aquisição da See's Candies pela Berkshire ilustra bem de que forma Charlie ajudou Buffett a transpor o obstáculo do investimento em alto valor e começar a cogitar a compra de ações de companhias de qualidade mais alta.

Em 1921, Mary See, de 71 anos e já avó, abriu uma pequena loja de doces no bairro onde residia, em Los Angeles. Ali venda chocolates feitos a partir de suas próprias receitas. Com a ajuda do filho e da nora, o negócio foi crescendo pouco a pouco até se tornar uma pequena rede no sul e no norte da Califórnia. A empresa sobreviveu à Depressão, ao racionamento de açúcar durante a Segunda Grande Guerra e à intensa concorrência, sempre praticando uma estratégia imutável: nunca comprometer a qualidade do produto.

Mais ou menos 50 anos depois, a See's tinha se tornado a mais famosa rede de docerias na Costa Oeste, e os herdeiros de Mary See estavam preparados para passar para a próxima fase da vida. Chuck Huggins, que tinha entrado na companhia cerca de 30 anos antes, foi incumbido de encontrar o melhor comprador possível e cuidar da venda. Vários candidatos se apresentaram, mas nenhum acordo foi fechado.

No final de 1971, um consultor de investimentos da Blue Chip Stamps, da qual a Berkshire Hathaway era então a acionista principal, propôs que a Blue Chip comprasse a See's. O preço pedido era de 40 milhões de dólares, mas, como a See's tinha 10 milhões em caixa, o preço líquido era, de fato, 30 milhões. Buffett continuava cético. O valuation da See's era três vezes seu valor contábil, o que tornava o preço muito alto conforme os preceitos de Graham baseados no valor.

Charlie convenceu Buffett de que pagar o que ele considerava um preço excessivo era, no fundo, um bom negócio. Buffett ofereceu 25 milhões de dólares, e os vendedores aceitaram. Para Buffett, era a primeira vez que dava um passo tão grande numa direção que diferia da filosofia de Graham de somente comprar uma empresa quando estivesse com preço abaixo de seu valor contábil oficial. Esse foi o começo de uma mudança tectônica no modo de pensar de Buffett, e ele reconhece que foi Charlie que o levou a esse novo caminho. Charlie mais tarde comentou que aquela "foi a primeira vez que pagamos pela qualidade".[16] Dez anos depois, Buffett recebeu uma proposta para vender a See's por 125 milhões de dólares, ou seja, cinco vezes o preço de compra em 1972. Ele preferiu recusar a oferta.

Um dos motivos para a parceria entre Buffett e Charlie durar tanto tempo é que os dois adotam uma atitude inflexível em relação a princípios de bom senso em seus negócios. Como gestores, ambos possuem qualidades indispensáveis para administrar negócios de alta qualidade. Os acionistas da Berkshire Hathaway são abençoados por terem sócios-gerentes que cuidam de seus interesses e os ajudam a fazer dinheiro em todos os ambientes econômicos. Dada a política de Buffett a respeito da aposentadoria compulsória – ele não acredita nisso –, os acionistas da Berkshire têm se beneficiado não só de uma linha de pensamento, mas de duas, há mais de 35 anos.

Uma mescla de influências intelectuais

Pouco depois da morte de Graham, em 1976, Buffett se tornou o defensor da abordagem de investimento de Graham, priorizando tanto o valor a ponto de o nome de Buffett se tornar sinônimo de investidor em valor [*value investing*].[17] É fácil entender por quê. Ele era o mais famoso dos dedicados alunos de Graham, e o próprio Buffett nunca perde uma oportunidade de reconhecer seu débito intelectual para com Graham. Até hoje, Buffett considera Graham a pessoa que, além de seu pai, mais influenciou sua vida como investidor.[18] Ele até deu ao seu primeiro neto o nome de seu mentor: Howard Graham Buffett.

Como, então, Buffett concilia sua gratidão intelectual a Graham com a compra de ações da Washington Post Company (1973), da Capital Cities/ABC (1986), da Coca-Cola (1988) e da IBM (2011)? Nenhuma dessas companhias passaria no exigente teste financeiro de Graham, e, mesmo assim, Buffett fez investimentos significativos em todas essas companhias.

Desde 1965, Buffett já vinha percebendo que a estratégia de Graham de adquirir ações baratas tinha suas limitações.[19] Para Graham, tratava-se de comprar ações de preço tão baixo que qualquer "soluço" nos negócios da companhia permitiria que os investidores vendessem suas ações por um preço superior. Buffett chamava essa abordagem de "bituca de charuto". Andando na calçada, o investidor vê uma bituca no chão e pega para dar uma última baforada. Apesar de ser péssima baforada, o preço irrisório faz com que ela valha ainda mais a pena. Buffett argumentava que, para a estratégia de Graham dar certo, alguém tem de fazer o papel do liquidante. Se não o liquidante, então algum outro investidor tem de estar disposto a comprar ações de sua companhia, forçando o preço da ação a subir.

Buffett explica: se você pagou 8 milhões por uma companhia cujo ativo soma 10 milhões, você terá um belo lucro se o ativo for vendido no momento oportuno. No entanto, se a economia subjacente do negócio é pobre e ele leva dez anos para ser vendido, seu lucro total provavelmente será abaixo da média. Buffett diz que "o tempo é amigo do ótimo negócio e inimigo do negócio medíocre".[20] A menos que ele pudesse facilitar a liquidação de suas companhias de desempenho ruim e lucrar com a diferença entre o preço de compra e o valor de mercado dos ativos da companhia, com o tempo o desempenho dele repetiria a má economia do negócio subjacente.

Desde os primeiros erros que cometeu como investidor, Buffett começou a se distanciar dos ensinamentos de Graham. Certa vez ele confessou: "Evoluí, mas não fui de macaco a humano ou de humano a macaco de maneira fácil e tranquila".[21] Ele estava começando a apreciar a natureza qualitativa de certas companhias, em comparação com os aspectos quantitativos de outras, mas ainda se percebia indo em busca de barganhas, e disse: "Meu castigo foi ter tido uma formação baseada na economia dos fabricantes de uma linha enxuta de implementos agrícolas (Dempster Mill Manufacturing), de lojas de departamentos terceirizadas (Hochschild-Kohn) e de tecelagens da Nova Inglaterra (Berkshire Hathaway)".[22] Tentando explicar seu dilema, Buffett citou Keynes: "A dificuldade reside não nas novas ideias, mas em escapar das antigas". A evolução de Buffett tinha demorado, como ele mesmo admitia, porque aquilo que Graham lhe havia ensinado era muito valioso.

Em 1984, dirigindo-se a uma plateia de alunos da Universidade Columbia para comemorar o 50º aniversário de *Security Analysis*, Buffett explicou que existe um grupo de investidores bem-sucedidos que consideram Ben Graham o patriarca intelectual de todos eles.[23] Graham havia apresentado a teoria da margem de segurança, mas cada um tinha desenvolvido sua própria maneira de aplicar a teoria para determinar o valor dos negócios da companhia. No entanto, o que todos têm em comum é a busca de alguma discrepância entre o valor de um negócio e o preço de suas ações. As pessoas que se sentem confusas porque Buffett comprou ações da Coca-Cola e da IBM não conseguiram separar a *teoria* da *metodologia*. Buffett claramente adota a teoria da margem de segurança de Graham, mas rapidamente se afastou da metodologia de seu mentor. De acordo com Buffett, a última vez em que foi fácil lucrar com essa metodologia foi durante a grande crise do mercado de 1973-1974.

Vale lembrar que, quando avaliava uma ação, Graham não pensava nos elementos específicos do negócio nem na competência da gestão. Ele limitava sua pesquisa aos dados corporativos de acesso público e aos relatórios anuais. Se havia uma probabilidade matemática de fazer dinheiro porque o preço da ação era menor do que os ativos da companhia, Graham comprava a companhia. Para aumentar a probabilidade de sucesso, ele comprava o maior número possível dessas equações estatísticas.

Se os ensinamentos de Graham se limitassem a esses preceitos, Buffett teria pouca consideração por ele hoje em dia, mas a teoria da margem de segurança era tão profunda e importante para Buffett que todas as outras fraquezas atuais da metodologia de Graham podem ser ignoradas. Até hoje, Buffett continua adotando a ideia essencial de Graham, ou seja, a margem de segurança. Já se passaram quase 65 anos desde a primeira vez em que ele leu a obra de Ben Graham. Nem por isso Buffett hesita em lembrar a todos: "Ainda acho que aquelas são as três palavras certas".[24] A maior lição que ele aprendeu com Graham foi que o investimento bem-sucedido implica comprar ações quando seu preço de mercado está com um desconto significativo em relação ao valor do negócio subjacente.

Além da teoria da margem de segurança, que se tornou a base intelectual das ideias de Buffett, Graham o ajudou a enxergar a insensatez de seguir as flutuações do mercado de ações. Para Graham, as ações têm tanto uma característica de investimento quanto uma característica especulativa, e esta última é consequência do medo e da cobiça. Essas emoções humanas, presentes na maioria dos investidores, fazem os preços das ações pairar muito acima e, o que é mais importante, muito abaixo do valor intrínseco de uma companhia. Graham ensinou a Buffett que, se ele pudesse se proteger das reviravoltas emocionais do mercado de ações, teria a oportunidade de aproveitar o comportamento irracional dos outros investidores que adquirem ações pautados por suas emoções, e não pela lógica. Com Graham, Buffett aprendeu a pensar de maneira independente. Se você chegar a uma conclusão lógica, baseada num julgamento consistente, como Graham aconselhava Buffett, não se deixe dissuadir apenas porque os outros discordam. Conforme Graham escreveu, "você não está nem certo nem errado porque a massa discorda de você. Você está certo porque seus dados e seu raciocínio estão certos".[25]

Em muitos sentidos, Phil Fisher era o oposto exato de Ben Graham. Fisher acreditava que, a fim de tomar decisões consistentes, o investidor precisava se tornar plenamente informado sobre o negócio, o que significava investigar todos os aspectos da companhia. Ele devia ir além dos números e aprender o que era o negócio em si, pois essa era uma informação de grande importância. Era preciso também estudar os atributos da gestão da companhia, já que a competência da administração poderia afetar o valor do negócio subjacente. O investidor deveria aprender o máximo que pudesse sobre a área de atuação da companhia e seus concorrentes. Todas as fontes de informação deveriam ser exploradas. Com Fisher, Buffett aprendeu o valor da rede de fofocas. Através dos anos, Buffett desenvolveu uma extensa rede de contatos que lhe foi de grande ajuda na avaliação de diversos negócios.

Por fim, Fisher ensinou Buffett a não dar excessiva importância à diversificação, pois entendia que era um erro ensinar o investidor que pôr seus ovos em várias cestas diminuía o risco. Para Fisher, o perigo de comprar um grande número de ações diferentes é que fica impossível acompanhar a evolução de todos os ovos em todas as cestas. O investidor corre então o risco de pôr demais numa companhia com a qual não tem familiaridade. Fisher entendia que comprar ações de uma empresa sem dedicar tempo para chegar a um profundo entendimento de seu negócio é muito mais arriscado do que contar com uma diversificação limitada.

As diferenças entre Graham e Fisher são nítidas. Graham, o analista quantitativo, enfatizava os fatores que podiam ser mensurados: ativos fixos, lucros correntes, dividendos. Sua pesquisa investigativa permanecia limitada a dados corporativos de acesso público e a relatórios anuais. Não perdia tempo entrevistando clientes, concorrentes ou gestores.

A abordagem de Fisher, por sua vez, era a antítese da de Graham. Como analista qualitativo, Fisher salientava os fatores que lhe pareciam aumentar o valor da companhia, principalmente as perspectivas futuras e a competência administrativa. Enquanto Graham tinha interesse em comprar apenas ações baratas, Fisher desejava comprar companhias com o potencial de aumentar seu valor intrínseco a longo prazo. Ele não media esforços – inclusive realizando extensas entrevistas – para captar informações que pudessem incrementar seu processo de seleção.

Depois que Buffett leu *Ações comuns, lucros extraordinários*, de Philip Fisher, foi em busca desse autor. Disse então: "Quando me encontrei com ele, fiquei impressionado tanto com o homem quanto com suas ideias. Muito ao estilo de Ben Graham, ele era despretensioso, generoso e um professor extraordinário". Como Buffett aponta, a abordagem dos dois pensadores é bem diferente, mas são "paralelos no mundo dos investimentos".[26] Tomando a liberdade de modificar um pouco o fraseado, eu diria que, em vez de serem posturas paralelas, no caso de Warren Buffett elas se entrelaçam: a abordagem do Buffett investidor é uma combinação do entendimento qualitativo do negócio e de sua gestão (como Fisher preconizava) com o entendimento quantitativo de seu preço e valor (ensinado por Graham).

Warren Buffett disse em certa ocasião: "Sou 15% Fisher e 85% Benjamin Graham".[27] Essa declaração é sempre muito citada, mas é importante lembrar que foi feita em 1969. Desde então, Buffett vem fazendo um movimento gradual, mas definitivo, na direção da filosofia de Fisher, buscando comprar poucos e bem escolhidos negócios e mantê-los por vários anos. Meu palpite é que, se ele fosse atualizar os termos dessa sua declaração, diria que a proporção está mais perto de 50% para cada lado.

Num sentido muito real, Charlie é a encarnação ativa da teoria qualitativa de Fisher. Desde o começo, Charlie tinha uma maior inclinação pelo valor de um negócio melhor e a sensatez de pagar um preço razoável por isso. Contudo, em um aspecto importante, Charlie também é o eco atual de Ben Graham. Alguns anos antes, Graham tinha ensinado a Buffett o duplo significado das emoções nos investimentos: os erros cometidos pelos que tomam decisões irracionais, levados pelas emoções, e as oportunidades que isso representa para os que conseguem evitar cair nessas mesmas armadilhas. Por meio de suas leituras de Psicologia, Charlie continuou a desenvolver esse tema, que chama de "psicologia da avaliação incorreta", conceito que estudaremos em mais detalhes no Capítulo 6. A ênfase que ele dá a esse atributo faz dele um elemento integral nas tomadas de decisão da Berkshire. Essa é uma de suas contribuições mais importantes.

A dedicação de Buffett a Ben Graham, Phil Fisher e Charlie Munger é compreensível. Graham lhe forneceu a base intelectual para investir – a margem de segurança – e o ensinou a dominar suas emoções a fim de aproveitar as flutuações do mercado. Fisher deu a Buffett uma metodologia funcional e atualizada que lhe permitia identificar bons investimentos a longo prazo e administrar um portfólio focado ao longo do tempo. Charlie ajudou Buffett a valorizar os retornos econômicos que decorrem de comprar e manter ótimos negócios. Nesse sentido, Charlie ajudou Buffett a identificar os equívocos psicológicos que acontecem quando a pessoa toma decisões financeiras. A frequente confusão que rodeia as atitudes do investidor Buffett é facilmente compreendida quando enxergamos que ele é uma síntese desses três homens.

Segundo Descartes, "não basta ter inteligência. O principal é aplicá-la bem". Aplicação é justamente o que separa Buffett de outros gestores de investimento. Vários de seus colegas são muito inteligentes, disciplinados e dedicados. Buffett se destaca dentre todos eles por conta de sua formidável capacidade de integrar as estratégias desses três sábios numa só abordagem coesa.

3

Comprando um negócio

OS 12 PRINCÍPIOS IMUTÁVEIS

De acordo com Warren Buffett, não há nenhuma diferença fundamental entre comprar um negócio inteiro ou parte dele, na forma de frações ou de ações. Entre as duas possibilidades, ele sempre preferiu possuir diretamente uma companhia, uma vez que isso lhe permite influir no elemento mais importante do negócio: a alocação de capital. Já a compra de ações ordinárias, por outro lado, tem uma grande desvantagem: você não consegue controlar o negócio. Isso, porém, é contrabalançado, como Buffett explica, por duas nítidas vantagens: a primeira é que a arena para escolher negócios não controlados – o mercado de ações – é significativamente maior. A segunda é que o mercado de ações oferece mais oportunidades para achar barganhas. Seja qual for o caso, Buffett invariavelmente segue a mesma estratégia. Procura companhias de áreas que ele entenda, com perspectivas favoráveis a longo prazo, que sejam operadas por pessoas honestas e competentes e, o que é mais importante, estejam disponíveis por um preço atraente.

"Quando investimos, nós nos vemos como analistas de negócios, não como analistas de mercado, analistas de macroeconomia ou analistas de títulos", Buffett explica.[1] Isso quer dizer que, antes de mais nada, Buffett se coloca como um homem de negócios e analisa o negócio por um prisma holístico, examinando todos os aspectos quantitativos e qualitativos de sua administração, sua posição financeira e seu preço de compra.

Se voltarmos no tempo e analisarmos todas as aquisições de Buffett buscando traços comuns a essas negociações, podemos identificar um conjunto de princípios básicos, ou preceitos, que orientam suas aquisições. Extraindo esses princípios e expondo-os a um exame mais detalhado, vemos que naturalmente se agrupam em quatro categorias:

1. *Princípios de negócio*: três características básicas do negócio em si.
2. *Princípios de gestão*: três importantes qualidades que o gestor sênior deve exibir.
3. *Princípios financeiros*: quatro decisões financeiras essenciais que a companhia deve preservar.
4. *Princípios de mercado*: duas diretrizes de custo inter-relacionadas.

Nem todas as aquisições de Buffett são regidas por esses 12 princípios, mas, em conjunto, eles constituem o núcleo de sua abordagem de investimentos por meio da compra de ações.

Esses 12 princípios também norteiam a forma como Buffett dirige a Berkshire Hathaway. As mesmas qualidades que busca nos negócios que compra ele espera encontrar quando entra pela porta de seu escritório, todos os dias.

Princípios de negócio

Para Buffett, ações são uma abstração.[2] Ele não pensa em termos de teorias de mercado, conceitos macroeconômicos, tendências setoriais, mas, sim, toma decisões de investimento com base apenas no modo como o negócio funciona. Buffett acredita que, se as pessoas são atraídas para um investimento em razão de noções superficiais em vez dos atributos fundamentais do negócio, é bem provável que fujam assustadas ao primeiro sinal de problema e, com toda probabilidade, percam dinheiro por causa dessa reação. Em vez disso, Buffett se dedica a aprender tudo que pode sobre o negócio que está considerando e dá prioridade a três áreas:

1. O negócio deve ser simples e compreensível.
2. O negócio deve ter um histórico consistente de operações.
3. O negócio deve ter uma perspectiva favorável a longo prazo.

Princípios do jeito Warren Buffett de investir

Princípios de negócio

O negócio é simples e compreensível?

O negócio tem um histórico consistente de operações?

O negócio tem uma perspectiva favorável a longo prazo?

Princípios de gestão

A gestão é racional?

A gestão é transparente para com os acionistas?

A gestão resiste ao imperativo institucional?

Princípios financeiros

Foque no retorno sobre o patrimônio líquido, não no lucro por ação.

Calcule os "lucros do proprietário".

Busque companhias com altas margens de lucro.

Para cada dólar retido, certifique-se de que a companhia tenha criado pelo menos um dólar de valor de mercado.

Princípios de mercado

Qual é o valor do negócio?

O negócio pode ser comprado com um desconto significativo em relação ao seu valor?

Simples e compreensível

Para Buffett, o sucesso financeiro dos investidores se relaciona diretamente com até que ponto eles conhecem o seu investimento. Esse é um traço distintivo que separa os investidores norteados pelo negócio dos que atropelam e saem correndo – os que estão constantemente comprando e vendendo.

Ao longo dos anos, Buffett tornou-se proprietário de uma ampla variedade de negócios em muitos setores diferentes. De algumas dessas companhias ele detém o controle, de outras é acionista minoritário, mas sempre tem uma clara compreensão de como funcionam todos esses negócios. Ele compreende os lucros, as despesas, o fluxo de caixa, as relações trabalhistas, a flexibilidade de preços e as necessidades de alocação de capital de cada uma das holdings da Berkshire.

Buffett é capaz de manter esse alto nível de conhecimento sobre os negócios da Berkshire porque limita propositalmente sua seleção de companhias às que estão dentro de sua área de compreensão financeira e intelectual. Sua lógica é convincente: se você possui uma empresa (como proprietário ou acionista) numa área que não entende por completo, não conseguirá interpretar os acontecimentos com precisão, nem tomar decisões sensatas.

O sucesso nos investimentos não é uma questão de quanto você sabe, mas do realismo com que você define aquilo que *não* sabe. Buffett aconselha: "Invista em seu círculo de competência. O que conta não é se esse círculo é grande, mas sim se você define bem seus parâmetros".[3]

Histórico consistente de operações

Buffett não apenas evita o que é complexo como também evita adquirir companhias que estejam enfrentando problemas difíceis em seu negócio ou que estejam mudando fundamentalmente de direção porque os planos anteriores não deram certo. Em sua experiência, os melhores retornos são alcançados por empresas que vêm produzindo o mesmo produto ou oferecendo o mesmo serviço há vários anos. Submeter o negócio a mudanças extensas aumenta a probabilidade de que erros maiores sejam cometidos: "Mudanças drásticas e retornos excepcionais em geral não vêm juntos", Buffett observa.[4] Infelizmente, a maioria das pessoas investe como se o oposto fosse verdade. Os investidores tendem a sentir atração por segmentos ou companhias em meio a um processo de reorganização corporativa. Por algum motivo inexplicado, Buffett afirma, os investidores ficam tão encantados com o que o futuro pode lhes trazer que ignoram a realidade do negócio hoje.

Buffett dá bem pouca importância a ações em alta a qualquer momento dado. Ele tem muito mais interesse em comprar companhias que acredita que serão bem-sucedidas e lucrativas a longo prazo. E, embora predizer o futuro certamente não seja algo infalível, um registro cronológico estável de atividades é algo relativamente confiável. Quando uma companhia vem demonstrando resultados consistentes com o mesmo tipo de produto ano após ano, não é fantasioso supor que esses resultados continuarão acontecendo.

Buffett também prefere evitar negócios que estejam enfrentando problemas difíceis. A experiência lhe ensinou que reviravoltas raramente dão certo. Pode ser mais lucrativo buscar bons negócios a preços razoáveis do que negócios difíceis mais baratos. "Charlie e eu não aprendemos a resolver problemas difíceis de negócios", ele admite. "Mas aprendemos a evitá-los. Podemos atribuir nosso sucesso ao fato de termos conseguido identificar as barreiras de 30 centímetros que podemos ultrapassar, e não por termos aprendido a vencer as de 2 metros."[5]

Perspectiva favorável a longo prazo

Buffett divide o mundo econômico em duas partes desiguais: um pequeno grupo de grandes negócios – que ele denomina "franquias" – e um grupo muito maior de maus negócios, a maioria dos quais não vale a pena comprar. Ele define a franquia como uma empresa que fornece um produto ou um serviço que (1) é necessário ou desejado, (2) não tem substituto próximo e (3) não é regulado. Esses atributos permitem que a companhia mantenha os preços e de vez em quando os aumente, sem medo de perder sua participação no mercado ou seu volume de unidades. Essa flexibilidade de precificação é uma das características definidoras de um grande negócio, pois permite que a companhia obtenha retornos acima da média sobre o capital.

Buffett diz: "Gostamos de ações que geram um retorno elevado do capital investido e onde existe alta probabilidade de que continuem fazendo isso".[6] E acrescenta: "Vejo se há uma vantagem competitiva a longo prazo e se ela é duradoura".[7]

Individual e coletivamente, esses grandes negócios criam o que Buffett chama de "fosso econômico" – algo que dá à companhia uma clara vantagem em relação às outras e a protege de ataques dos concorrentes. Quanto maior o fosso, e mais sustentável, mais ele o aprecia. Ele explica que "a chave para investir é determinar a vantagem competitiva da companhia, qualquer que ela seja, e, principalmente, a durabilidade dessa vantagem. Os produtos e os serviços protegidos por fossos largos e sustentáveis são os que entregam recompensas aos investidores. Para mim, o mais importante é descobrir de que tamanho pode ser o fosso em torno do negócio. Claro que o que eu amo é um grande castelo com um amplo fosso onde haja piranhas e crocodilos".[8]

Por fim, Buffett ensina, valendo-se de uma de suas muitas pérolas de sabedoria, que "a definição de uma grande companhia é que ela será grande durante 25 a 30 anos".[9]

Por outro lado, um mau negócio oferece um produto que é quase indistinguível dos produtos dos concorrentes – uma commodity. Anos atrás, entre as commodities básicas estavam o petróleo, o gás, substâncias químicas, cobre, madeira, trigo e suco de laranja. Hoje em dia, a lista inclui computadores, automóveis, seguros e serviços aéreos e bancários. Apesar das verbas faraônicas destinadas à publicidade, esses produtos não conseguem alcançar uma diferenciação significativa entre eles.

Em geral, os negócios que lidam com commodities têm baixo retorno e "são candidatos perfeitos a ter problemas de pouca lucratividade".[10] Basicamente, o produto deles não difere dos demais, de modo que só pode competir com base no preço – o que, naturalmente, reduz a margem de lucro. O modo mais confiável de tornar lucrativo um negócio de commodity é passar a ser o fornecedor de baixo custo. O único outro momento em que o negócio de commodity proporciona um lucro saudável é durante períodos de baixo fornecimento, fator que pode ser extremamente difícil de predizer. Buffett salienta que um elemento-chave para determinar o lucro de um negócio de commodity a longo prazo é a proporção entre os "anos de baixo suprimento e os de farto suprimento". Contudo, essa proporção em geral fica na casa das frações. Buffett confidencia: "O que eu gosto é de força econômica numa área que eu entenda e que penso que irá durar".[11]

Princípios de gestão

Quando estuda um novo investimento ou a aquisição de um negócio, Buffett analisa com muito rigor a qualidade da gestão. Para ele, as companhias ou as ações que a Berkshire compra devem ser operadas por gestores honestos e competentes que ele admire e em quem possa confiar: "Não queremos nos unir a gestores a quem faltem qualidades admiráveis, por mais atraentes que sejam as perspectivas futuras de seu negócio. Nunca deu certo fazer bons negócios com uma má pessoa".[12]

Quando encontra gestores que admira, Buffett é generoso nos elogios. Ano após ano, os leitores da "Carta do Presidente", no relatório anual da Berkshire, encontram palavras calorosas sobre as pessoas que gerenciam as várias companhias da Berkshire.

Warren é igualmente meticuloso quando se trata da gestão de companhias cujas ações está estudando. Em especial, ele pesquisa três atributos:

1. A gestão é racional?
2. A gestão é transparente para com os acionistas?
3. A gestão resiste ao imperativo institucional?

O maior elogio que Buffett pode fazer a um gestor é dizer que ele ou ela está sempre se comportando e pensando como o dono da companhia. Gestores que se comportam como donos costumam não perder de vista o objetivo primordial da empresa – aumentar o valor para o acionista – e tendem a tomar decisões racionais que promovam esse propósito. Buffett também nutre uma imensa admiração por gestores que levam a sério sua responsabilidade de se reportar com total transparência aos acionistas e que têm a coragem de resistir ao que ele denomina "imperativo institucional": seguir cegamente os colegas do ramo.

Racionalidade

O ato mais importante de um gestor é a alocação do capital da companhia. É o mais importante porque, com o tempo, a alocação de capital determina o valor para o acionista. Na visão de Buffett, decidir o que fazer com os lucros da companhia – reinvestir no negócio ou devolver dinheiro para os acionistas – é um exercício de lógica e racionalidade. Como escreveu Carol Loomis, da revista *Fortune*, "racionalidade é a qualidade que, segundo Buffett, diferencia o estilo com que ele dirige a Berkshire e é o atributo que mais vezes vê faltar em outras corporações".[13]

A questão de onde alocar os lucros está ligada ao ponto do ciclo de vida em que a companhia se encontra. Conforme ela vai passando por seu ciclo de vida econômica, suas taxas de crescimento, vendas, lucros e fluxo de caixa mudam intensamente. Na etapa de desenvolvimento, a companhia perde dinheiro enquanto desenvolve produtos e se firma no mercado. Na etapa seguinte, de crescimento rápido, a companhia se mostra lucrativa, mas cresce tão rápido que não consegue sustentar o crescimento; muitas vezes, deve não só reter todos os lucros como ainda tomar empréstimos ou emitir títulos para financiar seu crescimento. Na terceira etapa, a maturidade, o ritmo de crescimento diminui, e a companhia começa a gerar mais caixa do que necessita para cobrir seus custos de desenvolvimento e operacionais. Na última, do declínio, a companhia sofre uma diminuição das vendas e dos lucros, mas continua gerando um caixa excedente. É nas etapas três e quatro, sobretudo na três, que surge a questão: como devem ser alocados esses lucros?

Se o caixa extra, reinvestido internamente, pode produzir um retorno acima da média sobre o patrimônio, ou seja, um retorno mais alto do que o custo do capital, então a companhia deve reter todos os seus lucros e reinvesti-los. Esse é o curso lógico de ação. Reter os lucros a fim de reinvestir na companhia por *menos* do que o custo médio do capital é completamente irracional, e também muito comum.

A companhia que proporciona retornos de investimento na média ou abaixo da média, mas gera caixa excedente em relação a suas necessidades, tem três opções: (1) pode ignorar o problema e continuar reinvestindo a índices abaixo da média; (2) pode comprar crescimento, ou (3) pode devolver o dinheiro aos acionistas. É nessa encruzilhada que Buffett dá máxima atenção à decisão dos gestores, pois é aqui que a gestão se comportará de modo racional ou irracional.

Em geral, o gestor que continua a reinvestir apesar do retorno abaixo da média age assim porque acredita que a situação é temporária. Está convencido de que, com sua destreza administrativa, conseguirá melhorar a lucratividade da companhia. Os acionistas ficam hipnotizados com a previsão de melhorias apresentada pela gestão. Se a companhia ignorar esse problema continuamente, o dinheiro em caixa se tornará um recurso cada vez mais ocioso e o preço da ação declinará.

A companhia que tem retornos econômicos ruins, excesso de caixa e baixo preço de ações atrairá os invasores corporativos, o que configura o começo do fim do mandato da atual gestão. Para se proteger, os executivos frequentemente escolhem a segunda opção: compram crescimento, adquirindo outra companhia.

Anunciar planos de aquisição surte o efeito de empolgar os acionistas e dissuadir os invasores corporativos. No entanto, Buffett é cético quanto a companhias que precisam comprar crescimento. Por um lado, o crescimento costuma vir por um preço supervalorizado. Por outro, a companhia que deve integrar e gerenciar um novo negócio corre o risco de cometer erros que podem ser custosos para os acionistas.

Na opinião de Buffett, o único curso de ação razoável e responsável para a companhia que tem uma pilha crescente de caixa disponível – e que não pode ser reinvestido a índices acima da média – é devolver esse dinheiro para os acionistas. Para tanto, dois métodos estão disponíveis: (1) iniciar ou aumentar dividendos e (2) recomprar as ações.

Com dinheiro em mãos, oriundo dos dividendos, os acionistas têm a oportunidade de buscar outras opções de retorno mais alto. À primeira vista, esse parece um bom negócio, e, portanto, muitas pessoas veem dividendos mais altos como sinal de que a companhia está indo bem. Buffett acredita que isso é verdade somente se os investidores puderem obter mais de seu caixa do que a companhia seria capaz de gerar caso retivesse os lucros e reinvestisse na própria empresa.

Se às vezes o valor real dos dividendos é mal compreendido, o segundo mecanismo para devolver os lucros aos acionistas – a recompra de ações – é ainda mais mal compreendido, porque, em muitos sentidos, o benefício para os proprietários é menos direto, menos tangível e menos imediato. Quando a gestão recompra ações, Buffett entende que há uma dupla recompensa. Se a ação está sendo negociada abaixo de seu valor intrínseco, então comprar ações faz sentido como negócio. Se o preço da ação de uma companhia é 50 dólares e seu valor intrínseco é 100 dólares, cada vez que a gestão compra suas ações está adquirindo 2 dólares de valor intrínseco para cada dólar gasto. As transações dessa natureza podem ser muito lucrativas para os acionistas remanescentes.

Buffett diz que, além disso, quando os executivos compram ativamente ações da companhia no mercado, estão demonstrando que têm em mente o melhor interesse de seus proprietários em vez de uma necessidade impulsiva de expandir a estrutura corporativa. Essa atitude envia sinais ao mercado e atrai outros investidores em busca de uma companhia bem gerenciada que aumenta a riqueza de seus acionistas. Em geral, os acionistas são recompensados duas vezes: a primeira, com a compra na abertura inicial de mercado, e a segunda, quando o interesse do investidor surte um efeito positivo no preço.

Transparência

Buffett tem em alta conta os gestores que relatam de maneira plena e genuína o desempenho financeiro de sua companhia, que admitem tanto os erros como os acertos e que são sempre transparentes com seus acionistas. Em particular, ele respeita os gestores capazes de informar o desempenho da companhia sem se esconder atrás de princípios contábeis geralmente aceitos [GAAP, na sigla em inglês].

Buffett defende que "o que precisa ser reportado são dados – GAAP, não GAAP, extra-GAAP – que ajudem os leitores com conhecimentos financeiros a responder a três questões-chave: (1) qual é o valor aproximado da companhia?; (2) qual é a probabilidade de que seja capaz de cumprir suas obrigações futuras?; (3) como estão se saindo seus gestores com os recursos de que dispõem?".[14]

Buffett também admira os gestores que têm coragem de falar abertamente sobre seus fracassos. Ao longo do tempo, toda companhia comete erros, tanto grandes como insignificantes. Ele acha que há gestores demais relatando dados com otimismo excessivo em vez de oferecer uma explicação honesta, talvez servindo aos próprios interesses a curto prazo, mas sem ajudar ninguém a longo prazo.

Buffett afirma, sem meias palavras, que a maioria dos relatórios anuais é puro fingimento. É por isso que, em seus próprios relatórios anuais para os acionistas da Berkshire Hathaway, Buffett é muito aberto a respeito do desempenho econômico e da gestão da Berkshire, tanto em seus aspectos bons como nos ruins. Através dos anos, ele tem reconhecido as dificuldades encontradas pela Berkshire no ramo têxtil e no de seguros, assim como seus próprios fracassos administrativos em relação a esses negócios. Em 1989, no relatório anual da Berkshire Hathaway, ele deu início à prática de listar formalmente os erros que cometeu, chamando essa seção de "Erros dos primeiros 25 anos (versão condensada)". Dois anos depois, o título mudou para "Erro do dia". Aí, ele confessava não só os erros cometidos, mas também as oportunidades perdidas por não ter agido da maneira apropriada.

Os críticos têm apontado que é um tanto cínico da parte de Buffett admitir publicamente seus erros; como é dono de um grande volume de ações ordinárias da Berkshire, nunca tem de se preocupar em ser demitido. Isso é verdade, mas, ao dar esse exemplo de transparência, Buffett está discretamente criando uma nova abordagem à comunicação do desempenho de uma corporação. Ele acredita que a transparência beneficia em igual medida tanto o gestor como o acionista. "O CEO que engana os outros em público pode acabar se enganando em particular", ele afirma.[15] Buffett diz que foi Charlie Munger que o ajudou a entender o valor de estudar os próprios erros em vez de só prestar atenção nos acertos.

O imperativo institucional

Se a gestão pode conquistar sabedoria e credibilidade encarando os próprios erros, por que tantos relatórios anuais alardeiam apenas seus acertos? Se a alocação de capital é algo tão simples e lógico, por que o capital é tão mal alocado? Como Buffett acabou aprendendo, a resposta é uma força invisível que ele chamou de "o imperativo institucional": trata-se de uma tendência – como a dos lemingues – adotada por gestores corporativos que imitam o comportamento dos outros, por mais tolo ou irracional que possa ser.

Essa foi a descoberta mais surpreendente de sua carreira como homem de negócios. Na escola, ensinavam que os gestores experientes eram honestos e inteligentes e que, automaticamente, tomavam decisões de negócios racionais. Quando ele se viu de fato no mundo dos negócios, porém, percebeu, ao contrário, que "a racionalidade frequentemente encolhe quando o imperativo institucional entra em ação".[16]

Buffett acredita que o imperativo institucional é responsável por diversos distúrbios sérios e lamentavelmente comuns: (1) "A organização resiste a qualquer mudança em seu direcionamento atual; (2) justo quando o trabalho se expande para ocupar o tempo disponível, materializam-se projetos ou aquisições corporativas que sugam os recursos disponíveis; (3) qualquer negócio que o líder deseje, por mais tolo que seja, será prontamente endossado por detalhados estudos estratégicos e de índices de retorno, preparados por sua equipe; e (4) o comportamento de outras companhias no mesmo segmento – estejam elas em expansão, aquisição, estipulando os salários de seus executivos ou o que seja – será cegamente imitado".[17]

Buffett aprendeu cedo essa lição. Jack Ringwalt, diretor da companhia de seguros National Indemnity, que a Berkshire adquiriu em 1967, fez o que parecia um movimento obstinado. Enquanto a maioria das companhias de seguro estava subscrevendo apólices em termos que garantiam a produção de retornos inadequados – ou, pior ainda, perdas –, Ringwalt se distanciou do mercado e se recusou a subscrever novas políticas. Buffett reconheceu a sabedoria da decisão de Ringwalt e foi pelo mesmo caminho. Hoje, todas as seguradoras da Berkshire continuam operando segundo esse princípio: só porque todos os outros estão fazendo uma coisa, não quer dizer que seja a coisa certa.

O que está por trás do imperativo institucional que comanda tantos negócios? A natureza humana. A maioria dos gestores não está disposta, por exemplo, a parecer estúpida com uma constrangedora perda trimestral quando os outros no mesmo mercado ainda estão gerando ganhos trimestrais – muito embora, como os lemingues, estejam certamente indo se afogar no mar.

Nunca é fácil tomar decisões não convencionais ou mudar de direção. Ainda assim, um gestor com pronunciada capacidade de comunicação deveria ser capaz de persuadir os proprietários a aceitar uma perda de lucro a curto prazo e uma mudança na direção da empresa, se essa estratégia trouxesse resultados superiores com o tempo. Como Buffett aprendeu, a incapacidade de resistir ao imperativo institucional em geral tem menos a ver com os donos da companhia e mais com a abertura de seus gestores para aceitar uma mudança fundamental. E, mesmo quando os gestores aceitam a necessidade de uma mudança radical, a concretização do plano costuma ser difícil demais para a maioria deles. Em vez disso, muitos sucumbem à tentação de comprar uma nova companhia em vez de enfrentar os fatos financeiros do problema em curso.

Por que fazem isso? Buffett isola três fatores que lhe parecem os de maior influência no comportamento do gestor.

1. A maioria dos gestores não consegue controlar seu anseio por atividade. Essa espécie de hiperatividade geralmente encontra uma via de saída na aquisição de negócios.
2. A maioria dos gestores está constantemente comparando as vendas, os lucros e os salários de seus executivos com os de outras companhias no seu segmento e além dele. Essas comparações invariavelmente despertam a hiperatividade corporativa.
3. A maioria dos gestores tem uma noção exagerada de sua própria capacidade.

Outro problema comum é a péssima alocação de habilidades. Os CEOs costumam chegar a essa posição depois de terem demonstrado excelência em outras áreas da companhia, como a administrativa, a de engenharia, de marketing ou produção. Contando com pouca experiência na alocação de capital, procuram se informar com membros da equipe, consultores, banqueiros de investimento – e é então inevitável que o imperativo institucional interfira no processo de tomada de decisão. Se o CEO anseia por uma aquisição potencial que exige 15% de retorno sobre o investimento para justificar essa compra, Buffett aponta como é notável a facilidade com que a tropa de apoio logo relata que aquele negócio pode de fato alcançar 15,1%.

A justificativa final para o imperativo institucional é a imitação cega. O CEO da companhia D diz a si mesmo que, "se as companhias A, B e C estão todas fazendo a mesma coisa, deve ser bom para nós agir da mesma maneira".

Essas companhias estão posicionadas para fracassar, segundo Buffett, não por venalidade ou estupidez, mas porque a dinâmica do imperativo institucional torna difícil opor resistência a um comportamento fadado ao malogro. Em uma palestra para alunos da Universidade Notre Dame, Buffett expôs uma lista de 37 bancos de investimentos e explicou que cada uma daquelas instituições tinha fracassado, embora as chances de sucesso estivessem a favor delas. Os atributos positivos desses bancos eram os seguintes: o volume da Bolsa de Valores de Nova York tinha crescido 15 vezes e essas firmas eram dirigidas por gestores dedicados, de QI muito alto, todos com um intenso desejo de ter sucesso. Mesmo assim, todos fracassaram. Ele disse com gravidade, passando os olhos por seus ouvintes: "Pensem nisso. Como foi que chegaram a um resultado desses? Eu explico: a cega imitação de seus colegas".[18]

Mensurando a gestão

Buffett foi o primeiro a admitir que avaliar gestores segundo estas dimensões – racionalidade, transparência e pensamento independente – é mais difícil do que mensurar um desempenho financeiro pelo simples motivo de que os seres humanos são mais complexos do que os números.

De fato, muitos analistas pensam que, uma vez que mensurar a atividade humana é algo vago e impreciso, nós simplesmente não podemos avaliar uma gestão com parâmetros confiáveis, e que, portanto, esse é um exercício inútil. O que eles parecem sugerir é que, se não há um ponto decimal, não há o que mensurar. Já outros defendem que o valor de uma gestão se reflete plenamente nas estatísticas do desempenho da companhia, inclusive em suas vendas, na margem de lucro e no retorno do investimento, e que não há necessidade de nenhum outro método de mensuração.

Essas duas opiniões têm sua validade, mas, para mim, nenhuma delas é forte o suficiente para superar a premissa original. A razão para se dedicar algum tempo a avaliar uma gestão é que, com isso, podem-se captar sinais precoces de alerta do eventual desempenho financeiro. Se você examinar de perto as palavras e as atitudes dos gestores, encontrará pistas que o ajudarão a mensurar o valor do trabalho dessa equipe muito antes de aparecer nos relatórios financeiros da companhia ou nas páginas da seção da Bolsa dos jornais. Como esse estudo implica um aprofundamento da análise, isso pode ser suficiente para desestimular os fracos e os preguiçosos. Perda para eles, ganho para você.

Buffett dá algumas sugestões de como reunir as informações necessárias. Analise os relatórios anuais dos últimos anos, dando especial atenção ao que a gestão disse à época sobre suas estratégias de futuro. Então, compare esses planos com os resultados atuais: em que medida os planos foram realizados? Compare também as estratégias dos últimos anos com as ideias e as estratégias deste ano. As concepções mudaram em alguma medida? Buffett sugere ainda que pode ser muito valioso comparar os relatórios anuais da empresa em que você está interessado com os relatórios de empresas semelhantes na mesma área de atuação. Nem sempre é fácil encontrar duplicatas exatas, mas até mesmo comparações de desempenho relativas podem trazer esclarecimentos.

Vale a pena salientar que a qualidade da gestão em si não é suficiente para despertar o interesse de Buffett. Por mais impressionante que seja a gestão, ele não investirá apenas em pessoas porque sabe que existe um ponto em que até mesmo os gestores mais brilhantes e capazes não conseguem salvar um negócio difícil. Buffett tem tido a sorte de trabalhar com alguns dos mais inteligentes gestores corporativos dos Estados Unidos, entre eles Tom Murphy e Dan Burke, da Capital Cities/ABC; Roberto Goizueta e Donald Keough, da Coca-Cola; e Carl Reichardt, do Wells Fargo. Contudo, ele acrescenta: "Se você puser esses mesmos sujeitos trabalhando numa empresa que faz mata--moscas, não fará muita diferença".[19] E diz mais: "Quando uma gestão com a fama de ser brilhante lida com um negócio com a fama de ter uma economia de base ruim, é a reputação do negócio que permanece intacta".[20]

Princípios financeiros

Os princípios financeiros por meio dos quais Buffett avalia a excelência da gestão e o desempenho econômico são todos baseados em alguns preceitos tipicamente buffettianos. De um lado, ele não leva muito a sério os resultados anuais. Em vez disso, presta mais atenção a médias de cinco anos. Como ele mesmo observa com alguma ironia, retornos lucrativos nem sempre coincidem com o tempo que o planeta leva para dar a volta em torno do Sol. Ele também tem pouca paciência com artimanhas contábeis que produzem números impressionantes de final de ano, mas pouco valor real. Em vez disso, ele se orienta por estes quatro princípios:

1. Foque no retorno sobre o patrimônio líquido, não no lucro por ação.
2. Calcule os "lucros do proprietário" para chegar a um reflexo verdadeiro do valor.
3. Busque companhias com altas margens de lucro.
4. Para cada dólar retido, certifique-se de que a companhia tenha criado pelo menos um dólar de valor de mercado.

Retorno sobre o patrimônio

Os analistas costumam medir o desempenho anual de uma empresa conferindo o lucro por ação (LPA). O LPA cresceu em relação ao ano anterior? A companhia bateu as expectativas? Os lucros são suficientemente elevados a ponto de ela poder contar vantagem?

Buffett considera o critério do lucro por ação uma cortina de fumaça. Como a maioria das companhias retém uma porção dos lucros do ano anterior como maneira de aumentar a base de seu patrimônio líquido, ele não vê motivo para se empolgar com recordes de LPA. Não há nada de espetacular com a companhia que aumenta em 10% seu LPA se, ao mesmo tempo, está aumentando sua base de lucros em 10%. Ele explica que isso não é diferente de depositar dinheiro numa conta-poupança e deixar que os juros se acumulem. Para medir o desempenho anual da companhia, Buffett prefere o retorno sobre o patrimônio líquido, ou seja, a razão entre o lucro operacional e o patrimônio dos acionistas.

Para usar essa razão, precisamos fazer vários ajustes. Em primeiro lugar, todos os valores mobiliários devem ser valorados pelo custo e não pelo valor de mercado, porque os valores do mercado de ações como um todo podem influenciar grandemente os retornos de capital dos acionistas numa companhia específica. Por exemplo, se o mercado de ações subiu acentuadamente em determinado ano, aumentando dessa maneira o patrimônio líquido de uma companhia, um desempenho operacional realmente espetacular seria diminuído quando comparado com um denominador maior. Por outro lado, a queda de preços reduz o patrimônio dos acionistas, o que significa que resultados operacionais medíocres parecem muito melhores do que de fato são.

Em segundo lugar, também devemos controlar os efeitos de itens incomuns sobre o numerador dessa razão. Buffett exclui todos os ganhos e perdas de capital, assim como quaisquer itens extraordinários que possam aumentar ou diminuir o lucro operacional. Com isso, busca isolar o desempenho anual específico de uma companhia. Ele quer saber em que medida a gestão realiza sua tarefa de gerar retorno com as operações do negócio diante do capital empregado. Segundo ele, esse é o melhor de todos os juízes para avaliar o desempenho econômico de uma gestão.

Além disso, Buffett crê que um negócio deve atingir bons retornos sobre o patrimônio empregando pouca ou nenhuma dívida. Ele sabe que as companhias podem aumentar seu retorno sobre o patrimônio aumentando o índice dívida/patrimônio líquido, mas isso não o impressiona. Ele diz que "bons negócios ou boas decisões de investimento produzirão resultados bastante satisfatórios sem o auxílio de alavancagens financeiras".[21] Acrescente-se a isso o fato de que companhias alavancadas são vulneráveis durante períodos de desaceleração econômica. Buffett acha melhor errar por preferir a qualidade financeira a arriscar o bem-estar dos donos da Berkshire aumentando o risco associado a altos níveis de dívida.

A despeito de sua postura conservadora, Buffett não tem fobia de dívida. Aliás, ele acha melhor tomar dinheiro emprestado antecipadamente, prevendo a possibilidade de usá-lo um pouco mais adiante, do que só depois de a necessidade ter se anunciado. Ele comenta que o ideal seria que as aquisições de um negócio coincidissem com a disponibilidade de fundos, mas a experiência tem mostrado que ocorre justamente o contrário. Dinheiro barato tem a tendência de forçar um aumento do preço dos ativos. Pouco dinheiro e altas taxas de juros aumentam o custo do passivo e frequentemente forçam uma diminuição no preço dos ativos. Justamente quando os melhores preços para a compra de negócios estão disponíveis, o custo do dinheiro (taxas de juro mais altas) provavelmente diminuirá a atratividade da oportunidade. É por isso que Buffett diz que as companhias deveriam gerenciar seu ativo e seu passivo, independentemente um do outro.

Essa filosofia de tomar empréstimo agora na esperança de encontrar uma boa oportunidade de negócio mais tarde acaba por penalizar os ganhos de curto prazo. Buffett, porém, só age quando se sente razoavelmente confiante de que o retorno do negócio futuro compensará o custo financeiro da dívida. E há mais uma consideração: como as oportunidades de negócios atraentes são limitadas, Buffett quer que a Berkshire esteja preparada: "Se você quer atirar num elefante raro, que se desloca depressa, sempre deve levar uma espingarda".[22]

Buffett não dá nenhuma sugestão quanto ao nível de alavancagem mais apropriado para o negócio, o que é totalmente compreensível. Cada companhia, dependendo de seu fluxo de caixa, pode manejar diferentes montantes de dívida, mas o que ele diz é que um bom negócio deve ser capaz de ganhar um bom retorno sobre o patrimônio sem precisar de alavancagem. As companhias que dependem de dívida para gerar bons retornos sobre o patrimônio líquido deveriam despertar suspeitas.

Lucros do proprietário

Buffett diz que "o primeiro ponto a ser entendido é que nem todos os lucros são criados iguais".[23] Como ele salienta, as companhias que têm ativos elevados comparados aos lucros tendem a relatar falsos ganhos. Como a inflação cobra caro de negócios com ativos pesados, os ganhos dessas companhias ficam parecendo uma miragem. Com isso, os lucros contábeis são úteis para os analistas somente quando se aproximam do fluxo de caixa esperado da companhia.

Mas, como Buffett alerta, nem mesmo o fluxo de caixa é uma ferramenta perfeita para mensurar valor; na verdade, muitas vezes engana os investidores. O fluxo de caixa é uma maneira apropriada de mensurar os negócios que têm grandes investimentos no início e desembolsos menores na sequência, como projetos de construção de imóveis, campos de petróleo e companhias de serviço a cabo. Por outro lado, as manufaturas, que requerem dispêndios contínuos de capital, não são valoradas com exatidão somente por seu fluxo de caixa.

A praxe é definir o fluxo de caixa de uma companhia como o lucro líquido após os impostos mais depreciação, amortização, decréscimos e outros encargos não monetários. O problema dessa definição, como Buffett explica, é que deixa de considerar um fato econômico essencial: os investimentos em capital (Capex). Que montante dos lucros deste ano a companhia tem de usar para adquirir novos equipamentos, aprimorar suas instalações e implantar outras melhorias necessárias a fim de manter sua posição econômica e seu volume de unidades? Segundo Buffett, a esmagadora maioria dos negócios nos Estados Unidos requer investimentos em capital aproximadamente iguais a suas taxas de depreciação. Você pode adiar esses investimentos por um ano, mais ou menos, mas, se a longo prazo não realizar os mais necessários, certamente seu negócio declinará. Esses investimentos em capital são despesas, tanto quanto os custos trabalhistas e a manutenção de equipamentos.

A popularidade dos números do fluxo de caixa aumentou durante o período de compras alavancadas do controle de outros negócios porque os preços exorbitantes pagos pelos negócios eram justificados pelo fluxo de caixa da companhia. Buffett acredita que os números do fluxo de caixa "são frequentemente usados por vendedores de negócios e valores mobiliários na tentativa de justificar o injustificável e, desse modo, vender o que deveria ser invendável. Quando os ganhos parecem inadequados para cobrir o serviço da dívida de um título sem valor ou para justificar um preço de ação estúpido, é muito conveniente que o foco da atenção recaia sobre o fluxo de caixa".[24] Buffett adverte, porém, que não se pode focar o fluxo de caixa, a menos que se esteja disposto a subtrair os investimentos em capital necessários.

Em vez do fluxo de caixa, Buffett prefere usar o que chama de "lucros do proprietário": o lucro líquido da companhia mais a depreciação, a exaustão e a amortização, menos o montante dos investimentos em capital e qualquer capital operacional adicional que possa ser necessário, mas ele admite que os lucros do proprietário não proporcionam o cálculo preciso que muitos analistas exigem. O cálculo de investimentos em capital futuros costuma implicar estimativas. Mesmo assim, citando Keynes, ele diz: "Prefiro estar vagamente certo a estar precisamente errado".

Margens de lucro

Assim como Philip Fisher, Buffett tem consciência de que grandes negócios se tornam péssimos investimentos se a gestão não consegue converter as vendas em lucros. Não há nenhum grande segredo para a lucratividade: tudo se resume a controlar os custos. Em sua experiência, os gestores de operações de custos elevados costumam achar maneiras de adicionar continuamente despesas indiretas, ao passo que os gestores de operações de baixo custo estão sempre dando um jeito de cortar despesas. Buffett tem pouca paciência com gestores que permitem a escalada dos custos. Muitas vezes, esses mesmos gestores têm de iniciar um programa de reestruturação para alinhar custos e vendas. Toda vez que uma companhia anuncia um programa de corte de custos, Buffett sabe que a gestão não calculou o que as despesas podem representar para os donos de uma companhia. Segundo ele, "o gestor que é realmente bom não acorda certo dia e diz 'hoje vou cortar os custos', assim como também não acorda certo dia e resolve fazer exercícios de respiração".[25]

Buffett destaca as realizações de alguns dos melhores times de gestão com que trabalhou, entre eles Carl Reichardt e Paul Hazen, no Wells Fargo, e Tom Murphy e Dan Burke, na Cap Cities/ABC, em virtude dos ataques implacáveis que praticaram contra gastos desnecessários. Segundo ele, esses gestores têm horror a um número de funcionários maior do que o necessário; além disso, essas duas equipes de gestores "atacam vigorosamente os custos tanto quando os lucros atingem níveis recordes como quando a companhia está sob pressão".[26]

O próprio Buffett pode ser duro quando se trata de custos e despesas desnecessárias. Ele entende o tamanho certo do quadro de funcionários para a operação de qualquer negócio e pensa que, para cada dólar de vendas, existe um nível apropriado de despesas. Ele é muito sensível à margem de lucro da Berkshire.

A Berkshire Hathaway é uma corporação singular. Não tem departamento jurídico, de relações públicas ou de relações com investidores. Não tem departamento de planejamento estratégico com detentores de MBA arquitetando fusões e aquisições. As despesas corporativas da Berkshire, depois dos impostos, consomem menos de 1% dos ganhos operacionais. A maioria das companhias do mesmo tamanho que a Berkshire tem despesas corporativas dez vezes maiores.

A premissa do "um dólar"

Em termos gerais, o mercado de ações responde à seguinte pergunta fundamental: qual é o valor de determinada companhia? Buffett se orienta pela noção de que, se escolheu uma companhia com perspectivas econômicas favoráveis a longo prazo, comandada por um gestor capaz e orientada para os acionistas, a prova disso se refletirá num valor aumentado de mercado para essa companhia. É o mesmo raciocínio usado na retenção dos lucros, como ele explica. Se, durante um período prolongado, uma companhia emprega de maneira improdutiva os lucros retidos, depois de algum tempo o mercado irá (justificadamente) abaixar o preço das ações dessa empresa. Por outro lado, se a companhia conseguiu obter um retorno acima da média sobre um capital aumentado, esse sucesso se refletirá num preço de ação mais elevado.

No entanto, também sabemos que, enquanto o mercado de ações rastreia razoavelmente bem o valor dos negócios durante longos períodos, num ano qualquer os preços podem oscilar drasticamente em razão de outros fatores que não o valor. Por isso, Buffett criou um teste rápido para julgar não só a atratividade econômica de um negócio, mas também se a gestão tem alcançado sua meta de criar valor para o acionista: trata-se da regra do "um dólar". O aumento do valor deve, no mínimo, equiparar-se ao montante dos lucros retidos, dólar a dólar. Se o valor sobe mais do que os lucros retidos, melhor. No final das contas, como Buffett explica, "nessa gigantesca arena de leilões, nossa tarefa é escolher um negócio com características econômicas que permitam que cada dólar de lucro retido seja traduzido futuramente em pelo menos um dólar de valor de mercado".[27]

Princípios de mercado

Todos os princípios descritos até o momento levam a um mesmo ponto decisório: comprar ou não comprar ações de uma companhia. Toda pessoa que se encontra nessa encruzilhada deve pesar dois fatores: essa companhia tem um bom valor? Este é um bom momento para comprá-la, quer dizer, o preço está favorável?

O preço é determinado pelo mercado de ações. O valor é determinado pelo analista, após pesar todas as informações conhecidas sobre o negócio da companhia, sua gestão e fatores financeiros. O preço e o valor não são necessariamente iguais. Se o mercado de ações fosse sempre eficiente, os preços se ajustariam instantaneamente a todas as informações disponíveis. Claro que sabemos que isso não ocorre, pelo menos não o tempo todo. Por diversas razões, nem todas lógicas, os preços dos valores mobiliários sobem e descem em relação ao valor da companhia.

Em tese, as iniciativas de um investidor são determinadas pela diferença entre preço e valor. Se o preço de um negócio está abaixo de seu valor por ação, um investidor racional irá comprar ações dessa companhia. Por outro lado, se o preço está mais alto do que o valor, o investidor não entrará na sociedade. Conforme a companhia for passando pelo ciclo de vida de seu valor econômico, o analista reavaliará periodicamente o valor dessa empresa em relação ao preço de mercado e comprará, venderá ou segurará as ações conforme as informações que obtiver. Em suma, portanto, o investimento racional tem dois componentes:

1. Qual é o valor do negócio?
2. O negócio pode ser comprado com um desconto significativo em relação a seu valor?

Determine o valor

Ao longo dos anos, os analistas financeiros têm usado muitas fórmulas para calcular o valor intrínseco de uma companhia. Alguns gostam mais dos métodos abreviados, como um baixo índice preço/lucro, um baixo índice preço/valor contábil e alto retorno dos dividendos, mas o melhor sistema, na opinião de Warren Buffett, foi estipulado há mais de 70 anos por John Burr Williams em seu livro *The Theory of Investment Value*. Parafraseando Williams, Buffett nos diz que o valor de um negócio é determinado pelo fluxo de caixa líquido que se espera dele durante seu período de operações, descontado a uma taxa de juros apropriada. Ele diz que, "valorados desse modo, todos os negócios, de fabricantes de mata-moscas a operadoras de celular, tornam-se iguais do ponto de vista econômico".[28]

Buffett nos diz que o exercício matemático é muito parecido com a valoração de um título de dívida. Um título de dívida tem um cupom e uma data de vencimento que determinam seus fluxos de caixa futuros. Se você somar todos os cupons e dividir essa soma por uma taxa de desconto apropriada (a taxa de juro da data de vencimento do título), será revelado o preço deste título. Para determinar o valor de um negócio, o analista estima os cupons (o fluxo de caixa do acionista) que o negócio irá gerar durante algum período futuro e então desconta todos esses cupons retroativamente até o presente.

Para Buffett, determinar o valor de uma companhia é fácil, desde que você introduza as variáveis certas: a sequência de fluxos de caixa e a taxa de desconto apropriada. Na opinião dele, a previsibilidade do fluxo de caixa futuro de uma companhia deve pressupor uma certeza similar à do cupom, como a que se encontra nas ações. Se o negócio é simples e compreensível e vem operando com um poder de ganhos consistente, Buffett é capaz de determinar os fluxos de caixa futuros com alto grau de certeza. Se isso não for possível, ele não tentará identificar o valor da companhia. Essa é a marca distintiva de sua abordagem.

Depois que determinou os fluxos de caixa futuros de um negócio, Buffett aplica o que considera a taxa de desconto apropriada. Muitas pessoas ficarão surpresas em saber que a taxa de desconto que ele usa é simplesmente a taxa da ação de longo prazo do governo americano, nada mais. Isso é o mais perto que se pode chegar de uma taxa livre de risco.

Os acadêmicos afirmam que uma taxa de desconto mais apropriada seria a taxa livre de risco (a taxa de um título público de longo prazo) *mais* o prêmio de risco de capital próprio, acrescentado para refletir a incerteza dos fluxos de caixa futuros da companhia. Mas, como veremos adiante, Buffett descarta o conceito de prêmio de risco sobre capital próprio porque se trata de um artifício do modelo de precificação de ativos, que, por sua vez, usa a volatilidade dos preços como medida do risco. Dito mais simplesmente, quanto mais alta a volatilidade do preço, maior o prêmio do risco sobre capital próprio.

Todavia, Buffett acha que não faz sentido essa ideia de que a volatilidade do preço seja uma medida do risco. Na opinião dele, o risco de um negócio é reduzido, quando não eliminado, ao se focar em companhias com ganhos consistentes e previsíveis. Ele diz que dá um peso muito grande à certeza. "Quando faço isso, a própria ideia de fator de risco deixa de fazer sentido para mim. O risco vem de não saber o que se está fazendo".[29] Naturalmente, o fluxo de caixa futuro não pode ser previsto com a mesma certeza que o pagamento do cupom contratual de um título de dívida. Apesar disso, Buffett se sente mais confortável usando apenas a taxa livre de risco do que adicionando vários pontos percentuais em prêmios de risco só porque o preço das ações de uma companhia sobe e desce conforme as oscilações do mercado como um todo. Ainda assim, se você se sente desconfortável por ignorar o risco ao patrimônio, pode compensar exigindo uma margem maior de segurança no preço de compra.

Por fim, existem momentos em que as taxas de juros de longo prazo estão anormalmente baixas. Durante esses períodos, sabemos que Buffett se mostra mais cauteloso e provavelmente adiciona uns poucos pontos percentuais à taxa livre de risco, a fim de refletir um ambiente de taxa de juro mais normalizado.

Apesar das alegações de Buffett, os críticos afirmam que é arriscado estimar fluxos de caixa futuro e que escolher a taxa de desconto apropriada pode dar margem a erros substanciais de valuation. Em vez disso, tais críticos têm empregado diversos métodos abreviados para identificar o valor. Aqueles que chamamos de "investidores em valor" usam baixos índices preço/lucro, um baixo índice preço/valor contábil e alto retorno de dividendos. Várias vezes, esses investidores testaram vigorosamente esses índices e concluíram que é possível obter sucesso isolando e comprando companhias que exibem exatamente esses índices contábeis. Outros afirmam ter identificado valor escolhendo companhias com crescimento de lucros acima da média; em geral, são os chamados "investidores em crescimento". Nesse cenário, é típico que as companhias exibam altos índices preço/lucro e baixo retorno de dividendos: exatamente o oposto do que busca o investidor em valor.

Os investidores que buscam adquirir valor geralmente devem escolher entre as abordagens ao "valor" e ao "crescimento". Buffett admite ter participado desse cabo de guerra intelectual no passado. Hoje, acha que o debate entre as duas escolas de pensamento não faz sentido. Para ele, investimentos em crescimento e em valor se unem num mesmo ponto central. Valor é o valor presente dos fluxos de caixa futuros descontados de um investimento; crescimento é simplesmente um cálculo para determinar o valor.

O crescimento de vendas, ganhos e ativos pode tanto aumentar como diminuir o valor de um investimento. O crescimento pode aumentar o valor quando o retorno do capital investido é acima da média, supondo-se com isso que, quando um dólar está sendo investido na companhia, pelo menos um dólar de valor de mercado está sendo criado. No entanto, para um negócio que obtém retornos baixos sobre o capital, o crescimento pode ser prejudicial para os acionistas. Por exemplo, uma companhia aérea teve um histórico de incrível crescimento, mas sua incapacidade para gerar retornos decentes sobre o capital deixou a maioria de seus donos em má posição.

Todos os métodos abreviados, em qualquer combinação – índices preço/lucro altos ou baixos, índices preço/valor contábil, retornos dos dividendos –, deixam a desejar. Buffett resume a situação para nós: se "o investidor estiver de fato comprando algo pelo que vale e, portanto, estiver realmente agindo conforme o princípio de obter valor para seu investimento [...], não importa se o negócio cresce ou não, ou se tem um preço alto ou baixo em relação a seu lucro por ação e valor contábil atual, o investimento exibido pelo cálculo dos fluxos de caixa descontados como o mais barato será aquele que o investidor deverá adquirir".[30]

Compre a preços atraentes

Concentrar-se em bons negócios – que são compreensíveis, têm uma economia durável, são dirigidos por gestores que priorizam os acionistas – não é, em si, suficiente para garantir sucesso, como Buffett aponta. Em primeiro lugar, é preciso comprar a preços razoáveis; em seguida, a empresa tem de corresponder às expectativas de negócio do investidor. Se, como Warren adverte, cometemos erro, ou é por causa (1) do preço que pagamos, (2) da gestão a que nos associamos ou (3) da futura economia do negócio. Equívocos na terceira opção são os mais comuns, como ele lembra. A intenção de Buffett não é somente identificar negócios que possam gerar retorno acima da média, mas comprá-los por preço bem abaixo de seu valor indicado. Graham ensinava a importância de só se comprarem ações quando a diferença entre o preço e o valor representasse uma margem de segurança.

O princípio da margem de segurança ajuda Buffett de duas maneiras. Em primeiro lugar, protege-o do lado negativo do risco do preço. Se ele calcula o valor de um negócio apenas ligeiramente acima de seu preço por ação, ele não compra a ação; raciocina que, se o valor intrínseco da companha fosse diminuir, mesmo que ligeiramente, porque ele se equivocou ao avaliar o fluxo de caixa futuro, com o tempo o preço da ação também cairia, talvez até mais do que ele pagou. Mas, se a margem entre o preço de compra e o valor intrínseco é grande o bastante, o risco de um valor intrínseco declinar é menor. Se Buffett comprar uma companhia por 25% a menos que seu valor intrínseco, e subsequentemente o valor declinar 10%, o preço de compra original ainda renderá um retorno adequado.

A margem de segurança também proporciona oportunidades para retornos de ações extraordinários. Se Buffett identifica corretamente que uma companhia exibe retornos econômicos acima da média, o valor da ação a longo prazo exibirá um aumento consistente, uma vez que o preço da ação imita o retorno do negócio. Se uma companhia lucrar consistentemente 15% sobre seu patrimônio líquido, o preço de suas ações avançará mais ano a ano do que outra que lucre 10% sobre seu patrimônio líquido. Além disso, se Buffett, usando a margem de segurança, é capaz de comprar esse negócio notável com um desconto significativo sobre seu valor intrínseco, a Berkshire ganhará um bônus extra quando o mercado corrigir o preço do negócio. "Tal como Deus, o mercado ajuda aqueles que se ajudam", diz Buffett. "Mas, diferentemente de Deus, o mercado não perdoa aqueles que não sabem o que fazem."[31]

Anatomia do preço de uma ação a longo prazo

Para os leitores que processam mais rapidamente as informações visuais, criei o gráfico da Figura 3.1. Ela mostra, de modo concentrado, os principais ingredientes da abordagem de Buffett.

Um excelente negócio (coluna do meio), ao longo do tempo (eixo *x*), produzirá um valor crescente para o acionista (eixo *y*), desde que seja comprado por um bom preço (coluna da esquerda) e que as decisões da gestão (coluna da direita) evitem sua extinção no mercado, façam melhor do que simplesmente igualar o índice de mercado e levem a um valor aumentado da companhia.

Figura 3.1 Anatomia do preço de uma ação a longo prazo

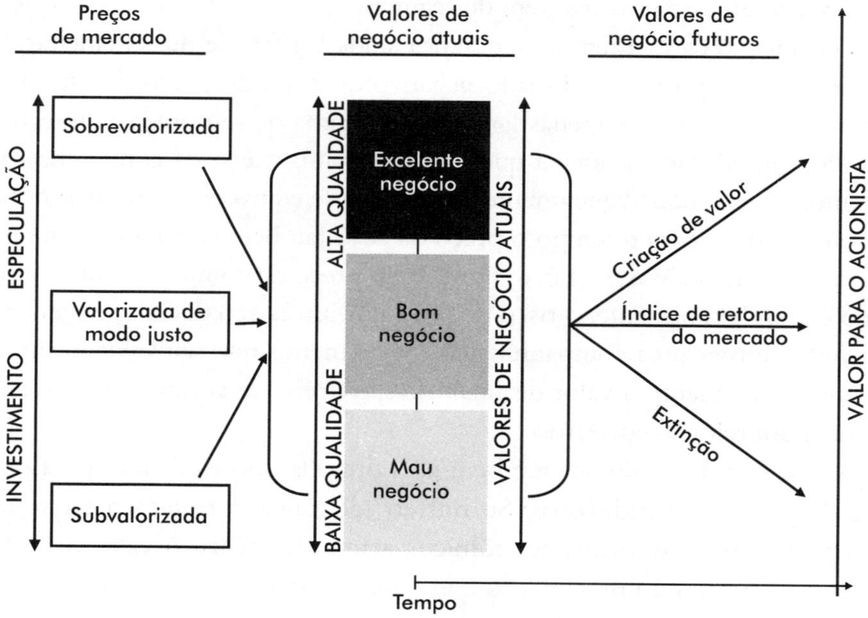

Para ver esses princípios em ação, vá ao Capítulo 4, onde apresentamos alguns estudos de caso.

O investidor inteligente

O traço mais característico da filosofia de investimento de Buffett é o claro entendimento de que, por possuir lotes de ações, ele é dono de negócios, e não de folhas de papel. A ideia de comprar ações sem compreender as funções operacionais da companhia – inclusive seus produtos e serviços, estoques, necessidades de capital de giro, necessidades de reinvestimento de capital (por exemplo, em instalações e equipamentos), despesas com matérias-primas e relações trabalhistas – é inconsequente, em sua opinião. Ao resumir *O investidor inteligente*, Benjamin Graham escreveu: "O jeito mais inteligente de investir é pensar sempre no negócio". Buffett costuma dizer que essas "são as palavras mais importantes já escritas sobre investimentos".

O investidor tem uma escolha: pode decidir se comportar como o dono de um negócio, com tudo o que isso implica, ou passar o tempo negociando valores mobiliários apenas para participar do jogo, ou inclusive por qualquer outro motivo além dos atributos fundamentais de um negócio.

Os donos de ações ordinárias que percebem que só possuem uma folha de papel estão muito afastados das demonstrações financeiras da companhia. Comportam-se como se o preço do mercado sempre em mudança fosse um reflexo mais preciso do valor das ações do que o balanço da empresa e seu demonstrativo de resultado. Compram e descartam ações como se fossem cartas de baralho. Para Buffett, esse é o auge da estupidez. Em sua opinião, não há diferença entre possuir uma companhia ou ações dela, e a mesma mentalidade deveria servir a ambas. Ele confessa que é "um investidor melhor por ser um homem de negócios, e um homem de negócios melhor por ser um investidor".[32]

Frequentemente lhe perguntam que tipos de companhia ele comprará no futuro. Ele diz que, em primeiro lugar, evitará negócios com commodities e gestores nos quais tenha pouca confiança. Ele comprará aquele tipo de companhia que entende, que possui boa economia e é dirigido por gestores confiáveis. "Um bom negócio nem sempre é uma boa compra", Buffett lembra, "embora seja um bom lugar para procurá-la."[33]

4

Compras de ações ordinárias

NOVE ESTUDOS DE CASO

Ao longo dos anos, as compras de ações ordinárias feitas por Buffett tornaram-se parte do folclore da Berkshire. Por trás de cada investimento existe uma história singular. A compra da Washington Post Company, em 1973, foi muito diferente da compra da GEICO em 1980. Certamente, o investimento de Buffett de 500 milhões de dólares na Capital Cities – o que, por sua vez, ajudou Tom Murphy a comprar a American Broadcasting Company (ABC) – foi diferente de seu investimento bilionário na Coca-Cola. E cada uma dessas aquisições acionárias diferiu dos investimentos que ele fez anos mais tarde no Wells Fargo, na General Dynamics, na American Express, na IBM e na Heinz. Todavia, para nós, que esperamos compreender a fundo como Buffett pensa, todas essas compras de ações ordinárias compartilham um mesmo traço muito importante: elas nos permitem observar como entram em ação seus princípios de negócio, de gestão, financeiros e de mercado.

À exceção da Cap Cities, todas essas companhias ainda estão no âmbito da Berkshire e continuam a prosperar. Somente a Washington Post Company e a General Dynamics não aparecem na lista das maiores ações ordinárias da Berkshire.

Neste capítulo, vamos examinar cada compra em seu contexto histórico, o que nos permite analisar melhor as ideias de Buffett à época de cada investimento e a relação dessa transação com a companhia, o segmento e o mercado de ações.

Washington Post Company

Em 1931, o *Washington Post* era um dos cinco jornais diários da capital americana. Dois anos depois, incapaz de arcar com os custos do papel-jornal, foi posto em concordata. Naquele verão, a companhia foi vendida em leilão para satisfazer os credores. Eugene Meyer, um financista milionário, comprou o *Washington Post* por 825 mil dólares. Durante as duas décadas seguintes, ele custeou o jornal até que a empresa começasse a dar lucro. A gestão então passou para Philip Graham, um advogado brilhante, formado em Harvard, que tinha se casado com Katharine, filha de Meyer. Em 1954, Philip Graham convenceu Eugene Meyer a comprar um jornal rival, o *Times-Herald*. Posteriormente, Graham comprou a revista *Newsweek* e duas emissoras de televisão, antes de seu trágico suicídio em 1963. Cabe a Phil Graham o crédito de ter transformado o *Washington Post* de um simples jornal em uma empresa de mídia e comunicações.

Após a morte de Graham, o controle do *Washington Post* passou para Katharine Graham. Embora não tivesse experiência em gerir uma grande corporação, ela rapidamente se destacou por encarar difíceis questões empresariais. Uma boa parte do sucesso de Katharine Graham pode ser atribuída ao seu genuíno afeto pelo *Post*. Ela havia observado como seu pai e depois seu marido tinham lutado para manter a companhia em condições de funcionar e se deu conta de que, para ser bem-sucedida, a empresa precisaria de alguém capaz de tomar decisões, e não de um cuidador. Ela disse: "Aprendi rapidamente que as coisas não permanecem paradas. Você tem de tomar decisões".[1] E ela tomou duas espetaculares decisões que tiveram um pronunciado impacto sobre o jornal: contratou Ben Bradlee como gerente editorial e em seguida convidou Warren Buffett para se tornar um dos diretores da companhia. Bradlee incentivou Katharine Graham a publicar os "Pentagon Papers" ["Documentos do Pentágono"] e a prosseguir com a investigação do caso Watergate, o que deu ao *Washington Post* a reputação de um jornalismo premiado. De sua parte, Buffett ensinou Katharine Graham a dirigir um negócio bem-sucedido.

Buffett conheceu Katharine Graham em 1971. Nessa época, ele tinha ações da revista *New Yorker*. Quando soube que a revista poderia estar à venda, perguntou a Katharine Graham se o *Washington Post* tinha interesse em adquiri-la. Embora essa venda nunca tenha se concretizado, Buffett ficou muito impressionado com a editora-chefe do *Post*.

Por volta dessa época, a estrutura financeira do *Washington Post* estava prestes a passar por mudanças profundas. De acordo com os termos de um *trust* estabelecido por Eugene e Agnes Meyer, Katharine e Philip Graham eram os donos de todas as ações com direito a voto do *Post*. Após a morte de Phil, Katharine herdou o controle da companhia. Ao longo do tempo, Eugene Meyer havia presenteado algumas centenas de funcionários com milhares de ações privadas do *Post*, como mostra de gratidão por sua lealdade e seus serviços. Além disso, financiou o plano de participação nos lucros da companhia por meio de ações privadas [ações oferecidas a poucas instituições, e não ao público em geral]. Conforme a empresa prosperava, o valor do *Washington Post* disparou de 50 dólares a ação, nos anos 1950, para 1.154 dólares, em 1971. O plano de participação nos lucros e as ações dos funcionários exigiam que a companhia mantivesse suas ações no mercado, um arranjo que se mostrou depois um uso improdutivo do caixa da companhia. Além disso, a família Graham-Meyer estava enfrentando altos impostos sobre a herança.

Em 1971, Katharine Graham decidiu abrir o capital do *Washington Post*, o que eliminou o ônus de manter um mercado com suas próprias ações e permitiu aos herdeiros da família usufruir de um plano mais lucrativo para seus bens. A Washington Post Company foi dividida em duas classes de acionistas. Os que tinham ações ordinárias classe A elegiam a maioria dos membros do conselho de administração; os que tinham ações classe B elegiam a minoria. Katharine Graham detinha 50% das ações classe A, representando de fato o controle da companhia. Em junho de 1971, a Washington Post Company emitiu 1.354.000 ações classe B. Numa atitude notável, dois dias depois, apesar da ameaça do governo, Katharine Graham deu a Ben Bradlee autorização para publicar os "Pentagon Papers". Em 1972, o preço das ações classe A e classe B subiu de maneira firme e constante, de 24,75 dólares em janeiro para 38 dólares em dezembro.

O clima em Wall Street, no entanto, estava cada vez mais sombrio. No início de 1973, o Dow Jones Industrial Average começou a declinar; por volta de maio, tinha caído mais de 100 pontos, chegando a 921. O preço da ação da Washington Post Company também estava caindo; em maio, tinha chegado a 23 dólares. Os corretores da Wall Street estavam alimentando rumores sobre a IBM, cujas ações tinham despencado mais de 69 pontos, rompendo sua média de 20 dias; esses profissionais advertiam que aquele colapso técnico era um mau presságio para o restante do mercado. Nesse mesmo mês, o ouro ultrapassou 100 dólares a onça, o Federal Reserve [Banco Central americano] aumentou a taxa de desconto para 6% e o índice Dow Jones caiu ainda mais, chegando a um patamar inferior a 900 pontos.

Enquanto isso, Buffett estava discretamente comprando ações do *Washington Post*. Em junho, já havia adquirido 467.150 unidades ao preço médio de 22,75 a ação, uma aquisição avaliada em 10.628.000 dólares.

No começo, Katharine Graham ficou inquieta. A ideia de alguém que não era da família ter tantas ações do *Post*, mesmo sendo de uma classe que não significava controle acionário, era preocupante. Buffett assegurou à sra. Graham que a compra pela Berkshire era somente um investimento. A fim de tranquilizá-la, sugeriu que o filho dela, Don Graham, fosse autorizado, como representante oficial, a votar nas ações da Berkshire. Foi o que bastou. A reação de Katharine Graham foi convidar Buffett para integrar o conselho de administração em 1974; em seguida, nomeou-o diretor do comitê financeiro.

O papel de Buffett no *Washington Post* é amplamente conhecido. Ele ajudou Katharine Graham a perseverar durante as greves dos jornalistas nos anos 1970 e também foi o mentor de Don Graham nos negócios, ajudando-o a compreender o papel da gestão e sua responsabilidade perante os acionistas. Por sua vez, Don foi um aluno dedicado, que ouvia tudo que Buffett tinha a dizer. Anos mais tarde, Don Graham escreveu que prometia "continuar a administrar a companhia pensando no benefício dos acionistas, sobretudo os detentores de ações de longo prazo cuja perspectiva vai muito além de resultados trimestrais ou até mesmo anuais. Não iremos mensurar nosso sucesso pelo volume de nossa receita, nem pelo número de empresas que controlamos". Graham jurou sempre "administrar os custos rigorosamente" e "usar com disciplina o caixa de que dispomos".[2]

Princípio: simples e compreensível

Em certa época, o avô de Buffett foi o proprietário e o editor do *Cuming County Democrat*, um jornal semanal que circulava em West Point, Nebraska. Sua avó ajudava nas matérias e também a dispor os tipos na impressora da família. Seu pai, enquanto estudava na Universidade de Nebraska, editava o *Daily Nebraskan*. O próprio Warren trabalhou como gerente de circulação do *Lincoln Journal*. Muitas vezes já se disse que, se Buffett não tivesse embarcado na carreira de investidor, provavelmente teria seguido o jornalismo.

Em 1969, ele comprou seu primeiro grande jornal, o *Omaha Sun*, junto com um grupo de publicações semanais. Embora respeitasse o jornalismo de alta qualidade, Buffett sempre pensava nos jornais sobretudo como um negócio. Esperava que os lucros, e não a influência, fossem a recompensa de ser dono de um jornal. Possuir o *Omaha Sun* ensinou-lhe a dinâmica de um jornal. Já acumulava quatro anos de experiência prática como dono antes de comprar sua primeira ação da Washington Post Company.

Princípio: histórico consistente de operações

Buffett diz aos acionistas da Berkshire que seu primeiro contato com a Washington Post Company foi quando ele tinha 13 anos. Ele entregava na porta das casas tanto o *Washington Post* como o *Times-Herald*, enquanto o pai trabalhava no Congresso. Buffett gosta de lembrar aos outros que, por conta dessa dupla rota de entregas, ele fez a fusão dos dois jornais bem antes de Phil Graham comprar o *Times-Herald*.

Obviamente, Buffett estava ciente da rica história do jornal e considerava a revista *Newsweek* um negócio previsível. A Washington Post Company já vinha há anos relatando o desempenho espetacular de sua divisão de transmissão de notícias, e Buffett rapidamente se inteirou do valor das estações de televisão da companhia. A experiência pessoal de Buffett com a empresa e sua própria história particular de sucesso levaram-no a acreditar que aquela companhia apresentava um histórico de desempenho consistente e confiável.

Princípio: perspectiva favorável a longo prazo

Em 1984, Buffett escreveu que "os aspectos econômicos de um jornal dominante são excelentes, entre os melhores do mundo".[3] Repare que ele disse isso há 30 anos, uma década inteira antes que o potencial da internet fosse sequer percebido.

No início dos anos 1980, havia 1.700 jornais nos Estados Unidos, e cerca de 1.600 circulavam sem concorrentes diretos. Como Buffett notou, os donos de jornais gostam de acreditar que os lucros excepcionais que auferem todos os anos são resultado da qualidade jornalística de sua publicação. A verdade é que até mesmo um jornal de terceira categoria pode proporcionar lucros adequados se for o único jornal da cidade. Bem, é claro que um jornal de alta qualidade obterá um índice de penetração mais alto, mas até mesmo um jornal medíocre, como ele explica, é essencial à comunidade, por conta de sua função de boletim de notícias e classificados. Cada empresa da cidade, cada corretor imobiliário, cada pessoa que deseja enviar uma mensagem para uma comunidade precisa da distribuição de um jornal para isso. Assim como o empresário canadense de mídia Lorde Thomson, Buffett acreditava que possuir um jornal era como receber *royalties* sobre todos os negócios da cidade que quisessem anunciar.

Além de sua característica de franquia, os jornais possuem uma valiosa vantagem econômica. Como Buffett salienta, eles têm pouca necessidade de capital e, por isso, podem facilmente traduzir as vendas em lucros. Mesmo quando o jornal instala impressoras computadorizadas e sistemas eletrônicos nas salas da redação, eles se pagam rapidamente pelos custos fixos mais baixos com salários. Nos anos 1970 e 1980, os jornais também puderam subir seus preços com relativa facilidade, o que lhes permitiu gerar retornos acima da média do capital investido e reduzir os efeitos prejudiciais da inflação.

Princípio: determinar o valor do negócio

Em 1973, o valor total de mercado da Washington Post Company era de 80 milhões de dólares. Ainda assim, Buffett afirma que "a maioria dos analistas de valores mobiliários, de corretores de mídia e de executivos de mídia teria estimado o valor intrínseco da WPC entre 400 e 500 milhões de dólares".[4] Como foi que ele chegou a essa estimativa? Vamos usar o raciocínio de Buffett e entender os números.

Começaremos calculando os lucros do proprietário por ano: o rendimento líquido (13,3 milhões de dólares) mais depreciações e amortizações (3,7 milhões de dólares) menos investimentos em capital (6,6 milhões de dólares) resultou, em 1973, em lucros do proprietário da ordem de 10,4 milhões de dólares. Se dividirmos esse lucro pela emissão de ações de longo prazo do governo americano (6,81%), o valor da Washington Post Company chega a 150 milhões, quase duas vezes o valor de mercado da companhia, mas muito menos do que a estimativa de Buffett – que nos diz que, com o tempo, os investimentos em capital de um jornal irão se igualar às taxas de depreciação e amortização, e que, portanto, o rendimento líquido deve se aproximar dos lucros do proprietário. Sabendo disso, podemos simplesmente dividir o lucro líquido pela taxa livre de risco, e agora chegar a um valuation de 196 milhões de dólares.

Se pararmos por aqui, a suposição é que o aumento nos lucros do proprietário se igualará à elevação da inflação. No entanto, sabemos que os jornais têm um poder de precificação incomum, pois a maioria é um monopólio em sua comunidade e, assim, pode elevar os preços usando índices superiores à inflação. Se fizermos uma última suposição – a de que o *Washington Post* tem capacidade para aumentar o preço real em 3% –, o valor da companhia chega perto de 350 milhões. Buffett também sabia que a margem de lucro antes de impostos de 10% estava abaixo de sua margem média histórica de 15% e que Katharine Graham estava decidida a lutar para que, mais uma vez, o *Post* alcançasse essa margem. Se a margem antes dos impostos melhorasse para 15%, o valor atual da companhia subiria para 135 milhões de dólares, elevando o valor intrínseco total para 485 milhões.

Princípio: comprar a um preço atraente

Mesmo o cálculo mais conservador do valor da empresa indica que Buffett comprou a Washington Post Company por menos da metade de seu valor intrínseco. Ele afirma que a comprou por menos de um quarto de seu valor. Seja como for, ele claramente comprou a empresa com um desconto significativo sobre seu valor presente. Buffett satisfez a premissa de Ben Graham de que comprar com desconto cria margem de segurança.

Princípio: retorno sobre o patrimônio líquido

Quando Buffett adquiriu as ações do *Washington Post*, seu retorno sobre o patrimônio foi de 15,7%. Esse era o retorno médio para a maioria dos jornais e somente ligeiramente melhor do que o índice Standard & Poor's (S&P) 500. Mas, em cinco anos, o retorno sobre o patrimônio líquido do *Post* dobrou. Nessa altura, era duas vezes maior do que o das empresas listadas no S&P 500 e 50% mais alto do que o jornal médio. Ao longo dos dez anos seguintes, o *Post* manteve sua supremacia e atingiu uma alta de 36% de retorno sobre o patrimônio líquido em 1988.

Esses retornos acima da média são mais impressionantes quando observamos que a companhia, com o tempo, reduziu propositalmente sua dívida. Em 1973, a razão entre a dívida de longo prazo e o patrimônio líquido dos acionistas estava em 37%, a segunda razão mais elevada no segmento jornalístico. Em 1978, Katharine Graham havia admiravelmente reduzido a dívida da companhia em 70%. Em 1983, o índice dívida de longo prazo/patrimônio líquido estava em 2,7% – um décimo da média do segmento jornalístico –, enquanto o *Post* gerou um retorno sobre o patrimônio líquido de 10% maior do que essas companhias. Em 1986, após investir em sistemas de telefonia celular e de comprar os 53 sistemas a cabo da Capital Cities, a dívida da companhia tornou-se atipicamente alta, na casa dos 336 milhões de dólares. No intervalo de um ano, foi reduzida para 155 milhões. Em 1992, a dívida de longo prazo era de 51 milhões, e o índice dívida de longo prazo/patrimônio líquido era de 5,5%, enquanto a do segmento em geral girava em torno de 42,7%.

Princípio: margens de lucro

Seis meses depois que a Washington Post Company abriu o capital, Katharine Graham se reuniu com analistas de valores mobiliários de Wall Street. Ela lhes disse que a primeira ordem de negócios era maximizar o lucro das operações existentes da companhia. Os lucros continuaram subindo nas emissoras de televisão e na *Newsweek*, mas a rentabilidade do jornal estava deixando a desejar. De acordo com a sra. Graham, isso se devia em grande parte aos altos custos da produção, ou seja, os salários. Depois que o *Post* comprou o *Times-Herald*, os lucros rapidamente tinham chegado a novos picos. Cada vez que os sindicatos atacavam o jornal (1949, 1958, 1966, 1968, 1969), a administração optava por pagar o que exigiam para não correr o risco de fechar o jornal. Durante esse período, Washington, D. C., ainda era uma cidade com três jornais. Ao longo das décadas de 1950 e 1960, os custos com salários cada vez maiores sugaram os lucros. A sra. Graham disse aos analistas que esse problema seria resolvido.

Quando os contratos com os sindicatos começaram a caducar, durante os anos 1970, a sra. Graham convocou a ajuda de negociadores trabalhistas, que adotaram uma linha dura nas negociações com os sindicatos. Em 1974, a companhia derrotou uma greve convocada pela Newspaper Guild, o sindicato dos jornalistas, e, após extensas negociações, a categoria dos operários gráficos concordou com um novo contrato. A postura firme da sra. Graham ficou em evidência durante a greve dos repórteres em 1975. Foi uma paralisação violenta e hostil. Os repórteres perderam a simpatia popular quando vandalizaram as salas da redação antes de entrar em greve. Funcionários da administração mantinham as prensas rodando; os membros da Newspaper Guild e o sindicato dos gráficos formaram linhas de piquete. Após quatro meses, a sra. Graham divulgou que o jornal estava contratando repórteres não sindicalizados. A companhia tinha vencido.

No início dos anos 1970, a imprensa financeira escreveu que "o melhor que podia ser dito sobre o desempenho da Washington Post Company era que tinha tirado um C de misericórdia quanto à rentabilidade".[5] A margem de lucro antes dos impostos, em 1973, era de 10,8%, bem abaixo da margem histórica de 15%, conquistada nos anos 1960. Depois do êxito nas renegociações de contratos com os sindicatos, a riqueza do *Post* aumentou. Em 1988, a margem de lucro antes dos impostos teve um pico de 31,8%, o que era favorável na comparação com a média grupal dos jornais, de 16,9%, e com o índice médio de 8,6% do S&P.

Princípio: racionalidade

O *Washington Post* gerou um fluxo de caixa substancial para seus proprietários. Como gerou mais caixa do que podia reinvestir em seu negócio primário, a gestão se viu diante de duas escolhas: devolver o dinheiro aos acionistas e/ou investir esse dinheiro em novas oportunidades. A preferência de Buffett é que as companhias devolvam o excedente aos acionistas. Enquanto Katharine Graham foi presidente da Washington Post Company, esse foi o primeiro jornal em seu segmento de atuação a recomprar grandes quantidades de ações. Entre 1975 e 1991, a companhia comprou inacreditáveis 43% de suas ações, ao preço médio de 60 dólares a ação.

Uma empresa também pode escolher devolver dinheiro aos acionistas, aumentando os dividendos. Em 1990, diante de suas substanciais reservas em caixa, a Washington Post Company votou por aumentar os dividendos anuais aos acionistas de 1,84 dólar para 4 dólares, o que representou um aumento de 117%.

No início dos anos 1990, Buffett concluiu que os jornais continuariam sendo um negócio acima da média em comparação com os demais setores dos Estados Unidos, mas que estavam destinados a se tornar menos valiosos do que ele ou qualquer outro analista de mídia tinha previsto anos atrás, sobretudo porque tinham perdido sua flexibilidade de precificação. No passado, quando a economia desacelerava e os anunciantes cortavam suas verbas para publicidade, os jornais podiam manter a rentabilidade aumentando o número de linhas por página. Hoje em dia, os jornais não são mais monopólios. Os anunciantes encontraram meios menos dispendiosos de alcançar os consumidores: a televisão a cabo, malas diretas, inserções em jornais e – principalmente – o amplo uso da internet tiraram dos jornais os dólares de publicidade anteriormente a eles dirigidos.

Em 1991, Buffett estava convencido de que a mudança na rentabilidade representava tanto uma "mudança secular" de longo prazo como uma mudança cíclica e temporária. Segundo ele mesmo confessou, "o fato é que propriedades como o jornal, a televisão e a revista começaram a parecer mais negócios do que franquias em seu comportamento econômico".[6] Mudanças cíclicas prejudicam os lucros de curto prazo, mas não reduzem o valor intrínseco de uma companhia. Mudanças não técnicas reduzem os lucros e também o valor intrínseco. No entanto, a mudança no valor intrínseco da Washington Post Company, como disse Buffett, foi moderada em comparação com a de outras empresas de mídia por dois motivos. O primeiro foi que a dívida de longo prazo do Post no valor de 50 milhões de dólares era mais do que contrabalançada por seus 400 milhões em caixa das holdings. O Washington Post é o único jornal público essencialmente livre de dívidas. "Por conta disso", como acentuou Buffett, "o encolhimento do valor de seu ativo não foi acentuado pelos efeitos da alavancagem".[7]

Princípio: a premissa do "um dólar"

A meta de Buffett é escolher empresas nas quais cada dólar dos lucros retidos é traduzido em pelo menos um dólar de valor de mercado. Esse teste pode identificar rapidamente as companhias cujos gestores, com o tempo, foram capazes de otimizar os investimentos do capital de sua companhia. Se os lucros retidos são investidos na empresa e produzem um retorno acima da média, a prova será um aumento proporcionalmente maior do valor de mercado da companhia.

De 1973 a 1992, a Washington Post Company propiciou 1,755 bilhão de dólares de lucro para seus proprietários. Desse lucro, a companhia pagou 299 milhões de dólares aos acionistas e reteve 1,456 bilhão para reinvestir em suas operações. Em 1973, o valor total de mercado da Washington Post Company era de 80 milhões de dólares. Em 1992, seu valor de mercado tinha aumentado para 2,630 bilhões de dólares. Durante esses 20 anos, para cada dólar que a companhia reteve, ela criou 1,81 dólar de valor de mercado para seus acionistas.

Mesmo assim, há mais um modo de julgar o sucesso da Washington Post Company sob o comando de Katharine Graham. Em seu esclarecedor livro intitulado *O poder de pensar fora da caixa: como 8 executivos mudaram rapidamente o caminho para o sucesso*, William Thorndike nos ajuda a avaliar como a empresa e sua CEO realmente se saíram: "Do momento em que ocorreu a IPO da companhia, em 1971, até o ano em que [Katharine Graham] deixou de ser a presidente, em 1993, o retorno anual composto para os acionistas foi de notáveis 22,3%, superando tanto o do S&P (7,4%) como o das demais companhias do segmento (12,4%). Cada dólar investido no momento da IPO [oferta pública inicial] valia 89 dólares na época em que ela se aposentou, em contraste com os 5 dólares do S&P e os 14 dólares dos demais jornais. O desempenho de Katharine Graham superou 18 vezes o do S&P e seis vezes o da concorrência. Por uma ampla margem de diferença, ela foi simplesmente a melhor executiva de jornal do país durante os 22 anos em que atuou na área".[8]

GEICO

A GEICO – Companhia de Seguros dos Funcionários do Governo [Government Employees Insurance Company] – foi fundada em 1936 por Leo Goodwin, um contador especializado em seguros.[9] Goodwin queria uma companhia que assegurasse somente motoristas sujeitos a pouco risco e vendia seu seguro diretamente por correio. Ele tinha descoberto que, como grupo, os funcionários do governo sofriam menos acidentes do que o público geral. Sabia também que, vendendo diretamente ao motorista, a companhia poderia eliminar o sobrecusto associado aos corretores, tipicamente de 10% a 25% de cada dólar de prêmio. Goodwin entendeu que teria uma receita de sucesso se isolasse os motoristas cuidadosos e repassasse a economia obtida com a emissão direta de apólices de seguro.

Goodwin convidou um banqueiro chamado Cleaves Rhea, de Fort Worth, Texas, para ser seu sócio. Investiu 25 mil dólares e ficou com 25% das ações; Rhea investiu 75 mil dólares por 75% das ações. Em 1948, a companhia mudou do Texas para Washington, D. C. Naquele ano, a família Rhea decidiu vender sua participação na companhia, e Rhea convocou Lorimer Davidson, um corretor de ações de Baltimore, para ajudar na venda. Por sua vez, Davidson pediu a David Kreeger, um advogado de Washington, D. C., que o ajudasse a encontrar compradores. Kreeger entrou em contato com a Graham-Newman Corporation. Ben Graham decidiu comprar metade das ações de Rhea por 720 mil dólares; Kreeger e os parceiros de Davidson em Baltimore compraram a outra metade. A Securities and Exchange Commission [Comissão de Valores Mobiliários] forçou a Graham-Newman, por ser um fundo de investimento, a limitar sua participação na GEICO a 10%, de modo que Graham teve de distribuir as ações da GEICO entre os sócios do fundo. Anos mais tarde, quando a GEICO se tornou uma companhia bilionária, as ações privadas de Graham passaram a valer milhões de dólares.

A convite de Goodwin, Lorimer Davidson juntou-se à equipe de gestores da GEICO. Em 1958, ele se tornou presidente e liderou a companhia até 1970. Durante seu mandato, o conselho ampliou a elegibilidade da GEICO como seguradora de veículos e incluiu trabalhadores administrativos, técnicos e de níveis gerenciais. Nessa altura, o mercado de seguros da GEICO abrangia 50% de todos os proprietários de veículos, ante os 15% anteriores. A nova estratégia foi um sucesso. Os lucros dispararam porque o novo grupo de motoristas acabou se revelando tão cuidadoso quanto os funcionários do governo.

Esses foram os anos dourados da companhia. Entre 1960 e 1970, as agências reguladoras de seguros ficaram fascinadas com o sucesso da GEICO, e os acionistas viram o preço de suas ações disparar. A razão prêmios líquidos emitidos/excedente do segurado da companhia subiu a mais de 5:1. Essa razão mede o risco que a companhia assume (prêmios emitidos) diante do excedente dos detentores de apólices (capital usado para pagar os pedidos de indenização). Como as agências reguladoras estavam muito impressionadas com a GEICO, a companhia teve permissão para exceder a razão média do segmento.

No fim dos anos 1960, a fortuna começou a diluir. Em 1969, a companhia relatou ter subestimado em 10 milhões suas reservas para aquele ano. Em vez de ganhar 2,5 milhões de dólares, a companhia havia realmente sofrido uma perda. O ajuste no faturamento foi feito no ano seguinte, mas novamente a companhia subestimou suas reservas – dessa vez em 25 milhões –, de modo que em 1970 o resultado foi uma perda desastrosa.

A receita que uma companhia seguradora recebe dos detentores de apólices é chamada de prêmios ganhos. Usando esses prêmios, a seguradora promete fornecer cobertura para o motorista do veículo segurado ao longo do ano. Os custos de uma seguradora incluem sinistros, que são os pedidos de indenização feitos pelos motoristas, e as despesas com as perdas, ou seja, os custos administrativos do pagamento das indenizações. Esses custos totais devem refletir não somente os pagamentos feitos durante o ano, como também a estimativa dos pedidos de indenização que ainda não foram pagos. Por sua vez, essa estimativa é dividida em duas categorias: custos dos pedidos de indenização e despesas, que a companhia espera pagar durante o ano; e reservas de ajuste, destinadas a cobrir eventuais reservas subestimadas nos anos anteriores. Em função de litígios, alguns pedidos de indenização não são pagos durante muitos anos e frequentemente significam o pagamento de somas substanciais com despesas legais e médicas. O problema que a GEICO enfrentou foi não só ter emitido apólices de seguro que foram preparadas para criar uma perda de subscrição, como também ter contado com estimativas inadequadas para suas reservas anteriores.

Em 1970, Davidson se aposentou e foi substituído por David Kreeger, advogado de Washington. A direção da companhia foi para Norman Gidden, que tinha sido o presidente e CEO. O que aconteceu a seguir sugere que a GEICO estava tentando crescer a partir da desorganização em relação a suas reservas, ocorrida em 1969 e 1970. Entre 1970 e 1974, o número de novas apólices de veículos cresceu a uma taxa anual de 11%, comparada aos 7% em média de 1965 a 1970. Além disso, em 1972 a companhia embarcou num dispendioso e ambicioso programa de descentralização que exigiu investimentos significativos em imóveis, equipamentos computadorizados e pessoal.

Em 1973, enfrentando uma concorrência feroz, a empresa baixou seus padrões de elegibilidade a fim de expandir sua participação no mercado. Agora, pela primeira vez, os segurados da GEICO incluíam operários e motoristas com menos de 21 anos, dois grupos com históricos inconstantes. Essas duas mudanças estratégicas – o plano de expansão corporativa e o plano de segurar um número maior de motoristas – ocorreram simultaneamente à suspensão do controle de preços no país, em 1973. Logo depois, os custos com consertos de automóveis e atendimento médico explodiram.

As perdas de subscrição da GEICO começaram a aparecer no último trimestre de 1974. Para aquele ano, a companhia reportou uma perda de subscrição de 6 milhões de dólares, a primeira em 28 anos. Surpreendentemente, naquele ano a razão prêmios líquidos emitidos/excedente do segurado foi de 5:1. Apesar disso, a empresa continuou a perseguir o crescimento e, no segundo trimestre de 1975, reportou mais perdas e anunciou que estava eliminando o dividendo de 80 centavos de dólar da companhia.

Gidden contratou a consultoria Milliman & Robertson para que recomendasse à GEICO um plano a fim de reverter o declínio. Os resultados do estudo não foram encorajadores. Os consultores disseram que a companhia estava desfalcada de reservas num montante entre 35 e 70 milhões de dólares e que precisaria de uma injeção de capital para permanecer viável. O conselho acatou o estudo dos consultores e fez o anúncio aos acionistas. Além disso, o conselho projetou que a perda de subscrição para 1975 atingiria a assombrosa cifra de 140 milhões de dólares (o resultado efetivo foi 126 milhões). Os acionistas e as agências reguladoras ficaram pasmos.

Em 1972, o preço da ação da GEICO tinha chegado ao pico de 61 dólares. Em 1973, esse preço estava pela metade e, em 1974, caiu ainda mais e foi para 10 dólares. Em 1975, quando o conselho anunciou as perdas projetadas, o preço despencou para 7 dólares. Vários acionistas, alegando fraude, moveram ações coletivas contra a companhia. Os executivos da GEICO atribuíram as dificuldades da companhia à inflação e aos custos legais e médicos exorbitantes. Esses, porém, eram problemas que atingiam todas as seguradoras. O problema da GEICO é que a companhia havia se distanciado de sua bem-sucedida tradição de só segurar motoristas cuidadosos. Além disso, não estava mais controlando as despesas corporativas. Quando ampliou a lista de segurados, suas primeiras suposições de perdas foram lamentavelmente inadequadas para cobrir os novos e mais frequentes pedidos de indenização. Na época em que a companhia subestimava seus sinistros, suas despesas fixas aumentavam ao mesmo tempo.

Em março de 1976, na assembleia anual da GEICO, Gidden admitiu que outro presidente talvez conseguisse lidar melhor com os problemas da companhia e anunciou que o conselho nomeara um comitê para buscar um novo gestor. O preço da ação da GEICO ainda estava perdendo valor e agora valia 5 dólares, com tendência de queda.[10]

Após a assembleia anual de 1976, a GEICO anunciou que John J. Byrne, um executivo de marketing de 43 anos, vindo da Travelers Corporation, se tornaria o novo presidente. Logo após a indicação de Byrne, a companhia anunciou a oferta de 76 milhões de dólares de ações preferenciais para sustentar seu capital, mas os acionistas tinham perdido as esperanças, e a ação caiu para 2 dólares a unidade.

Durante esse período, Warren Buffett esteve silenciosa e aplicadamente comprando ações da GEICO. Quando a companhia estava à beira da falência, ele investiu 4,1 milhões de dólares e adquiriu 1.294.308 ações, ao preço médio de 3,18 dólares a unidade.

Princípio: simples e compreensível

Quando Buffett frequentou a Universidade Columbia, em 1950, seu professor – Ben Graham – era diretor da GEICO. Com sua curiosidade estimulada, Buffett foi para Washington, D. C., num fim de semana a fim de visitar essa companhia. No sábado, ele bateu na porta da empresa e foi recebido por um faxineiro que o levou até o único executivo que estava trabalhando naquele dia: era Lorimer Davidson. Buffett o crivou de perguntas, e Davidson passou as cinco horas seguintes instruindo seu jovem visitante sobre os aspectos distintivos da GEICO. Philip Fisher teria ficado impressionado.

Posteriormente, quando Buffett retornou a Omaha e à corretora de valores de seu pai, recomendou que os clientes da firma comprassem ações da GEICO. Ele próprio investiu 10 mil dólares em ações, aproximadamente dois terços de seu valor líquido. Muitos investidores resistiram a essa recomendação. Mesmo os corretores de seguro em Omaha se queixaram a Howard Buffett de que seu filho estava promovendo uma seguradora "sem corretores".

Frustrado, Warren Buffett vendeu suas ações da GEICO um ano depois, com um lucro de 50%, e não voltou a comprar ações da companhia até 1976.

Destemido, Buffett continuou recomendando as ações da seguradora a seus clientes. Comprou a Kansas City Life por três vezes seu resultado. Ele tinha a Massachusetts Indemnity & Life Insurance Company no portfólio de seguradoras da Berkshire Hathaway e, em 1967, adquiriu participação majoritária da National Indemnity. Nos dez anos seguintes, Jack Ringwalt, o CEO da National Indemnity, ensinou a Buffett a mecânica de dirigir uma seguradora. Mais do que qualquer outra, essa experiência ajudou Buffett a compreender como uma companhia de seguros faz dinheiro. Apesar da instável situação financeira da GEICO, essa experiência também lhe deu confiança para comprar a companhia.

Além do investimento de 4,1 milhões de dólares da Berkshire em ações ordinárias da GEICO, Buffett também investiu 19,4 milhões na emissão de ações preferenciais conversíveis, o que levantou capital adicional para a companhia. Dois anos depois, a Berkshire converteu essas ações preferenciais em ações ordinárias, e, em 1980, Buffett investiu outros 19 milhões de dólares da Berkshire naquela companhia. Entre 1976 e 1980, a Berkshire investiu um total de 47 milhões de dólares, adquirindo 7,2 milhões de ações da GEICO a um preço médio de 6,67 dólares a unidade. Em 1980, esse investimento tinha valorizado 123% e estava valendo 105 milhões de dólares, o que tornou a GEICO a maior holding de Buffett.

Princípio: histórico consistente de operações

À primeira vista, poderíamos imaginar que Buffett desrespeitou seu princípio de consistência. Evidentemente, as operações da GEICO em 1975 e 1976 eram tudo, menos consistentes. Quando Byrne se tornou presidente da GEICO, sua tarefa era dar a volta por cima com a companhia, e, como Buffett disse várias vezes, reviravoltas assim raramente dão certo. Portanto, como explicar a aquisição da GEICO por Buffett?

Em primeiro lugar, essa reviravolta pareceu ser uma exceção. Byrne reanimou a companhia com plexo êxito e posicionou-a de modo a concorrer novamente no mercado de seguros. Mais importante ainda, porém, como disse Buffett, é que a companhia não estava em estado terminal, somente ferida. Sua franquia de fornecer seguro de baixo custo sem corretagem continuava intacta. Além disso, no mercado, ainda existiam condutores seguros que podiam ser segurados a taxas que dariam lucro para a companhia. Quanto à sua base de preços, a GEICO sempre bateria a concorrência. Durante décadas, a empresa tinha gerado lucros substanciais para seus proprietários, capitalizando suas forças competitivas. Buffett disse que essas forças continuavam ativas. As dificuldades da GEICO nos anos 1970 não tinham nada a ver com a diminuição de sua franquia. Em vez disso, devido a seus problemas operacionais e financeiros, a companhia somente tinha saído dos trilhos. Mesmo que não tivesse valor líquido, a GEICO ainda valia muito dinheiro porque suas franquias continuavam intactas.

Princípio: perspectivas favoráveis a longo prazo

Embora o seguro de automóvel seja uma commodity, Buffett diz que um negócio de commodities pode dar dinheiro se tiver alguma vantagem nos custos que seja ao mesmo tempo sustentável e ampla. Essa é uma descrição perfeita da GEICO. Sabemos também que a gestão de um negócio de commodity é uma variável crucial. Desde a compra feita pela Berkshire, a liderança da GEICO vinha demonstrado que ela também tinha uma vantagem competitiva.

Princípio: transparência

Quando John (Jack) Byrne assumiu a GEICO, em 1976, convenceu tanto as agências reguladoras como a concorrência de que, caso a GEICO falisse, isso seria ruim para o segmento inteiro. Seu plano para salvar a companhia incluía levantar capital, obter um acordo de resseguro com outras companhias para ressegurar uma porção do negócio da GEICO e cortar agressivamente os custos. A "Operação Bootstrap"*, como Byrne a chamou, era o plano de batalha desenhado para recuperar a rentabilidade da companhia.

No primeiro ano, Byrne fechou 100 filiais, reduziu o quadro de funcionários de 7 mil para 4 mil e abriu mão da licença da GEICO para vender seguros tanto em Nova Jersey como em Massachusetts. Byrne disse às agências reguladoras em Nova Jersey que não renovaria as 250 mil apólices que estavam custando 30 milhões de dólares por ano à companhia. Em seguida, desativou os sistemas computadorizados que permitiam aos detentores de apólices renovar seu seguro sem fornecer dados atualizados. Quando Byrne exigiu novas informações, descobriu que a companhia estava subprecificando 9% de suas apólices renovadas. Quando a GEICO refez o preço dessas apólices, 400 mil

---

* O termo "bootstrap" significa reerguer a companhia com recursos próprios, sem interferências externas. [N.T.]

detentores de apólices decidiram cancelá-las. No total, as iniciativas de Byrne reduziram o número de segurados de 2,7 milhões para 1,5 milhão, e a companhia deixou de ser a 18ª maior seguradora do país em 1975 para se tornar a 31ª no ano seguinte. Apesar dessa redução, após perder 126 milhões em 1976, a GEICO lucrou impressionantes 58,6 milhões de dólares sobre uma receita de 463 milhões em 1977, o primeiro ano inteiro sob a responsabilidade de Byrne.

Sem dúvida, a espetacular recuperação da GEICO foi obra de Byrne, e sua inabalável disciplina diante das despesas corporativas sustentou por anos a recuperação da companhia. Byrne disse aos acionistas que a companhia devia retomar seu princípio original de ser fornecedora de seguros de baixo custo. Seus relatórios detalhavam como a empresa continuava reduzindo custos: em 1981, por exemplo, quando a GEICO era a 7ª maior emissora de apólices de automóvel do país, Byrne compartilhava a secretária com outros dois executivos. Ele se gabava de que agora a companhia tinha 378 apólices por empregado da GEICO, em comparação com as 250 anteriores. Durante os anos em que a revolução interna esteve em andamento, ele sempre foi um grande motivador. Buffett diz que "Byrne é como o criador de galinhas que coloca um ovo de avestruz no galinheiro e diz: 'Senhoras, isso é o que a concorrência está fazendo'".[11]

Ao longo dos anos, Byrne teve a satisfação de relatar o bem-sucedido progresso da GEICO e foi igualmente sincero com os acionistas quando as notícias se tornaram ruins. Em 1985, a companhia passou por uma fase de tropeços temporários quando teve perdas de subscrição. No relatório aos acionistas sobre o primeiro trimestre, Byrne comparou os apuros da companhia "aos do piloto do avião que disse aos passageiros: 'A má notícia é que estamos perdidos, mas a boa notícia é que estamos mantendo um ótimo tempo de cruzeiro'".[12] A companhia rapidamente se recuperou e, no ano seguinte, apresentou resultados de subscrição lucrativos. Contudo, igualmente importante foi que a empresa ganhou a reputação de ser transparente com seus acionistas.

Princípio: racionalidade

Com o passar dos anos, Jack Byrne demonstrou uma conduta racional na gestão dos ativos da GEICO. Após ter assumido o cargo, ele posicionou a empresa para obter um crescimento controlado. Byrne imaginou que era mais lucrativo crescer num ritmo mais lento, que permitisse à companhia monitorar com cuidado suas perdas e seus custos, do que crescer duas vezes mais rápido, se isso representasse perder o controle financeiro. Mesmo assim, esse crescimento controlado continuou a gerar excesso de retorno para a GEICO, e a marca da racionalidade é o que a companhia faz com o caixa.

A partir de 1983, a empresa não pôde investir seu caixa de modo lucrativo, então decidiu devolver o dinheiro aos acionistas. Entre 1983 e 1992, a GEICO recomprou, numa base *postsplit* [pós-split das ações], 30 milhões de ações, reduzindo em 30% o número total de ações ordinárias em circulação. Além de recomprar ações, a GEICO também começou a aumentar o dividendo pago aos acionistas. Em 1980, o dividendo ajustado por *split* das ações estava em 0,09 de dólar a ação e, em 1992, era de 60 centavos de dólar, ou seja, um aumento anual de 21%.

Princípio: retorno sobre o patrimônio líquido

Em 1980, o retorno sobre o patrimônio líquido da GEICO era de 30,8%, quase duas vezes mais do que a média do grupo desse segmento. No final dos anos 1980, o retorno sobre o patrimônio da companhia começou a declinar, não porque o negócio estivesse naufragando, mas porque seu patrimônio cresceu mais rápido do que seus lucros. Assim, uma parte da lógica de pagar dividendos crescentes e de recomprar ações consistiu em reduzir o capital e manter um retorno aceitável sobre o patrimônio.

Princípio: margens de lucro

Os investidores podem comparar a rentabilidade das seguradoras de diversas maneiras. A margem de lucro antes dos impostos é uma das melhores medidas. Ao longo do período de dez anos entre 1983 e 1992, a margem média da GEICO antes dos impostos era a mais consistente e de menor desvio-padrão diante de todas as concorrentes.

Do modo como entendemos agora, a GEICO prestou uma meticulosa atenção a todas as suas despesas e rastreou de perto as que se referiam ao pagamento dos pedidos de indenização. Durante esse período, as despesas corporativas como porcentagem dos prêmios emitidos representavam em média 15%, ou seja, metade da média do segmento. Essa baixa razão reflete em parte o custo dos corretores de seguros que a GEICO não tinha de pagar.

O índice combinado da GEICO de despesas corporativas e perdas de subscrição foi nitidamente superior ao da média do segmento. Desde 1977 até todo o ano de 1992, a média do segmento bateu o índice combinado da GEICO somente uma vez, em 1977. Desde então, o índice combinado da GEICO tem sido em média 97,1%, mais de 10 pontos percentuais acima da média do segmento. A GEICO relatou perda de subscrição apenas duas vezes: uma em 1985 e outra em 1992. A perda de subscrição em 1992 foi acentuada por um número incomum de desastres naturais que se abateram sobre o país naquele ano. Sem o furacão Andrew e outras tempestades de grande poder de destruição, o índice combinado da GEICO teria sido baixo, de 93,8%.

Princípio: determinar o valor do negócio

Quando Buffett começou a comprar as primeiras ações da GEICO para a Berkshire Hathaway, aquela companhia estava perto de falir, mas ele diz que a GEICO valia uma soma substancial, mesmo com valor líquido negativo por conta da franquia de seguros da companhia. Ainda assim, em 1976, como a empresa não tinha lucro, ela desafiou uma determinação matemática do seu valor conforme o estipulado por John Burr Williams, que definia o valor presente dos fluxos de caixa futuros descontados por uma taxa apropriada. Mesmo assim, apesar da incerteza quanto aos fluxos de caixa futuros da GEICO, Buffett tinha certeza de que a companhia sobreviveria e ganharia dinheiro no futuro. Quando e quanto, porém, não sabia ao certo.

Em 1980, a Berkshire era dona de um terço da GEICO, tendo investido 47 milhões de dólares. Naquele ano, o valor total de mercado da GEICO era de 296 milhões de dólares. Na época, Buffett estimou que a companhia oferecia uma margem de segurança significativa. Em 1980, a companhia lucrou 60 milhões de dólares, com uma receita de 705 milhões de dólares. A participação da Berkshire nos lucros da GEICO representava 20 milhões. De acordo com Buffett, "comprar 20 milhões de dólares num negócio com características econômicas de primeira classe e perspectivas brilhantes custaria no mínimo 200 milhões de dólares" – ou mais, se a compra fosse de uma participação majoritária na companhia.[13]

Ainda nesse caso, a suposição de 200 milhões feita por Buffett é realista, diante da teoria de valuation de Williams. Pressupondo que a GEICO conseguisse sustentar esses 60 milhões de dólares em lucros sem a ajuda de nenhum capital adicional, o valor presente da GEICO, com o desconto então praticado de 12% em ações de 30 anos do governo dos Estados Unidos, teria sido de 500 milhões de dólares – praticamente o dobro do seu valor de mercado em 1980. Se a companhia pudesse aumentar esse poder de ganho em 2% reais, ou 15% antes da inflação vigente, o valor presente aumentaria para 600 milhões, e a participação da Berkshire equivaleria a 200 milhões de dólares. Em outras palavras, em 1980, o valor de mercado da ação da GEICO era menos do que a metade do valor presente descontado de seu potencial de lucros.

Princípio: a premissa do "um dólar"

Entre 1980 e 1992, o valor de mercado da GEICO cresceu de 296 milhões para 4,6 bilhões de dólares, ou seja, um aumento de 4,3 bilhões. Durante esses 13 anos, a GEICO ganhou 1,7 bilhão de dólares. Em dividendos de ações ordinárias, pagou 280 milhões e reteve 1,4 bilhão de dólares para reinvestir. Assim, para cada dólar retido, a GEICO criou 3,12 dólares em valor de mercado para seus acionistas. Essa realização financeira demonstra não apenas a superioridade da gestão e do nicho de marketing da GEICO, como sua habilidade para reinvestir o dinheiro de seus acionistas a taxas ótimas.

Outras provas da superioridade da GEICO: um investimento de 1 dólar na GEICO, em 1980, excluindo os dividendos, aumentou para 27,89 dólares em 1992. Isso é uma espantosa taxa anual composta de retorno de 29,2%, muito maior do que a média do segmento e do índice S&P 500, ambos com ganhos de 9% no mesmo período.

Capital Cities/ABC

O início da Cap Cities se deu no segmento das notícias. Em 1954, Lowell Thomas, um famoso jornalista, Frank Smith, seu gerente comercial, e um grupo de sócios compraram a companhia Hudson Valley Broadcasting, que incluía uma emissora de televisão em Albany, Nova York, e uma estação de rádio AM. Nessa época, Thomas Murphy era gerente de produto na Lever Brothers. Frank Smith, que era parceiro de golfe do pai de Murphy, contratou o Murphy mais jovem para gerenciar a estação de televisão da companhia. Em 1957, a Hudson Valley adquiriu uma estação de televisão da Raleigh-Durham, e o nome da companhia mudou para Capital Cities Broadcasting, a fim de refletir o fato de que tanto Albany como Raleigh eram as capitais de seus respectivos estados.

Em 1960, Murphy contratou Dan Burke para dirigir a estação de Albany. Burke era irmão de um dos colegas de classe de Murphy em Harvard chamado Jim Burke, que mais tarde veio a ser presidente da Johnson & Johnson. Nativo de Albany, Dan Burke ficou encarregado da estação de TV enquanto Murphy retornava para Nova York, onde foi nomeado presidente da Capital Cities em 1964. Foi assim que teve início uma das mais bem-sucedidas parcerias corporativas no mundo dos negócios nos Estados Unidos. Durante as três décadas seguintes, Murphy e Burke dirigiram a Capital Cities e juntos efetuaram mais de 30 aquisições de emissoras e editoras, a mais notável sendo a compra da ABC, em 1985.

Buffett conheceu Tom Murphy no final dos anos 1960, num almoço de confraternização em Nova York organizado por um dos colegas de classe de Murphy. Reza a lenda que Murphy ficou tão impressionado com Buffett que o convidou a integrar o conselho da Capital Cities.[14] Buffett declinou, mas ele e Murphy se tornaram bons amigos e mantiveram contato ao longo dos anos. A primeira vez que Buffett investiu na Capital Cities foi em 1977; de modo inexplicável, mas lucrativo, vendeu a posição no ano seguinte.

Em dezembro de 1984, Murphy se aproximou de Leonard Goldenson, presidente da American Broadcasting Companies (ABC), com a ideia de fundir as duas companhias. Embora de início tivesse sido rejeitado, Murphy contatou Goldenson novamente em janeiro de 1985. A Federal Communications Commission (FCC) [Comissão Federal de Comunicações] tinha aumentado de 7 para 12 o número de estações de televisão e rádio que uma só companhia podia possuir, medida que entrou em vigor em abril daquele ano. Dessa vez, Goldenson concordou. Então com 79 anos, ele estava preocupado com seu sucessor. Embora a ABC tivesse alguns candidatos em vista, em sua opinião nenhum deles estava pronto para essa liderança. Murphy e Burke eram considerados os melhores gestores dos segmentos de mídia e comunicação. Quando concordou com a fusão com a Cap Cities, Goldenson estava assegurando que a gestão da ABC continuaria em mãos firmes. A American Broadcasting Companies entrou na sala de negociação com banqueiros de investimento de alto custo. Murphy, que sempre negociava seus próprios acordos, veio acompanhado de Warren Buffett, seu amigo de confiança. Juntos, realizaram a primeira venda da história de uma rede de televisão e a maior fusão de mídia de que se tinha notícia até então.

A Capital Cities ofereceu à American Broadcasting Companies um pacote total no valor de 121 dólares por ação da ABC (118 dólares em dinheiro por ação e uma garantia de um décimo para compra da Capital Cities no valor de 3 dólares a ação). Essa oferta representava duas vezes o valor pelo qual a ação da ABC era negociada na véspera do anúncio. Para financiar o acordo de 3,5 bilhões de dólares, a Capital Cities tomaria um empréstimo de 2,1 bilhões de um consórcio de bancos, venderia estações de televisão e de rádio redundantes, no valor aproximado de 900 milhões de dólares, e também venderia propriedades restritas que uma rede de comunicações não tinha autorização para possuir, inclusive propriedades a cabo posteriormente vendidas à Washington Post Company. Os últimos 500 milhões de dólares vieram de Buffett. Ele concordou que a Berkshire Hathaway compraria 3 milhões de ações da Cap Cities, recém-emitidas ao preço de 172,50 dólares por unidade. Novamente, Murphy pediu ao amigo que entrasse para o conselho, e dessa vez Buffett concordou.

Princípio: simples e compreensível

Depois de sua atuação no conselho da Washington Post Company por mais de dez anos, Buffett entendeu o negócio das emissoras de televisão e da publicação de revistas e jornais. O entendimento que Buffett já tinha das redes de televisão aumentou quando a própria Berkshire adquiriu a ABC uma vez em 1978 e novamente em 1984.

Princípio: histórico consistente de operações

Tanto a Capital Cities como a American Broadcasting Companies tinham históricos de operações lucrativas que datavam de mais de 30 anos. A ABC apresentava em média 17% de retorno sobre o patrimônio líquido e 21% de dívida em relação ao patrimônio de 1975 a 1984. A Capital Cities, nos dez anos anteriores à sua oferta de compra da ABC, tinha em média 19% de retorno sobre o patrimônio líquido e 20% de dívida em relação ao capital próprio.

Princípio: perspectivas favoráveis a longo prazo

As companhias e redes de comunicação são abençoadas com indicadores econômicos acima da média. Assim como os jornais, e basicamente pelo mesmo motivo, geram um grande valor econômico intangível. Logo que é erguida uma torre de transmissão, as necessidades de reinvestimentos e de capital de giro são pequenas, e o investimento em estoque é inexistente. Os filmes e os programas podem ser comprados a crédito e pagos posteriormente, quando entrarem os dólares dos anunciantes. Assim, via de regra, as emissoras produzem retornos acima da média sobre o capital e geram um volume substancial de caixa excedente em relação a suas necessidades operacionais.

Os riscos para as emissoras e transmissoras incluem regulações do governo, mudanças de tecnologia e oscilação de verbas publicitárias. Os governos podem negar a renovação da licença para transmitir programas, mas isso é raro. Em 1985, a TV a cabo representava uma ameaça mínima para as grandes redes. Embora alguns telespectadores sintonizassem programas a cabo, a esmagadora maioria de quem assistia à televisão ainda preferia a programação dos canais abertos. Também durante os anos 1980, as verbas publicitárias para consumidores com gastos livres estavam aumentando substancialmente mais rápido do que o produto interno bruto (PIB) do país. Para alcançar a audiência de massa, os anunciantes ainda contavam com as redes de emissoras. A economia básica das redes, das emissoras e das editoras era, nos termos de Buffett, acima da média, e, em 1985, as perspectivas de longo prazo para esses negócios eram altamente favoráveis.

Princípio: determinar o valor do negócio

Naquela época, o investimento de 517 milhões de dólares da Berkshire na Capital Cities foi o maior investimento isolado que Buffett já havia feito. Mas ainda não está claro como ele estipulou o valor combinado da Capital Cities e da ABC. Murphy concordou em vender a Buffett 3 milhões de ações da Capital Cities/ABC por 172,50 dólares a unidade, mas sabemos que preço e valor são coisas distintas. Como percebemos, a prática de Buffett é adquirir uma companhia somente quando existe uma margem de segurança significativa entre o valor intrínseco da companhia e seu preço de compra. Contudo, com a compra da Capital Cities/ABC, ele confessamente colocou esse princípio em risco.

Se descontarmos 10% da oferta de 172,50 dólares por ação feita por Buffett (rendimento aproximado de um título público americano de 30 anos em 1985) e multiplicarmos esse valor por 16 milhões de ações (a Cap Cities tinha 13 milhões de ações em circulação mais 3 milhões emitidas para Buffett), o valor atual desse negócio precisaria ter um poder de ganho da ordem de 276 milhões. Em 1984, o lucro líquido da Capital Cities após depreciação e investimentos em capital era de 122 milhões; o lucro líquido da ABC, após depreciação e gastos com capital, era de 320 milhões de dólares, gerando um poder combinado de lucro de 442 milhões de dólares, mas a companhia combinada teria uma dívida substancial: o valor aproximado de 2,1 bilhões de dólares que Murphy teve de pegar emprestado custaria à empresa 220 milhões por ano em juros. Assim, o lucro líquido da companhia combinada era de cerca de 200 milhões.

E havia considerações adicionais. Murphy tinha uma lendária reputação de melhorar o fluxo de caixa dos negócios adquiridos simplesmente reduzindo as despesas. A margem operacional para a Capital Cities era de 28%; para a ABC, 11%. Se Murphy pudesse melhorar a margem operacional das propriedades da ABC em um terço, alcançando 15%, a companhia disporia de mais 125 milhões de dólares por ano, e o potencial combinado de lucro chegaria a 225 milhões de dólares anuais. O valor presente por ação de uma companhia ganhando 325 milhões de dólares com 16 milhões de ações em circulação, descontados a 10%, era de 203 dólares a ação, ou seja, uma margem de segurança de 15% sobre o preço de compra de Buffett de 172,50 dólares. Pensando em Ben Graham, Buffett ironizou: "Duvido que Ben esteja me aplaudindo de pé por conta deste negócio".[15]

A margem de segurança que Buffett aceitou poderia ser expandida se fizéssemos algumas suposições. Buffett diz que, nesse período, a sabedoria convencional afirmava que jornais, revistas ou estações de televisão deveriam ser capazes de aumentar sempre seus ganhos anuais a uma taxa de 6%, sem necessidade de capital adicional.[16] Ele explica que o motivo era que os investimentos em capital se igualariam às taxas de depreciação e que a necessidade de capital de giro seria mínima. Portanto, os rendimentos poderiam ser concebidos como ganhos distribuídos livremente. Isso quer dizer que o proprietário de uma companhia de mídia possuía uma anuidade perpétua que cresceria 6% durante os anos vindouros, sem necessidade de nenhum capital adicional. Aqui, Buffett sugere que se compare esse cenário com o da empresa que é capaz de crescer somente se o capital for reinvestido. Se você fosse dono de uma companhia de mídia que ganhou 1 milhão de dólares e esperasse crescer a uma taxa de 6%, segundo Buffett o adequado seria pagar 25 milhões de dólares por esse negócio (1 milhão dividido por uma taxa livre de risco de 10%, menos a taxa de crescimento de 6%). Outro negócio que ganhou 1 milhão, mas não pudesse crescer sem reinvestir o capital, poderia valer 10 milhões (1 milhão dividido por 10%).

Se aplicarmos essa aula de finanças à Cap Cities, teremos que seu valor aumentou de 203 dólares a ação para 507 dólares, ou seja, uma margem de segurança de 66% sobre o preço de 172,50 dólares que Buffett concordou em pagar. Existem, porém, muitas incertezas nessas suposições. Será que Murphy seria capaz de vender uma porção das propriedades combinadas da Capital Cities/ABC por 900 milhões de dólares? (Na realidade, ele conseguiu 1,2 bilhão de dólares.) Será que conseguiria melhorar as margens operacionais da American Broadcasting Companies? Será que seria capaz de contar continuamente com o crescimento das verbas publicitárias?

A capacidade de Buffett para obter uma margem significativa de segurança na Capital Cities era comprometida por vários fatores. Em primeiro lugar, o preço da ação da Cap Cities estivera subindo nos últimos anos. Murphy e Burke estavam fazendo um trabalho excelente na gestão da companhia, e o preço de suas ações refletia isso. Desse modo, diferentemente da GEICO,

Buffett não teve a oportunidade de comprar a Cap Cities barato por causa de um declínio temporário desse negócio. O mercado de ações, que vinha subindo de maneira estável e acelerada, tampouco ajudava. E, como essa era uma oferta de ações secundária, Buffett teve de aceitar um preço pelas ações da Cap Cities que era próximo do valor pelo qual eram negociadas à época.

Se houve algum desapontamento quanto à questão do preço, Buffett foi consolado pela rápida apreciação dessas mesmas ações. No dia 15 de março de 1985, uma sexta-feira, o preço da ação da Capital Cities estava em 176 dólares. Na segunda-feira, 18 de março, a Capital Cities anunciou que iria comprar a American Broadcasting Companies. No dia seguinte, no fechamento do mercado, o preço da ação da Capital Cities era de 202,75 dólares. Em quatro dias, o preço tinha subido 26 pontos, ou seja, uma apreciação de 15%. O lucro de Buffett foi de 90 milhões, e o acordo só deveria ser fechado até janeiro de 1986.

A margem de segurança que Buffett recebeu ao comprar a Capital Cities foi significativamente menor do que a das outras compras. Então, por que ele foi adiante? A resposta é: Tom Murphy. Se não tivesse sido por Murphy, Buffett reconhece que não teria investido na companhia. Murphy era a margem de segurança de Buffett. A Capital Cities/ABC era um negócio excepcional, o tipo de negócio que atrai Buffett, mas também existe algo especial sobre Murphy. Como disse John Byrne, "Warren adora Tom Murphy. Para ele, apenas formar uma parceria com Murphy já é suficientemente atrativo".[17]

A filosofia de gestão da Cap Cities é a descentralização. Murphy e Burke contratam as melhores pessoas que podem e então lhes dão espaço para que façam seu trabalho. Todas as decisões são tomadas em nível local. Burke descobriu isso logo no começo de seu relacionamento com Murphy. Enquanto gerenciava a estação de TV em Albany, Burke enviava a Murphy relatórios semanais detalhados aos quais este nunca respondia. Burke finalmente entendeu o recado. Murphy prometeu a Burke que nunca iria a Albany a menos que fosse convidado, "ou para demiti-lo".[18] Murphy e Burke trabalhavam juntos na elaboração de orçamentos anuais para as companhias e faziam revisões trimestrais do desempenho das operações. Fora essas duas ocasiões, esperava-se que os gestores dirigissem seu negócio como se fossem o dono. Nas palavras de Murphy, "esperamos muito de nossos gestores".[19]

E uma coisa que se esperava dos gestores da Capital Cities era que controlassem os custos. Quando não conseguiam, Murphy não hesitava em se envolver. Quando a Capital Cities comprou a ABC, o talento de Murphy para cortar custos foi extremamente necessário. As redes geralmente pensam em termos de pontos de audiência, não de lucro. Qualquer coisa que seja necessária para aumentar a audiência é mais importante do que a avaliação dos custos, do ponto de vista de uma rede. Essa mentalidade foi eliminada abruptamente quando Murphy assumiu o comado. Com a ajuda de comitês cuidadosamente selecionados na ABC, Murphy enxugou folhas de pagamento, privilégios e despesas. Cerca de 1.500 funcionários receberam generosos pacotes de demissão e foram dispensados. Na ABC, as salas de jantar dos executivos e o elevador privativo foram fechados. A limusine da ABC Entertainment em Los Angeles, usada para levar Murphy aos lugares em sua primeira visita às operações da companhia, foi dispensada. Em sua viagem seguinte, ele usou um táxi.

Essa consciência em relação aos custos era o estilo de vida na Capital Cities. A estação de televisão da companhia na Filadélfia, a WPVI, estação número 1 na cidade, tinha um novo quadro com 100 funcionários, e não os 150 da afiliada da CBS, do outro lado da cidade. Antes da chegada de Murphy à ABC, a companhia tinha 60 funcionários para lidar com as cinco estações de TV da ABC. Logo depois da aquisição pela Cap Cities, eram seis pessoas dirigindo oito estações. A WABC-TV, em Nova York, costumava empregar 600 pessoas e gerava 30% de margem antes dos impostos. Assim que Murphy reconfigurou a estação, havia 400 funcionários e a margem antes dos impostos superava os 50%. Assim que a crise dos custos foi resolvida, Murphy confiou a Burke a tomada de decisões operacionais, ao passo que ele se concentrou nas aquisições e nos ativos dos acionistas.

Princípio: o imperativo institucional

A economia básica do negócio de redes e emissoras assegurava à Cap Cities que geraria um amplo fluxo de caixa. No entanto, a economia básica do segmento, junto com a facilidade de Murphy para controlar custos, significou que a Cap Cities obteria um fluxo de caixa avassalador. De 1988 a 1992, a Cap Cities gerou 2,3 bilhões de dólares de caixa livre. Diante de tais recursos, alguns gestores poderiam não resistir à tentação de gastar o dinheiro comprando negócios e expandindo o domínio corporativo. Murphy também comprou alguns negócios. Em 1990, gastou 61 milhões de dólares adquirindo pequenas propriedades. Nessa época, segundo ele, o mercado geral para a maioria das propriedades de mídia estava com um preço muito alto.

As aquisições sempre tinham sido muito importantes para o crescimento da Cap Cities. Murphy estava constantemente de olho em oportunidades envolvendo propriedades na mídia, mas mantinha sob forte disciplina sua decisão de não pagar a mais por uma companhia. Com seu enorme fluxo de caixa, a Cap Cities poderia facilmente engolir outras propriedades de mídia, mas, como reportou a *BusinessWeek*, "Murphy às vezes prefere esperar alguns anos até achar a propriedade certa. Ele nunca fez um negócio só por ter os recursos disponíveis para isso".[20] Murphy e Burke também compreendiam que, na mídia, os negócios são cíclicos e que, se uma compra ocorre com muita alavancagem, há um risco inaceitável para os acionistas. Burke disse que "Murphy nunca fechou um acordo que um de nós achasse que poderia nos causar um dano fatal".[21]

Uma companhia que gera mais caixa do que pode reinvestir em seu negócio tem a opção de comprar crescimento, reduzir a alavancagem ou devolver dinheiro para os acionistas. Como Murphy não estava disposto a pagar os altos preços de venda das companhias de mídia, preferiu em vez disso reduzir a alavancagem e recomprar as ações. Em 1986, após a aquisição da ABC, a dívida total de longo prazo da Cap Cities era de 1,8 bilhão de dólares, e a razão dívida/patrimônio líquido estava em 48,6%. O caixa e seus equivalentes, no final do ano de 1986, chegavam a 16 milhões de dólares. Em 1992, a dívida de longo prazo da empresa era de 964 milhões, e a razão dívida/patrimônio líquido tinha caído para 20%. Além disso, o caixa e seus equivalentes tinham aumentado para 1,2 bilhão de dólares, o que, em essência, deixava a companhia livre de dívidas.

O fortalecimento do balanço da Cap Cities realizado por Murphy reduziu substancialmente o risco da companhia. E o que ele fez a seguir aumentou substancialmente seu valor.

Princípio: a premissa do "um dólar"

De 1985 a 1992, o valor de mercado da Cap Cities/ABC cresceu de 2,9 bilhões de dólares para 8,3 bilhões. Durante esse período, a companhia reteve um lucro de 2,7 bilhões e, com isso, criou 2,01 dólares de valor de mercado para cada dólar reinvestido. Esse foi um feito digno de nota, considerando-se que a companhia tinha superado tanto uma baixa cíclica nos lucros entre 1990 e 1991 quanto um declínio de seu valor intrínseco em razão de mudanças seculares no negócio das emissoras e das redes. Mesmo assim, o investimento da Berkshire na Capital Cities/ABC aumentou de 517 milhões de dólares para 1,5 bilhão, com uma taxa anual composta de retorno de 14,5% – melhor do que a da CBS e também que o índice Standard & Poor's 500.

Princípio: racionalidade

Em 1988, a Cap Cities anunciou que tinha autorizado a recompra de até 2 milhões de ações, equivalentes a 11% das ações da companhia em circulação. Em 1989, a companhia gastou 233 milhões de dólares adquirindo 523 mil ações ao preço médio de 445 dólares a unidade, ou seja, 7,3 vezes seu fluxo de caixa operacional, comparado com os preços de venda de outras companhias de mídia que estavam vendendo a 10-12 vezes o fluxo de caixa. No ano seguinte, a companhia comprou 926 mil ações a um preço médio de 477 dólares, ou 7,6 vezes o fluxo de caixa operacional. Em 1992, a companhia continuou a recomprar suas ações. Nesse ano, foram 270 mil ações ao preço médio de 434 dólares a unidade, ou 8,2 vezes o fluxo de caixa. Murphy reiterou que o preço pago ainda era menor do que o de outras companhias sustentadas pela publicidade que ele e Burke consideravam atraentes. De 1988 a 1992, a Cap Cities comprou um total de 1.953.000 ações com um investimento de 866 milhões de dólares.

Em novembro de 1993, a companhia anunciou um leilão holandês* para comprar até 2 milhões de ações a preços entre 590 e 630 dólares a unidade. A Berkshire participou do leilão submetendo 1 milhão de seus 3 milhões de ações. Esse ato por si só provocou uma ampla onda de especulações. Será que a companhia não estava conseguindo encontrar uma aquisição apropriada e então se colocou ela mesma à venda? Será que vendendo um terço de sua posição Buffett estaria desistindo da companhia? A Cap Cities negou os boatos. Circularam suposições de que Buffett não teria oferecido ações que certamente teriam conseguido preço mais alto se, de fato, a companhia estivesse à venda. Depois de algum tempo, a Cap Cities/ABC comprou 1,1 milhão de ações – 1 milhão delas da Berkshire – a um preço médio de 630 dólares por unidade. Buffett foi capaz de realocar os 630 milhões sem perturbar o mercado para as ações da Cap Cities, permanecendo ao mesmo tempo o maior acionista da companhia ao deter 13% das ações em circulação.

Buffett já acompanhou as operações e a gestão de incontáveis negócios ao longo dos anos, mas, segundo ele, a Cap Cities era a companhia de capital aberto mais bem administrada do país. Para provar sua argumentação, quando investiu na Cap Cities Buffett atribuiu todos os direitos de voto pelos 11 anos seguintes a Murphy e Burke, desde que um deles continuasse como gestor da

---

* Tipo de leilão no qual o leiloeiro começa com um preço de venda alto e o abaixa até que algum participante o aceite ou até que alcance um preço mínimo de reserva. [N.T.]

companhia. E, caso isso não seja suficiente para convencer você da alta conta em que Buffett tinha esses dois homens, veja esta declaração: "Tom Murphy e Dan Burke não são somente grandes gestores, mas também exatamente aqueles tipos de homem com quem você gostaria que sua filha se casasse".[22]

Coca-Cola Company

No outono de 1988, Donald Keough, presidente da Coca-Cola, não pôde deixar de notar que alguém estava comprando ações da companhia em larga escala. Apenas um ano após a queda da Bolsa de Valores em 1987, as ações da Coca-Cola ainda estavam sendo negociadas 25% abaixo de seu pico antes da quebra, mas o preço da ação tinha finalmente chegado em seu mínimo porque "algum investidor misterioso estava devorando lotes e lotes de ações". Quando Keough descobriu que o corretor que estava efetuando todas as compras atuava no Meio-Oeste, ele imediatamente pensou em seu amigo Warren Buffett e resolveu telefonar para ele.

"E aí, Warren, como vão as coisas?", Keough começou. "Por acaso você está comprando ações da Coca-Cola?" Buffett parou um instante e então respondeu: "Então, estou, sim. Mas gostaria muito que você não divulgasse isso até eu anunciar o que adquiri".[23] Se tivesse vindo a público que Buffett estava comprando ações da Coca-Cola, isso teria provocado uma corrida entre os investidores, o que acabaria elevando o preço da ação, e ele ainda não tinha acabado de adicionar esse ativo à posição da Berkshire.

Na primavera de 1989, os acionistas da Berkshire Hathaway souberam que Buffett tinha gastado 1,02 bilhão comprando ações da Coca-Cola. Ele havia apostado um terço do portfólio da Berkshire e agora possuía 7% da companhia. Tratava-se do maior investimento isolado da Berkshire até então, e Wall Street já estava coçando a cabeça. Buffett tinha pagado cinco vezes mais o valor contábil e mais de 15 vezes os lucros, e então um prêmio ao mercado de ações, por uma companhia centenária que vendia refrigerante. O que é que o Mágico de Omaha via que mais ninguém era capaz de ver?

A Coca-Cola é a maior companhia de bebidas do mundo. Vende mais de 500 tipos de líquidos gaseificados e refrescos sem gás em mais de 200 países mundo afora. Desses 500 tipos, 15 são marcas bilionárias, entre as quais estão Coca-Cola, Diet Coke, Fanta, Sprite, Vitaminwater, Powerade, Minute Maid, Simply, Georgia e Del Valle.

O relacionamento de Buffett com a Coca-Cola vem desde sua infância. Ele bebeu sua primeira Coca quando tinha 5 anos e logo depois deu início a seu primeiro empreendimento – como você pode se lembrar do Capítulo 1 –, quando comprou um pacote de seis garrafinhas do refrigerante por 25 centavos de dólar e revendeu cada uma por 5 centavos de dólar. Nos 50 anos seguintes, ele observou o crescimento fenomenal da Coca-Cola, mas em vez disso comprou tecelagens, lojas de departamentos e fábricas de equipamentos agrícolas. Mesmo em 1986, quando anunciou formalmente que a Cherry Coke se tornaria a bebida oficial das assembleias anuais da Berkshire Hathaway, Buffett ainda não tinha comprado uma única ação da Coca-Cola. Somente dois anos depois, no verão de 1988, foi que ele começou a comprar.

Princípio: simples e compreensível

O negócio da Coca-Cola é relativamente simples. A companhia compra insumos (commodities) e os mistura para fabricar um concentrado vendido a engarrafadores, que combinam o concentrado com outros ingredientes. Depois, os engarrafadores vendem o produto finalizado para os varejistas, entre os quais minimercados, supermercados e máquinas de autosserviço. A companhia também fornece xarope de refrigerante a restaurantes e varejistas do ramo de *fast-food*, que então vendem o líquido em copos.

Princípio: histórico consistente de operações

Nenhuma outra companhia consegue se igualar à Coca-Cola em termos de um histórico tão consistente de operações. O negócio teve início em 1886, vendendo um único tipo de bebida. Hoje, cerca de 130 anos depois, a Coca-Cola continua vendendo a mesma bebida, junto com algumas outras. A única diferença significativa é o tamanho da companhia e seu alcance geográfico.

Na virada do século XX, a Coca-Cola empregava dez vendedores itinerantes que cobriam todo o território dos Estados Unidos. Nessa altura, a companhia vendia pouco mais de 440 litros de xarope por ano. Cinquenta anos após sua inauguração, a companhia estava vendendo 207 milhões de engradados de refrigerantes ao ano (depois de converter as vendas de litros para engradados). Buffett comentou que "seria difícil citar qualquer outra companhia comparável à Coca-Cola e vender, como ela, um mesmo produto capaz de chegar a um recorde de dez anos equivalente ao da Coca-Cola em qualquer sentido".[24] Hoje, registrando 1,7 bilhão de unidades diárias, a Coca-Cola Company é a maior fornecedora mundial de bebidas, cafés instantâneos, sucos e bebidas à base de suco.

Princípio: perspectivas favoráveis a longo prazo

Em 1989, pouco tempo depois de anunciar publicamente que a Berkshire possuía 6,3% da Coca-Cola Company, Buffett foi entrevistado por Melissa Turner, colunista de negócios do *Atlanta Constitution*. Ela fez a Buffett uma pergunta que já lhe haviam proposto muitas vezes: por que não tinha comprado antes ações daquela companhia? A título de resposta, Buffett relatou o que estava pensando na época em que enfim tomou a decisão de compra.

"Vamos supor que você vá viajar por dez anos e queira fazer um investimento; você sabe tudo que sabe agora, mas não pode mudar isso enquanto estiver fora. No que você pensaria?" Claro que o negócio teria de ser simples e compreensível. Claro que o negócio teria de ter demonstrado uma grande consistência comercial ao longo dos anos. E, naturalmente, as perspectivas a longo prazo desse negócio teriam de ser favoráveis. "Se eu chegasse a um nível impecável de certeza, sabendo que o mercado só cresceria, sabendo que o líder continuaria a ser o líder – em termos mundiais, quero dizer – e sabendo que haveria um grande crescimento de unidades, eu simplesmente não poderia citar nada além da Coca-Cola. Eu estaria relativamente seguro de que, ao voltar, eles ainda estariam fazendo uma enormidade a mais de negócios do que fazem agora."[25]

Mas por que a compra naquele momento específico? Conforme a descrição de Buffett, os atributos do negócio da Coca-Cola já existiam há várias décadas. Ele disse que o que chamou sua atenção foram as mudanças ocorridas na companhia durante os anos 1980, sob a liderança de Roberto Goizueta, CEO e presidente do conselho, e de Donald Keough, presidente da Coca-Cola.

A mudança era essencial e mais do que necessária naquela altura. A década de 1970 tinha sido de grandes obstáculos para a Coca-Cola, marcada por disputas com engarrafadores, acusações de maus-tratos a trabalhadores migrantes nas plantações da Minute Maid, ambientalistas alegando que os contêineres não recicláveis da Coca-Cola agravavam os crescentes problemas de poluição no país e as alegações da Federal Trade Commission de que o sistema de franquias exclusivas da companhia violava a Lei Sherman Antitruste. O negócio internacional da Coca-Cola também estava em maus lençóis. O boicote árabe à Coca-Cola, iniciado quando a companhia autorizou uma franquia israelense, desmantelou anos de investimento. O Japão, onde os ganhos da companhia cresciam mais depressa do que em todos os outros lugares estrangeiros, era um campo de batalha de erros corporativos. As garrafas de 800 ml estavam literalmente explodindo nas prateleiras das lojas. Além disso, os consumidores japoneses objetavam furiosamente ao uso de um corante artificial cor de carvão na Fanta Uva. Quando a empresa desenvolveu uma nova versão usando casca de uva real, o conteúdo fermentou, e o refrigerante à base de uva foi descartado na baía de Tóquio.

Na década de 1970, a Coca-Cola era uma companhia fragmentada e reativa em vez de uma empresa inovadora que ditava o ritmo do segmento das bebidas. Apesar de seus problemas, no entanto, continuava a gerar milhões de dólares em lucros, mas, em vez de reinvestir no próprio mercado de bebidas da Coca-Cola, Paul Austin, então nomeado CEO em 1971, depois de ter atuado como presidente desde 1962, decidiu diversificar. Investiu em projetos de água e fazendas de camarão a despeito de suas magras margens de lucro. Também adquiriu uma vinícola. Os acionistas se opuseram veementemente a essa mudança, alegando que a Coca-Cola não deveria ser associada ao álcool. Para rebater as críticas, Austin direcionou montantes inéditos de verba para campanhas publicitárias.

Enquanto isso, a Coca-Cola ganhou 20% sobre o patrimônio líquido, mas as margens antes dos impostos estavam escorregadias. O valor de mercado da companhia no final do ano de mercado em baixa de 1974 era de 3,1 bilhões de dólares. Seis anos mais tarde, esse valor tinha crescido para 4,1 bilhões. Em outras palavras, de 1974 a 1980, o valor de mercado da companhia aumentou a uma taxa média anual de 5,6%, significativamente pior do que o índice S&P 500. Para cada dólar retido pela companhia nesses seis anos, foi criado apenas 1,02 dólar de valor de mercado.

Os apuros corporativos da Coca-Cola foram exacerbados pelo comportamento intimidador e intratável de Austin.[26] Para piorar as coisas, sua esposa, Jeane, era uma influência prejudicial dentro da empresa. Ela redecorou a sede da corporação com peças de arte moderna, excluindo as pinturas clássicas de Norman Rockwell, e ainda usou o jatinho corporativo para suas viagens de compras de obras de arte. Mas foi sua última ordem que contribuiu para a queda do marido.

Em maio de 1980, a sra. Austin ordenou que o parque da companhia fosse fechado para o almoço dos funcionários. Ela se queixava de que os restos de alimentos que eles deixavam atraíam pombos aos gramados impecáveis. Os empregados ficaram muito insatisfeitos. Para Robert Woodruff, de 91 anos, o patriarca da companhia que havia liderado a Coca-Cola de 1923 a 1955 e ainda era o presidente do comitê financeiro do conselho, foi a gota d'água. Ele exigiu a renúncia de Austin e, em seu lugar, nomeou Roberto Goizueta.

Criado em Cuba, Goizueta foi o primeiro CEO estrangeiro da Coca-Cola. Era tão comunicativo quanto Austin era reticente. Uma de suas primeiras providências foi levar os 50 principais gestores da Coca-Cola para um encontro em Palm Springs, na Califórnia. Ele lhes disse: "Digam-me o que estamos fazendo de errado. Quero saber tudo e, assim que tivermos resolvido essas questões, quero 100% de lealdade. Se alguém não estiver feliz, vamos propor um bom acordo e dizer-lhe adeus".[27] Foi nesse encontro que se desenvolveu a "Estratégia para os anos 1980" da companhia, um panfleto com 900 palavras que descrevia as metas corporativas da Coca-Cola.

Goizueta incentivou seus gestores a correr riscos inteligentes. Ele queria que a Coca-Cola iniciasse as ações, e não que se resumisse a reações. Começou cortando custos e exigiu que todos os negócios da Coca-Cola otimizassem seu retorno sobre os ativos. Essas medidas se traduziram imediatamente em margens de lucro crescentes.

Princípio: margem de lucro alta

Em 1980, a margem de lucro da Coca-Cola antes dos impostos era de somente 12,9%. A margem vinha caindo há cinco anos seguidos e estava substancialmente abaixo da margem de 18% da companhia em 1973. No primeiro ano de atuação de Goizueta, essa margem subiu para 13,7%. Em 1988, quando Buffett comprou ações da Coca-Cola, já tinha alcançado o recorde de 19%.

Princípio: retorno sobre o patrimônio líquido

Na "Estratégia para os anos 1980", Goizueta salientou que a companhia excluiria qualquer negócio que não gerasse mais retornos aceitáveis sobre o patrimônio. Qualquer novo empreendimento deveria ter potencial de crescimento real suficiente para justificar um investimento. A Coca-Cola não tinha mais interesse em batalhar por ações num mercado estagnado. "Aumentar os lucros por ação e efetivar um maior retorno sobre o patrimônio líquido ainda é o que importa", Goizueta anunciou.[28] Suas palavras foram seguidas por iniciativas: o negócio de vinho da Coca-Cola foi vendido para a Seagram's em 1983.

Embora a companhia tivesse ganhado respeitáveis 20% sobre o patrimônio durante a década de 1970, Goizueta não se impressionou. Ele exigia retornos melhores, e a companhia acatou. Em 1988, o retorno da Coca-Cola sobre seu patrimônio tinha chegado a 31%.

Fosse qual fosse o parâmetro, a Coca-Cola de Goizueta estava dobrando e triplicando as realizações financeiras da Coca-Cola de Austin. Os resultados podiam ser visualizados no valor de mercado da companhia. Em 1980, esse valor era de 4,1 bilhões de dólares. No final de 1987, mesmo depois da quebra da Bolsa em outubro, o valor de mercado tinha subido para 14,1 bilhões de dólares. No intervalo de apenas sete anos, o valor de mercado da Coca-Cola subira a uma taxa anual média de 19,3%. Para cada dólar retido pela Coca--Cola durante esse período, a companhia havia ganhado 4,66 dólares em valor de mercado.

Princípio: transparência

A estratégia de Goizueta para os anos 1980 incluía incondicionalmente os acionistas. "Na próxima década, permaneceremos totalmente comprometidos com nossos acionistas e focados na proteção e no melhoramento de seu investimento. A fim de proporcionar a eles um retorno total acima da média sobre seu investimento", como Goizueta explicou, "devemos escolher negócios que gerem retornos superiores à inflação".[29]

Goizueta não apenas tinha de fazer o negócio crescer, o que exigia investimento de capital, como era obrigado a aumentar o valor para os acionistas. Para tanto, ao aumentar a margem de lucro e de retorno sobre o patrimônio líquido, a Coca-Cola foi capaz de pagar dividendos e, simultaneamente, reduzir a razão dividendos pagos/lucros acumulados. Os dividendos para os acionistas nos anos 1980 aumentavam 10% ao ano, enquanto a razão dividendos pagos/lucros acumulados estava declinando de 65% para 40%. Isso permitiu que a Coca-Cola reinvestisse uma porcentagem maior dos lucros da companhia para ajudar a sustentar sua taxa de crescimento, ao mesmo tempo sem prejudicar os acionistas.

Sob o comando de Goizueta, a declaração da missão da Coca-Cola ficou perfeitamente clara: o objetivo primário da gestão era maximizar o valor para o acionista ao longo do tempo. Para tanto, a companhia focou o negócio de alto retorno do refrigerante. Se tivesse sucesso, a evidência seria um crescimento ainda maior do fluxo de caixa e um retorno maior sobre o patrimônio; em última instância, um retorno total aumentado para os acionistas.

Princípio: gestão racional

O crescimento do fluxo de caixa líquido não apenas levou a Coca-Cola a aumentar os dividendos para os acionistas, como também permitiu que a empresa iniciasse o primeiro programa de recompra em sua história. Em 1984, Goizueta anunciou que a companhia iria readquirir 6 milhões de ações no mercado aberto. A recompra de ações é uma iniciativa racional somente quando o valor intrínseco da companhia é mais alto do que o preço de mercado. As mudanças estratégicas iniciadas por Goizueta, com ênfase em aumentar o retorno sobre o patrimônio para os acionistas, sugeriram a ele que a Coca-Cola tinha chegado a esse ponto de virada.

Princípio: lucros do proprietário

Em 1973, os lucros do proprietário (lucro líquido mais depreciação, menos investimentos em capital) foram de 152 milhões de dólares. Em 1980, chegaram a 262 milhões de dólares, representando uma taxa de crescimento anual composta de 8%. De 1981 a 1988, os lucros do proprietário cresceram de 262 milhões para 828 milhões de dólares, ou seja, uma taxa anual composta de crescimento de 17,8%.

O crescimento dos lucros do proprietário se refletiu no preço das ações da Coca-Cola. Isso é particularmente óbvio se estudarmos os intervalos de tempo em décadas. De 1973 a 1982, o retorno total da Coca-Cola cresceu a uma taxa média anual de 6,3%. Nos dez anos seguintes, de 1983 a 1992, quando a abordagem à gestão adotada por Goizueta era claramente visível, o retorno médio anual total das ações foi de 31,1%.

Princípio: o imperativo institucional

Quando Goizueta assumiu a Coca-Cola, uma de suas primeiras atitudes foi descartar os negócios não correlacionados que Paul Austin tinha empreendido e devolver a companhia a seu negócio central: a venda de xarope. Essa foi uma clara demonstração da capacidade da Coca-Cola de resistir ao imperativo institucional.

Limitar a companhia ao negócio com um único produto foi inegavelmente uma atitude ousada. O que tornou a estratégia de Goizueta ainda mais notável foi sua prontidão para agir numa época em que os demais gestores do segmento estavam fazendo justamente o inverso. Várias das maiores companhias de bebidas estavam investindo seus lucros em outros negócios não correlacionados. A Anheuser-Busch usou os lucros de seu negócio de cerveja para investir em parques temáticos. A Brown Forman, produtora e distribuidora de vinho e destilados, investiu seus lucros em porcelana, cristal, prata e negócios de bagagens, todos esses com retornos muito menores. A Seagram Company, Ltd., um negócio global de destilados e vinho, comprou a Universal Studios. A Pepsi, principal bebida rival da Coca-Cola, comprou negócios de salgadinhos (Frito-Lay) e restaurantes, entre os quais Taco Bell, Kentucky Fried Chicken e Pizza Hut.

É importante destacar que Goizueta não só concentrou o foco de suas iniciativas no seu maior e mais importante produto, como trabalhou para realocar os recursos da companhia em seu negócio mais lucrativo. Como os retornos econômicos da venda de xarope superavam amplamente os retornos econômicos dos outros negócios, a companhia agora tinha passado a reinvestir seus lucros nos negócios de retornos mais elevados.

Princípio: determinar o valor do negócio

Na primeira vez que Buffett comprou ações da Coca-Cola, em 1988, as pessoas indagaram: "Onde está o valor da Coca?". O preço da ação da companhia era 15 vezes os lucros e 12 vezes o fluxo de caixa, ou prêmios de 30% e 50% em relação à média de mercado. Buffett pagou cinco vezes o valor contábil por uma companhia com 6,6% de lucros numa época em que os títulos públicos de longo prazo estavam rendendo 9%. Ele estava disposto a isso por causa do nível extraordinário de vantagem econômica da Coca-Cola. A empresa estava ganhando 31% sobre o patrimônio e alocava relativamente pouco em investimento de capital. Buffett explicou que o preço não informa nada sobre o valor. O valor da Coca-Cola, dizia ele, como o de qualquer outra companhia, é determinado pelos ganhos totais que o proprietário espera que ocorram ao longo da vida do negócio, descontados a uma taxa de juros apropriada.

Em 1988, os lucros do proprietário na Coca-Cola chegavam a 828 milhões de dólares. Nessa época, o título público de 30 anos do governo dos Estados Unidos (a uma taxa livre de risco) era negociado a um rendimento aproximado de 9%. Os lucros do proprietário da Coca-Cola em 1988, descontados esses 9%, produziriam um valor intrínseco de 9,2 bilhões de dólares. Quando Buffett comprou a Coca-Cola, o valor de mercado era de 14,8 bilhões de dólares. À primeira vista, isso pode sugerir que Buffett pagou a mais pela companhia, mas lembre que o valor de 9,2 bilhões representa o valor descontado dos lucros do proprietário então vigentes na Coca-Cola. Se os compradores estavam dispostos a pagar pela Coca-Cola um preço 60% mais alto do que os 9,2 bilhões de dólares, deve ter sido porque perceberam que parte do valor dessa companhia representava suas futuras oportunidades de crescimento.

Analisando a Coca-Cola, vemos que os lucros do proprietário, de 1981 a 1988, cresceram a uma taxa anual de 17,8%, mais rápido do que a taxa de retorno livre de risco. Quando isso ocorre, os analistas usam um modelo de desconto em duas etapas, que lhes permite calcular os lucros futuros quando uma companhia tem um crescimento extraordinário durante um número de anos limitado, seguido por um período de crescimento constante num ritmo mais lento.

Podemos usar esse processo de duas etapas para calcular o valor presente em 1988 dos fluxos de caixa futuros da companhia. Nesse ano, os lucros do proprietário da Coca-Cola foram de 828 milhões de dólares. Se presumíssemos que a Coca-Cola seria capaz de aumentar os lucros do proprietário em 15% ao ano pelos dez anos seguintes (uma suposição razoável, já que essa taxa é mais baixa do que a média da companhia nos últimos sete anos), no décimo ano os lucros do proprietário seriam iguais a 3,346 bilhões de dólares. Vamos supor também que, a partir do 11º ano, essa taxa de crescimento diminuísse para 5% ao ano. Usando uma taxa de desconto de 9% (o título público de dívida de longo prazo nessa época), podemos calcular retroativamente que o valor intrínseco da Coca-Cola, em 1988, era de 48,377 bilhões de dólares.

Podemos repetir esse exercício usando diferentes suposições para taxas de crescimento. Se pensarmos que a Coca-Cola poderia aumentar os lucros do proprietário em 12% durante dez anos, seguidos por um crescimento de 5%, o valor presente da companhia, descontado a 9%, seria de 38,163 bilhões de dólares. Com um crescimento de 10% durante dez anos e de 5% daí em diante, o valor seria de 32,497 bilhões. E, ainda que imaginássemos que a Coca-Cola cresceria somente a um percentual estável de 5% do começo ao fim, a companhia ainda valeria, no mínimo, 20,7 bilhões de dólares.

Princípio: comprar a um preço atraente

Em junho de 1988, o preço da Coca-Cola Company era de aproximadamente 10 dólares a ação (ajustada por *split* das ações). Nos dez anos seguintes, Buffett adquiriu 93.400.000 ações, num investimento total de 1,023 bilhão de dólares. Seu custo médio por ação foi de 10,96 dólares. No final de 1989, a Coca-Cola representava 35% do portfólio de ações ordinárias da Berkshire.

A partir do momento em que Goizueta assumiu o controle da Coca-Cola, em 1980, o preço da ação da companhia foi aumentando todos os anos. Nos cinco anos antes de Buffett comprar suas primeiras ações, o ganho médio anual do preço da ação era de 18%. A companhia estava com tanta sorte que Buffett não conseguiu comprar ações a preço baixo. Ainda assim, ele seguiu em frente. Como ele mesmo nos lembra, o preço não tem nada a ver com valor. O valor de mercado da ação da Coca-Cola, em 1988 e em 1989, durante o período em que Buffett fez suas aquisições, era em média de 15,1 bilhões, mas, pela estimativa que fez, o valor intrínseco da companhia estava entre 20,7 bilhões de dólares (presumindo-se um crescimento de 5% dos lucros do proprietário) e 32,4 bilhões (presumindo um crescimento de 10%), ou 38,1 bilhões (presumindo um crescimento de 12%), ou mesmo 48,3 bilhões (presumindo um crescimento de 15%). A margem de segurança de Buffett – o desconto do valor intrínseco – poderia ser tão baixa quanto conservadores 27% ou tão alta quanto 70%.

Buffett diz que o melhor negócio para possuir é aquele que, por um longo período, possa empregar volumes sempre maiores de capital a taxas sustentavelmente altas de retorno. Em sua opinião, essa era a descrição perfeita da Coca-Cola. Dez anos após a Berkshire começar a investir na Coca-Cola, o valor de mercado da companhia tinha subido de 25,8 bilhões de dólares para 143 bilhões. Nesse período, a companhia produziu 26,9 bilhões de dólares em lucro, distribuiu 10,5 bilhões de dólares em dividendos aos acionistas e reteve 16,4 bilhões para reinvestir. Para cada dólar retido pela companhia, foram criados 7,20 dólares de valor de mercado. No final de 1999, o investimento original da Berkshire de 1,023 bilhão na Coca-Cola estava valendo 11,6 bilhões de dólares. Esse mesmo volume investido no índice S&P 500 teria valido 3 bilhões.

General Dynamics

Em 1990, a General Dynamics era a segunda maior empresa de defesa dos Estados Unidos, atrás apenas da McDonnell Douglas Corporation. A General Dynamics fornecia ao país sistemas de mísseis (Tomahawk, Sparrow, Stinger e outros avançados mísseis de cruzeiro), além de sistemas de defesa aérea, veículos lançados no espaço e aviões de caça (F-16) para as Forças Armadas. Em 1990, a companhia registrava vendas combinadas de mais de 10 bilhões de dólares. Em 1993, as vendas despencaram para 3,5 bilhões de dólares. Apesar disso, o valor para o acionista nesse período aumentou sete vezes.

Em 1990, houve a queda do Muro de Berlim, assinalando o início do fim de uma longa e dispendiosa Guerra Fria. No ano seguinte, o comunismo veio abaixo na União Soviética. A cada vitória arduamente conquistada, da Primeira Guerra Mundial até a Guerra do Vietnã, os Estados Unidos tiveram de reconfigurar a maciça concentração de seus recursos de defesa. Agora, com o fim da Guerra Fria, o complexo militar industrial americano estava passando por outra reorganização.

Em janeiro de 1991, a General Dynamics nomeou William Anders como seu CEO. Nessa época, o preço da ação estava em baixa há uma década, valendo 19 dólares. No início, Anders tentou convencer Wall Street de que, mesmo com um orçamento menor para a defesa, a companhia podia obter um valuation mais alto. Esperando remover as incertezas financeiras que poderiam deixar os analistas de pé atrás, ele começou a reestruturar a empresa. Cortou 1 bilhão de dólares em investimentos em capital e projetos de pesquisa, eliminou milhares de vagas de trabalho e instituiu um programa de pagamentos para executivos baseado no desempenho do preço da ação da General Dynamics.

Não demorou muito para que Anders começasse a perceber que o segmento da defesa tinha passado por uma mudança fundamental e que, para ter sucesso, a companhia teria de tomar atitudes mais drásticas do que só economizar centavos. Simplesmente não havia mais negócios de defesa suficientes para seguir em frente. Orçamentos de defesa reduzidos terminaram por impor às companhias que diminuíssem de tamanho, diversificassem seus negócios em outros segmentos ou dominassem o mercado do enxuto leque de negócios de defesa existentes.

Princípio: o imperativo institucional

Em outubro de 1991, Anders encomendou a uma consultoria um estudo do segmento da defesa. As conclusões não foram animadoras: quando as companhias de defesa adquiriam negócios de outros tipos, elas fracassavam 80% das vezes. Enquanto o segmento da defesa estivesse onerado com um excesso de capacidade, nenhuma das empresas se tornaria eficiente. Anders concluiu que, para ser bem-sucedida, a General Dynamics manteria apenas os negócios que (1) demonstrassem aceitação do mercado para seus produtos franqueados e (2) conseguissem alcançar massa crítica, ou seja, o equilíbrio entre pesquisa e desenvolvimento e capacidade de produção, gerando economia de escala e força financeira. Anders afirmou que, caso não fosse possível alcançar a massa crítica, o negócio seria vendido.

De início, Anders acreditava que a General Dynamics se concentraria em suas quatro operações centrais: submarinos, tanques, aeronaves e sistemas espaciais. Esses negócios eram líderes de mercado, e Anders imaginava que continuariam viáveis, mesmo que o mercado de defesa encolhesse. O restante dos negócios da General Dynamics seria vendido. Assim, em novembro de 1991, a companhia vendeu seus sistemas de dados para a Computer Sciences por 200 milhões de dólares. No ano seguinte, vendeu a Cessna Aircraft para a Textron por 600 milhões de dólares, e seu negócio de mísseis para a Hughes Aircraft por 450 milhões de dólares. Assim, em menos de seis meses, a companhia levantou 1,25 bilhão de dólares com a venda de negócios não essenciais.

As atitudes de Anders acordaram Wall Street. O preço da ação da General Dynamics em 1991 subiu 112%. E o que Anders fez em seguida chamou a atenção de Buffett.

Com o dinheiro em caixa disponível, Anders declarou que a companhia primeiro cuidaria de suas necessidades de liquidez e depois abateria a dívida para assegurar sua força financeira. Após reduzir a dívida, a General Dynamics ainda gerava bastante caixa excedente em relação a suas necessidades. Sabendo que aumentar a capacidade de um orçamento menor para a defesa não fazia sentido e que a diversificação em negócios de outros tipos abria a porta para o fracasso, Anders decidiu usar o caixa excedente para beneficiar os acionistas. Em julho de 1992, conforme os termos de um leilão holandês, a General Dynamics adquiriu 13,2 milhões de ações a preços que variaram entre 65,37 e 72,25 dólares, reduzindo em 30% suas ações em circulação.

Na manhã de 22 de julho de 1992, Buffett ligou para Anders para informá-lo que a Berkshire tinha comprado 4,3 milhões de ações da General Dynamics. Buffett disse a Anders que estava impressionado com a General Dynamics e que havia comprado as ações como investimento. Em setembro, Buffett enviou um representante ao conselho da General Dynamics para votar as ações da Berkshire, desde que Anders permanecesse como seu CEO.

Princípio: racionalidade

De todas as aquisições de ações ordinárias feitas pela Berkshire, nenhuma causou tanta confusão quanto a da General Dynamics, pois não tinha nenhum dos atributos tradicionais das aquisições anteriores de Buffett. Não era uma companhia simples e compreensível, não tinha desempenho consistente e não apresentava perspectivas favoráveis a longo prazo. Não só a empresa atuava num segmento controlado pelo governo (90% de suas vendas ocorriam em contratos com o governo), como era um segmento em processo de encolhimento. A General Dynamics tinha margens de lucro lamentáveis e retornos sobre o patrimônio abaixo da média. Além disso, seus fluxos de caixa futuros eram desconhecidos; sendo assim, como Buffett poderia determinar seu valor? A resposta é que Buffett, inicialmente, não comprou a General Dynamics como ações de longo prazo, mas como oportunidade de arbitragem; com isso, os usuais requisitos financeiros e de negócios não se aplicavam.

Buffett escreveu que teve "sorte com a compra da General Dynamics. Eu tinha prestado pouca atenção a essa companhia até o verão passado, quando ela anunciou a recompra de cerca de 30% de suas ações por meio de um leilão holandês. Vi nisso uma oportunidade de arbitragem e comecei a comprar ações para a Berkshire, esperando ofertar nossas holdings por um pequeno lucro".[30]

No entanto, ele mudou de ideia. O plano original era ofertar as ações da Berkshire no leilão holandês, "mas então comecei a estudar a companhia e as realizações de Bill Anders no breve período desde que assumira como CEO", Buffett esclareceu. "O que vi fez meus olhos se arregalarem. Bill tinha uma estratégia racional e claramente enunciada; tinha se mantido focado e imbuído de um senso de urgência em sua implantação; e os resultados eram verdadeiramente notáveis".[31] Buffett deixou de lado suas noções de arbitragem em relação à General Dynamics e, em vez disso, decidiu se tornar um acionista de longo prazo.

Evidentemente, o investimento de Buffett na General Dynamics era prova da capacidade de Bill Anders de resistir ao imperativo institucional. Embora alguns críticos tenham alegado que Anders liquidou uma grande companhia, ele afirma que simplesmente monetizou o valor não realizado da empresa. Quando assumiu seu posto, em 1991, a ação da General Dynamics estava sendo negociada com um desconto de 60% em relação ao seu valor contábil. Nos dez anos anteriores, a companhia tinha devolvido a seus acionistas um retorno anual composto de 9%, comparado aos 17% de outras companhias do segmento de defesa e ao retorno de 17,6% do índice Standard & Poor's 500. Buffett enxergou uma companhia que estava negociando abaixo do valor contábil, gerando fluxo de caixa e embarcando num programa de desinvestimento. Além disso, e ainda mais importante, a gestão priorizava o acionista.

Embora a General Dynamics tivesse pensado anteriormente que as divisões de aeronaves e sistemas espaciais pudessem permanecer entre suas linhas de negócio principais, Anders decidiu vendê-los. A de aviões foi para a Lockheed. Naquela época, a General Dynamics, a Lockheed e a Boeing eram parceiras no desenvolvimento da próxima geração de um caça tático, o F-22. Ao comprar a divisão aeronáutica da General Dynamics, a Lockheed adquiriu o negócio maduro dos F-16 e se tornou a parceira majoritária da Boeing no projeto do F-22. O negócio dos sistemas espaciais foi vendido para a Martin Marietta, fabricante dos veículos de lançamentos espaciais Titan. Juntas, as vendas dos dois negócios geraram 1,72 bilhão de dólares para a General Dynamics.

Com muito dinheiro em caixa, a companhia novamente devolveu dinheiro para os acionistas. Em abril de 1993, emitiu ações de 20 dólares a unidade como dividendos especiais aos acionistas. Em julho, emitiu outro dividendo especial, de 18 dólares e, em outubro, deu 12 dólares por ação a seus proprietários. Em 1993, a companhia devolveu 50 dólares em dividendos especiais e elevou o dividendo trimestral de 40 para 60 centavos de dólar por ação. De julho de 1992 até o final de 1993, por seu investimento de 72 dólares por ação, a Berkshire recebeu 2,60 dólares em dividendos comuns, 50 dólares em dividendos especiais e um preço de ação que chegou a 103 dólares. Isso representava 116% de retorno num período de 18 meses. Não surpreende que, nesse intervalo, a General Dynamics tenha tido desempenho superior no seu segmento, como também tenha batido ostensivamente o Standard & Poor's 500.

Wells Fargo & Company

Se a General Dynamics foi o investimento mais confuso que Buffett já fez, então o investimento no Wells Fargo & Company certamente constituiu o mais polêmico. Em outubro de 1990, Buffett anunciou que a Berkshire tinha adquirido 5 milhões de ações do Wells Fargo, investindo 289 milhões de dólares a um preço médio por ação de 57,88 dólares. Agora, a Berkshire era a maior acionista do banco, possuindo 10% das ações em circulação.

Um pouco antes, no mesmo ano, o Wells Fargo tinha negociado a ação em alta a 86 dólares, mas então os investidores começaram a abandonar os bancos e as poupanças da Califórnia. Temiam a recessão que estava se alastrando pela Costa Oeste e que em breve provocaria amplas perdas de empréstimos no mercado imobiliário comercial e residencial. Como o Wells Fargo era o banco com mais negócios no setor imobiliário da Califórnia, os investidores venderam suas ações e os vendedores a descoberto acrescentaram pressão ao viés de baixa. Os juros de curto prazo no Wells Fargo subiram 77% no mês de outubro, mais ou menos a mesma época em que Buffett começou a comprar ações da companhia.

Nos meses seguintes ao anúncio de que a Berkshire tinha se tornado acionista majoritária, a batalha pelo Wells Fargo lembrava uma luta de pesos-pesados. Num canto, Buffett, o otimista, apostava 289 milhões de dólares que o banco aumentaria de valor. No canto oposto, os pessimistas vendedores a descoberto apostavam que o Wells Fargo, já 49% abaixo no ano, estava fadado a cair ainda mais. Os irmãos Feshbach, os maiores vendedores a descoberto do país, estavam apostando contra Buffett. "O Wells Fargo é um caso encerrado", disse Tom Barton, gerente financeiro de Dallas, que trabalhava para os Feshbach: "Não acho certo dizer que é candidato à falência, mas penso que é um adolescente".[32] Com isso, Barton queria dizer que achava que o Wells Fargo negociaria com prejuízo. Buffett "é um famoso caçador de barganhas e de investidores de longo prazo", nas palavras de George Salem, analista da Prudential Securities, mas a "Califórnia poderia se tornar outro Texas".[33] Salem estava se referindo aos colapsos bancários que tinham ocorrido no Texas durante o declínio dos preços de energia. Buffett "não terá de se preocupar muito mais com quem gasta sua fortuna", disse John Liscio, no *Barron's*, "não se ele continuar escolhendo ações de bancos no fundo do poço".[34]

Buffett conhecia muito bem o negócio bancário. Em 1969, a Berkshire Hathaway comprou 98% das ações da Illinois National Bank and Trust Company. Antes que a Lei da Holding Bancária [Bank Holding Act] exigisse que a Berkshire se despojasse de sua participação no banco em 1979, Buffett reportou as vendas e os lucros do banco, todos os anos, nos relatórios anuais da Berkshire. O banco ocupou seu lugar ao lado de outras holdings controladas pela Berkshire.

Na época em Jack Ringwalt ajudou Buffett a entender as minúcias do negócio dos seguros, Gene Abegg, presidente do Illinois National Bank, explicou a Buffett o negócio bancário. O que ele aprendeu foi que bancos são negócios lucrativos se cedem empréstimos com responsabilidade e cortam custos. "Segundo nossa experiência, o gestor de uma operação já de alto custo costuma ser incomumente criativo para achar novos meios de aumentar as despesas indiretas, ao passo que o gestor de uma operação de orçamento enxuto geralmente continua encontrando mais métodos de cortar custos, mesmo quando esses já estão bem abaixo dos da concorrência. E ninguém demonstrou melhor essa última habilidade do que Gene Abegg", como declarou Buffett.[35]

Princípio: perspectivas favoráveis a longo prazo

Buffett lembra que o Wells Fargo não é a Coca-Cola. Sejam quais forem as circunstâncias, é difícil imaginar que, como negócio, a Coca-Cola possa fracassar. Mas o negócio bancário é diferente. Os bancos podem falir, e isso já aconteceu muitas vezes. A maioria dos bancos que fechou padeceu de erros de gestão, como Buffett salienta, geralmente por fazerem empréstimos tolos que um banqueiro racional jamais deveria sequer cogitar. Quando os ativos são 20 vezes o patrimônio, o que é comum no ramo bancário, qualquer lapso da gestão, envolvendo até mesmo uma pequena parte do ativo, pode destruir o patrimônio de uma companhia.

Mesmo assim, não é impossível para os bancos serem um bom investimento, na opinião de Buffett. Se a gestão cumpre seu papel, o banco pode gerar um retorno de 20% sobre o patrimônio. Embora menos do que a Coca-Cola poderia ganhar, continua acima da média para a maioria dos negócios. Buffett explica que não é necessário ser o número um em seu segmento se você é um banco. O que conta é como você gerencia seu ativo, seu passivo e os custos. Assim como os seguros, o ramo bancário é basicamente um negócio de commodities. E, como sabemos, em negócios que lidam com commodities, as atitudes da gestão são frequentemente seu maior diferencial. A esse respeito, Buffett escolheu a melhor equipe de gestores de bancos. Ele afirma que, "com o Wells Fargo, achamos que estamos com os melhores gestores do segmento: Carl Reichardt e Paul Hazen. Em muitos sentidos, a combinação de Carl e Paul me lembra outra dupla: Tom Murphy e Dan Burke na Capital Cities/ABC. Cada uma dessas duplas é mais forte do que a soma de suas partes".[36]

Princípio: racionalidade

Quando Carl Reichardt se tornou o presidente do conselho do Wells Fargo em 1983, ele começou a transformar um banco lento num negócio lucrativo. De 1983 a 1990, o Wells Fargo teve retornos médios de 1,3% sobre seu ativo e de 15,2% sobre o patrimônio. Em 1990, a instituição tinha se tornado o décimo maior banco do país, com um ativo de 56 bilhões de dólares. Como muitos outros gestores que Buffett admira, Reichardt é racional. Embora não tenha instigado programas de recompra de ações nem passado dividendos especiais – ambas iniciativas que recompensam os acionistas –, ele de fato dirige o Wells Fargo em benefício de seus proprietários. Assim como Tom Murphy, da Capital Cities/ABC, ele era uma lenda quando se tratava do controle de custos. Mesmo quando os custos estavam sob controle, Reichardt nunca descansava, e buscava constantemente maneiras de melhorar a rentabilidade.

Uma medida da eficiência operacional de um banco é a razão entre suas despesas operacionais (isto é, excluindo juros) e a receita líquida financeira.[37] A eficiência operacional do Wells Fargo era de 20% a 30% melhor do que a do First Interstate ou do Bank of America. Reichardt dirige o Wells Fargo como um empresário. Como ele disse, "tentamos dirigir esta companhia como um negócio. Dois e dois são quatro. Não sete, nem oito".[38]

Quando Buffett estava comprando o Wells Fargo em 1990, o banco encerrou aquele ano com a mais elevada porcentagem de empréstimos para imóveis comerciais em comparação com qualquer outro banco grande do país. A soma de 14,5 bilhões de dólares em empréstimos comerciais do Wells Fargo era cinco vezes seu patrimônio. Como a recessão na Califórnia estava piorando, os analistas calcularam que uma grande parte dos empréstimos comerciais dos bancos ficaria a descoberto. Foi isso que causou a queda no preço da ação do Wells Fargo, em 1990 e 1991.

Na esteira do fiasco da Federal Savings and Loan Insurance Corporation (FSLIC) [Sociedade Federal de Seguro de Poupança e Empréstimo], os auditores do banco analisaram rigorosamente o portfólio de empréstimos do Wells Fargo e pressionaram o banco para reservar 1,3 bilhão de dólares para maus empréstimos em 1991, além de 1,2 bilhão para o ano seguinte. Como as reservas eram feitas por trimestre, os investidores começaram a ficar enjoados a cada anúncio que o banco fazia. Em vez de cobrar uma única taxa alta pelas reservas para empréstimo, o banco repartiu as taxas por um período de dois anos. Os investidores começaram a duvidar que o banco pudesse um dia dar um fim aos seus problemas com os empréstimos.

Depois que a Berkshire anunciou sua compra do Wells Fargo em 1990, o preço da ação subiu brevemente, chegando a 98 dólares no início de 1991 e gerando um lucro de 200 milhões de dólares para a Berkshire. Mas então, em junho de 1991, o banco anunciou outra taxa sobre suas reservas, e o preço da ação caiu 13 pontos em dois dias, ficando em 74 dólares. Embora o preço da ação mostrasse uma leve recuperação no primeiro trimestre de 1991, tornou-se evidente que o Wells Fargo teria de cobrar mais uma vez a taxa sobre os ganhos para efetuar acréscimos a suas reservas de perdas com empréstimos. No final do ano, a ação fechou em 58 dólares a unidade. Depois de uma verdadeira montanha-russa, o investimento da Berkshire tinha alcançado o ponto de equilíbrio. Buffett depois admitiu: "Subestimei a gravidade da recessão na Califórnia e também os problemas imobiliários da empresa".[39]

Princípio: determinar o valor do negócio

Em 1990, o Wells Fargo lucrou 711 milhões de dólares, um aumento de 18% em relação a 1989. No ano seguinte, devido às provisões para perdas com empréstimos, o banco lucrou apenas 21 milhões. Um ano depois, os lucros aumentaram um pouco, para 283 milhões – ainda menos que a metade dos lucros de apenas dois anos antes. Não surpreende que exista um relacionamento inverso entre os lucros de um banco e suas provisões para cobrir perdas de empréstimos. Mas, se você excluir as provisões do Wells Fargo de seu demonstrativo de resultado, você descobre uma companhia com um poder de ganho dinâmico. Desde 1983, a receita financeira líquida do banco vinha crescendo a uma taxa de 11,3%, e seu faturamento excluindo juros (taxas de investimento, administração de fundos, taxas de depósito) tinha crescido a uma taxa de 15,3%. Se você excluir as provisões incomuns para perdas com empréstimos em 1991 e 1992, o banco teria aproximadamente 1 bilhão de dólares em poder de ganho.

O valor de um banco é a função de seu patrimônio líquido mais seus lucros projetados como um empreendimento contínuo. Quando a Berkshire Hathaway começou a comprar o Wells Fargo em 1990, a companhia, no ano anterior, tinha lucrado 600 milhões de dólares. O rendimento médio dos títulos públicos do governo dos Estados Unidos em 1990 era de aproximadamente 8,5%. Para continuarmos conservadores, podemos descontar 9% dos lucros de 600 milhões do Wells Fargo em 1989 e valorar o banco em 6,6 bilhões de dólares. Se o banco nunca lucrasse nada além dos 600 milhões de dólares em ganhos anuais nos 30 anos seguintes, valeria pelo menos 6,6 bilhões de dólares. Quando Buffett comprou o Wells Fargo, em 1990, pagou 58 dólares por ação. Com 52 milhões de ações em circulação, isso era equivalente a comprar a companhia por 3 bilhões, um desconto de 55% de seu valor.

Naturalmente, o debate a respeito do Wells Fargo girava em torno de se, após a companhia ter levado em conta todos os seus problemas com empréstimos, chegaria a ter poder de ganho. Os vendedores a descoberto disseram que não; Buffett disse que sim. Ele sabia que ser proprietário não era ser isento de riscos. E justificou a compra nos seguintes termos: "Os bancos da Califórnia encaram o risco específico de um grande terremoto, e isso pode causar caos suficiente para os tomadores de empréstimo a ponto de, por sua vez, destruir os bancos que fizeram os empréstimos". Ele também disse que "um segundo risco é sistêmico: a possibilidade de uma contração nos negócios ou de um pânico financeiro de tal monta que poria em risco praticamente todas as instituições de alta alavancagem, por mais que sejam dirigidas com inteligência".[40] Agora, a possibilidade de esses dois eventos ocorrerem era baixa, na avaliação de Buffett, embora ele dissesse que ainda restava um risco viável: "O maior medo do mercado no momento é que os valores dos imóveis na Costa Oeste despenquem por causa do excesso no número de construções e da ocorrência de altas perdas para os bancos que as financiaram. Como é um financiador de imóveis, o Wells Fargo é considerado especialmente vulnerável".[41]

Buffett sabia que o Wells Fargo lucrava 1 bilhão de dólares anualmente antes de descontar os impostos, depois de ter arcado com 300 milhões de dólares em média com perdas nos empréstimos. Ele calculou que, se 10% dos 48 bilhões de dólares emprestados (no total, não só em contratos comerciais) fossem de empréstimos problemáticos em 1991 e gerassem perdas, inclusive de juros, envolvendo 30% do principal em média, o Wells Fargo alcançaria o ponto de equilíbrio. E imaginava que esse era um cenário improvável. Mesmo que o Wells Fargo não ganhasse nada durante um ano, isso não seria um problema. Buffett disse que, "na Berkshire, adoraríamos adquirir negócios ou investir em projetos de capital que não produzissem retorno durante um ano, mas então esperaríamos que ganhasse 20% num patrimônio crescente".[42] A atração do Wells Fargo se intensificou quando Buffett conseguiu comprar ações com 50% de desconto do seu valor.

"O negócio bancário não tem de ser um mau negócio, mas costuma ser", Buffett comentou, e então acrescentou: "Os banqueiros não têm de fazer bobagens, mas frequentemente fazem".[43] Ele diz que empréstimo de alto risco é qualquer empréstimo feito por um banqueiro tolo. Quando comprou o Wells Fargo, apostou que Reichardt não era um banqueiro tolo. "É tudo uma aposta na gestão", explicou Charlie Munger. "Achamos que eles vão resolver os problemas mais depressa e melhor do que as outras pessoas."[44] A aposta da Berkshire deu resultado. No final de 1993, o preço da ação unitária do Wells Fargo tinha alcançado 137 dólares.

American Express Company

"Acho que ter familiaridade com uma companhia e seus produtos há bastante tempo muitas vezes ajuda a avaliá-la", disse Buffett.[45] Além de vender garrafas de Coca-Cola a 5 centavos de dólar, entregar exemplares do *Washington Post* e recomendar que os clientes de seu pai comprassem ações da GEICO, Buffett mantém um relacionamento com a American Express mais longo do que com qualquer outra companhia que a Berkshire possui. Você deve lembrar que, em meados dos anos 1960, a Buffett Limited Partnership investiu 40% de seu ativo na American Express, pouco depois que a companhia registrou perdas no escândalo do óleo de salada. Trinta anos depois, a Berkshire acumulou 10% das ações da American Express, no valor de 1,4 bilhão de dólares.

Princípio: histórico consistente de operações

Embora a companhia tenha enfrentado um ciclo de mudanças, a American Express hoje é essencialmente o mesmo negócio de quando Buffett começou a comprar essas ações em sua Partnership. Havia três divisões naquela época. A Travel Related Services (TRS), que emite o cartão de crédito e os cheques de viagem American Express, contribuía com praticamente 72% das vendas da companhia. A American Express Financial Advisors (antes IDS Financial Services), uma divisão de planejamento financeiro, seguros e produtos de investimento, representava 22% das vendas. O American Express Bank chegava a modestos 5% das vendas. O banco vinha sendo o representante local do cartão American Express, com uma rede de 87 escritórios em 37 países.

A divisão Travel Related Services continua a ser uma provedora de lucros confiável e sempre gerou substanciais lucros para o proprietário, o que facilmente lastreou o crescimento da companhia. Mas, quando a companhia produz mais caixa do que necessita para suas operações, a função de alocar esse capital de maneira responsável torna-se um teste para a gestão. Alguns gestores lidam com esse teste investindo somente o capital que é exigido e devolvendo o restante aos proprietários da companhia, seja aumentando os dividendos, seja recomprando ações. Outros gestores, incapazes de resistir ao imperativo institucional, buscam constantemente maneiras de gastar o dinheiro e expandir o império corporativo. Infelizmente, esse foi o destino da American Express por vários anos até se iniciar o mandato de James Robinson.

O plano de Robinson era usar o caixa excedente da TRS para adquirir negócios correlatos e, dessa maneira, construir a American Express como uma central de serviços financeiros. A IDS se revelou uma compra lucrativa. No entanto, a aquisição da Shearson-Lehman acabou sendo uma decepção. Não somente a Shearson se mostrou incapaz de se bancar como também exigia quantidades cada vez maiores de caixa excedente da TRS para custear suas próprias operações. Ao longo do tempo, Robinson investiu 4 bilhões de dólares na Shearson. Foi esse ralo financeiro que estimulou Robinson a entrar em contato com Buffett. A Berkshire comprou 300 milhões de dólares em ações preferenciais. Embora, nessa altura, Buffett estivesse disposto a investir na American Express por meio de ações preferenciais, foi só quando a racionalidade veio à tona na companhia que ele se sentiu confiante para se tornar um acionista com ações ordinárias.

Princípio: racionalidade

Não é segredo nenhum que a joia da coroa é o famoso cartão American Express. O que parecia estar faltando à American Express era uma equipe de gestão que reconhecesse e valorizasse os aspectos econômicos do negócio. Felizmente, essa percepção ocorreu em 1992, quando Robinson discretamente renunciou e Harvey Golub se tornou o CEO. Recorrendo a termos também adotados por Buffett, Golub começou a falar em "franquia" e "valor de marca" ao se referir ao cartão American Express. Sua tarefa imediata era fortalecer a consciência de marca da TRS e escorar a estrutura de capital na Shearson-Lehman, preparando-a para venda.

Nos dois anos seguintes, Golub começou o processo de liquidar os ativos de desempenho abaixo do esperado da American Express e recuperar a rentabilidade e os altos retornos sobre o patrimônio. Em 1992, Golub iniciou a oferta pública para a First Data Corporation (a divisão de serviços de informação de dados da companhia), o que rendeu à American Express mais de 1 bilhão de dólares. No ano seguinte, a companhia vendeu The Boston Company, sua divisão de gestão monetária, para o Mellon Bank por 1,5 bilhão de dólares. Logo após, a Shearson-Lehman foi dividida em dois negócios. As contas de varejo da Shearson foram vendidas, e a Lehman Brothers surgiu como um novo negócio para os acionistas por meio de uma distribuição isenta de impostos, mas não antes que Golub ainda tivesse de injetar um último lote de 1 bilhão de dólares na Lehman.

Em 1994, a American Express estava começando a dar sinais de sua antiga natureza lucrativa. Agora, os recursos da companhia estavam firmemente atrás da TRS. A meta da gestão era tornar o cartão American Express a "marca de serviço mais respeitada do mundo". Todas as comunicações da empresa enfatizavam o valor de franquia do nome "American Express". Até mesmo a divisão IDS Financial Services foi renomeada American Express Financial Advisors.

Agora que tudo estava em seu devido lugar, Golub estipulou os alvos financeiros da companhia: aumentar os lucros anuais por ação de 12% para 15% e obter de 18% a 20% de retorno sobre o patrimônio líquido. Então, em setembro de 1994, a American Express emitiu um comunicado demonstrando claramente a racionalidade da nova gestão da empresa. Sujeito às condições do mercado, o conselho de administração autorizou a gestão a recomprar 20 milhões de suas ações ordinárias. Isso foi uma verdadeira música para os ouvidos de Buffett.

Durante o verão de 1994, Buffett converteu as ações preferenciais da American Express em ações ordinárias. Logo em seguida, começou a adquirir ainda mais ações. No final desse ano, a Berkshire possuía 27 milhões de ações ordinárias, a um preço médio de 25 dólares a unidade. Ao completar o plano de aquisição de ações que havia anunciado no outono de 1994, na primavera seguinte a American Express anunciou que recompraria mais 40 milhões de ações, o que representava 8% do total de ações em circulação.

Claramente, a American Express era uma companhia mudada. Depois de se livrar da Shearson-Lehman e de suas maciças necessidades de capital, a American Express tinha uma grande capacidade de gerar caixa excedente. Pela primeira vez, a empresa tinha mais capital e mais ações do que necessitava. Valorizando as mudanças econômicas que estavam em andamento na American Express, Buffett aumentou intensamente a posição da Berkshire nessa companhia. Em março de 1995, já havia adicionado mais 20 milhões de ações, tornando a Berkshire proprietária de pouco menos de 10% da American Express.

Princípio: determinar o valor do negócio

Desde 1990, os encargos não monetários, a depreciação e as amortizações igualaram aproximadamente a aquisição de terrenos, edifícios e equipamentos pela American Express. Quando os encargos de depreciação e amortização se aproximam dos investimentos de capital, os lucros do proprietário se igualam ao lucro líquido. No entanto, por causa do histórico errático da companhia, é difícil precisar a taxa de crescimento dos lucros dos proprietários. Nessas circunstâncias, é melhor usar uma projeção de crescimento mais conservadora.

No final de 1994, refletindo os resultados da rede de subsidiárias da American Express vendida em 1993, os lucros dos proprietários da companhia foram de cerca de 1,4 bilhão de dólares. A meta de Golub, como você deve lembrar, era aumentar os lucros a uma taxa contínua de 12% a 15%. Usando um crescimento de 10% nos lucros durante os dez anos seguintes, seguido por um crescimento residual de 5% daí em diante (que, sem dúvida, fica abaixo da previsão da gestão), e descontando os lucros em 10% (um fator conservador de desconto, considerando que os títulos públicos de 30 anos do governo dos Estados Unidos estavam rendendo 8%), o valor intrínseco da American Express era de 43,4 bilhões de dólares, ou 87 dólares a ação. Se a companhia fosse capaz de aumentar seus ganhos em 12%, o valor intrínseco da American Express chegaria perto de 50 bilhões de dólares ou 100 dólares a ação. No valuation mais conservador, Buffett estava comprando a American Express com 70% de desconto em relação a seu valor intrínseco – uma margem de segurança significativa.

International Business Machines (IBM)

Quando Buffett anunciou, durante uma entrevista à rede CNBC, em outubro de 2011, que a Berkshire Hathaway vinha comprando ações da IBM, tenho certeza de que vários acionistas da Berkshire ficaram coçando a cabeça. Afinal de contas, esse era o homem que repetidas vezes confessou que não tinha interesse em comprar empresas de tecnologia. Certa vez ele comentou: "Eu poderia passar o tempo inteiro pensando em tecnologia para o próximo ano e nem assim chegaria a ser o 100º, o 1.000º e nem o 10.000º sujeito mais capaz do país para analisar esses negócios".[46]

O que impedia Buffett de comprar empresas de tecnologia não era o fato de ele não as entender; ele as entendia muito bem. O que sempre o perturbou foi a dificuldade de prever seus fluxos de caixa futuros. As constantes rupturas e inovações inerentes a esse segmento encurtam muito o tempo de vida das franquias de tecnologia. Buffett podia enxergar um futuro que incluía Coca-Cola, Wells Fargo, American Express, Johnson & Johnson, Procter & Gamble, Kraft Foods e Wal-Mart – e pensar nisso com confiança. Já o futuro que incluía Microsoft, Cisco, Oracle, Intel e – aparentemente – a IBM era imprevisível demais.

No entanto, no final de 2011, a Berkshire Hathaway comprou 63,9 milhões de ações da IBM, algo em torno de 5,4% da companhia. Foi uma audaciosa aquisição de 10,8 bilhões de dólares, a maior compra de um único tipo de ação que Buffett já havia feito.

Princípio: racionalidade

Quando Buffett apresentou a compra da IBM aos acionistas no relatório anual de 2011, muitos deles devem ter pensado que iriam ter um curso rápido sobre as vantagens competitivas da avançada tecnologia de processamento da IBM, mas o que receberam em vez disso foi um tutorial sobre o valor da recompra de ações ordinárias e como pensar de maneira inteligente a respeito dessa estratégia corporativa a longo prazo.

Buffett começou dizendo que, "como todos os observadores de negócios sabem, os CEOs Lou Gerstner e Sam Palmisano realizaram um trabalho espetacular tirando a IBM de uma situação pré-falimentar há 20 anos e encaminhando-a para a proeminência de que desfruta hoje. Suas realizações operacionais foram realmente extraordinárias".[47] É difícil imaginar que, há cerca de 20 anos, a centenária IBM estivesse à beira da ruína, mas, em 1992, a companhia perdeu 5 bilhões de dólares, o maior volume de dinheiro que uma companhia americana já havia perdido num único ano. No ano seguinte, Lou Gerstner foi contratado para fazer com que a companhia desse a volta por cima. Em seu livro *Who Says Elephants Can't Dance?*, de 2002, Gerstner descreve suas estratégias, inclusive a venda de ativos de tecnologia de hardware de margem baixa e maior aproximação em relação a softwares e serviços. Mais tarde, quando Sam Palmisano se tornou CEO, em 2002, ele vendeu o negócio dos computadores pessoais e manteve o crescimento da IBM nos dez anos seguintes focado em serviços, na internet e em softwares.

Buffett continuou: "A gestão financeira deles foi igualmente brilhante. Não consigo pensar numa empresa que tenha tido melhor gestão financeira, uma habilidade que tem aumentado materialmente os lucros auferidos pelos acionistas da IBM. A companhia tem usado as dívidas sabiamente, realizou aquisições que acrescentam valor quase exclusivamente por caixa e recomprou agressivamente suas próprias ações".[48]

Em 1993, a IBM tinha 2,3 bilhões de ações em circulação. Dez anos depois, quando Gerstner se aposentou e Palmisano se tornou CEO, a companhia tinha 1,7 bilhão de ações em circulação. Ao longo de dez anos, Gerstner recomprou 26% das ações em circulação, ao mesmo tempo que elevou os dividendos em 136%. Essa foi uma lição que Palmisano de fato assimilou. Durante seu reinado de dez anos como CEO, a circulação de ações foi reduzida em 36%, de 1,7 bilhão para 1,1 bilhão. Os dois juntos, Gerstner e Palmisano, recompraram mais da metade das ações em circulação. E, como se não fosse suficiente, na década em que dirigiu a companhia Palmisano aumentou o dividendo de 0,59 centavos de dólar para 3,30 dólares, representando um aumento de 460%.

Dos quatro cavaleiros da tecnologia – IBM, Microsoft, Intel e Cisco –, somente uma companhia viu seu recente preço da ação superar a alta de 1999, o pico da bolha tecnológica: a IBM. Ao final do ano de 1999, a IBM estava sendo vendida a 112 dólares a ação e, no final de 2012, era negociada a 191 dólares. Compare com o desempenho da Cisco (de 54 para 19 dólares), da Intel (de 42 para 20 dólares) e da Microsoft (de 52 para 27 dólares). Isso não quer dizer que a IBM como empresa tenha crescido mais depressa do que as outras, mas seu preço por ação subiu porque aumentou mais depressa seu valor por ação. Entre 1999 e 2012, a Microsoft reduziu as ações em 19%; a Intel e a Cisco reduziram em 23% suas ações em circulação; e a IBM as reduziu em 36%.

Lembre-se do conceito de Buffett: após ele começar a comprar ações de uma companhia, ele gosta que o mercado acionário demore até reconhecer esse fato, pois isso lhe dá oportunidade de comprar mais ações a preços irrisórios. O mesmo vale para a companhia que esteja no processo de recomprar ações: "Quando a Berkshire compra ações de uma empresa que as está recomprando, esperamos que ocorram dois eventos. Em primeiro lugar, temos a esperança normal de que os lucros do negócio aumentarão num bom ritmo por um longo tempo ainda; em segundo, também esperamos que a ação tenha um *desempenho inferior* no mercado também por um longo tempo". Como Buffett explica, a IBM provavelmente gastará 50 bilhões de dólares nos próximos cinco anos para a recompra de ações. Então ele indaga: "O que um acionista de longo prazo como a Berkshire deveria incentivar durante esse período? Deveríamos desejar que o preço da ação da IBM ficasse estagnado durante cinco anos".[49]

Num mundo obcecado por desempenhos de curto prazo, desejar que uma ação tenha desempenho inferior no mercado por um longo tempo parece no mínimo retrógrado. Mas, se realmente se trata de um investidor de longo prazo, esse tipo de pensamento é, de fato, bastante racional. Buffett nos ajuda a fazer os cálculos: "Se o preço médio da ação da IBM é de 200 dólares, por exemplo, a companhia irá adquirir 250 milhões de ações com seus 50 bilhões de dólares. Em consequência, haveria 910 milhões de ações em circulação e nós possuiríamos mais ou menos 7% da companhia. Se, ao contrário, a ação for vendida por 300 dólares em média, durante um intervalo de cinco anos, a IBM irá adquirir somente 167 milhões de ações. Isso deixaria cerca de 990 milhões de ações em circulação após cinco anos, das quais possuiríamos 6,5%.[50] A diferença em relação à Berkshire é significativa. A um preço de ação mais baixo, a Berkshire aumentaria sua parcela de ganhos em 100 milhões de dólares, que, cinco anos mais adiante, poderiam representar um aumento de valor de 1,5 bilhão de dólares.

Princípio: perspectivas favoráveis a longo prazo

Buffett confessou que chegou tarde para a festa da IBM. Assim como a Coca-Cola em 1988 e a Burlington Northern Santa-Fe em 2006, ele já estava lendo os relatórios anuais 50 anos antes dessa epifania. Segundo Buffett, ela se deu certo sábado, em março de 2011. Citando Thoreau, Buffett diz: "O que importa não é para onde você olha, mas o que você vê". Buffett reconheceu para a rede CNBC que foi "atingido entre os olhos" pelas vantagens competitivas que a IBM possui para encontrar e manter clientes.[51]

O segmento de serviços da tecnologia da informação (TI) é um setor dinâmico e global dentro do mercado de tecnologia, e, nesse ramo, ninguém é maior do que a IBM.[52] A tecnologia da informação é um mercado de mais de 800 bilhões de dólares que cobre um amplo espectro de serviços, repartido em quatro nichos: consultoria, integração de sistemas, terceirização de TI e terceirização de processos de negócios. Juntos, os dois primeiros contribuem com 52% da receita da IBM; 32% vêm da terceirização de TI; e 16% são resultantes da terceirização de processos de negócios. No espaço da consultoria e da integração de sistemas, a IBM é a provedora global número um – 78% maior do que a concorrente mais próxima, a Hewlett-Packard. Na terceirização de processos de negócios, a IBM é a sétima maior provedora, atrás de Teleperformance, Atento, Convergys, Sitel, Aegis e Genpact.

Os serviços de tecnologia da informação são considerados um setor defensivo e em crescimento no âmbito da tecnologia. Enquanto setores tecnológicos como hardware e semicondutores têm uma natureza mais cíclica, o setor de serviços se beneficia de perspectivas de um crescimento relativamente estável. O setor de TI é mais resiliente porque sua receita é ao mesmo tempo recorrente e vinculada a orçamentos não discricionários de corporações maiores e governos. A importância dos serviços de TI é tanta que a consultoria, os sistemas de integração e a terceirização de TI são tidos como dotados das qualidades defensivas de um "fosso econômico" [termo já usado no Capítulo 1]. De acordo com Grady Burkett, diretor associado de tecnologia do Morningstar, um instituto de pesquisas de fundo mútuos, ativos intangíveis como reputação, histórico de desempenho e relacionamento com clientes são as bases de um fosso no âmbito da consultoria e da integração de sistemas. Na terceirização de TI, os custos de mudança e as vantagens em escala criam seu próprio fosso de proteção, assegurando que, assim que a IBM conquista um cliente, este provavelmente se manterá leal por muitos anos. Somente uma área de relativamente pouca expressão – a terceirização de processos de negócios – não é protegida nem pelos ativos intangíveis, nem pelos custos de mudança.

Segundo a Gartner, companhia líder em pesquisa e consultoria de tecnologia de informação, o mercado total de serviços de TI deve ter um crescimento de 4,6% na taxa anual composta, indo de estimados 844 bilhões de dólares em 2011 para 1,05 trilhão de dólares em 2016.

Princípios: margens de lucro, retorno sobre o patrimônio líquido, premissa do "um dólar"

A mudança de foco iniciada por Lou Gerstner e acelerada por Sam Palmisano – migrando da tecnologia de hardware para consultoria e software – transformou a IBM. Se antes ela era uma parte comoditizada e de baixa margem do segmento da tecnologia, passou a ser um negócio de consultoria, integração de sistemas e terceirização de TI protegido por um fosso econômico. Quando Gerstner corrigiu o rumo do navio em 1994, o retorno sobre o patrimônio líquido era de 14%. Quando se aposentou, em 2002, esse retorno tinha aumentado para 35%. Palmisano deu continuidade ao processo, elevando mais ainda o retorno, que chegou a 62% em 2012, quando ele se aposentou.

Uma parte desse crescimento do retorno sobre o patrimônio líquido pode ser atribuída à drástica redução das ações em circulação, mas a razão mais significativa foi a decisão de deixar para trás negócios de baixa margem e de, ao mesmo tempo, ampliar os negócios de margem mais alta, como a consultoria e a terceirização. Em 2002, as margens de lucro líquidas na IBM eram de 8,5%. Dez anos depois, as margens líquidas tinham praticamente dobrado, alcançando 15,6%.

Em dez anos (2002-2011), a IBM gerou para seus acionistas um lucro líquido de 108 bilhões de dólares. Pagou 20 bilhões em dividendos aos acionistas e reservou 88 bilhões para administrar seu negócio, o que incluiu reinvestimentos de capital, aquisições e recompras de ações. Nesse mesmo período, o valor de mercado da IBM aumentou 80 bilhões de dólares. Essa não é exatamente a premissa do "um dólar" que Buffett defende para suas companhias, mas, considerando que os últimos dez anos tinham sido um período terrível para o desempenho de ações de grande capitalização, ainda assim é algo respeitável.

Princípio: determinar o valor do negócio

Em 2010, a IBM gerou um lucro líquido de 14,8 bilhões de dólares para os acionistas. Nesse mesmo ano, gastou 4,2 bilhões em investimentos em capital e mais do que neutralizou em 4,8 bilhões de dólares os encargos de depreciações e amortizações. O resultado líquido foram 15,4 bilhões de dólares em lucros do proprietário. Que negócio gera num ano 15,4 bilhões de dólares em caixa? De acordo com John Burr Williams (e Warren Buffett), o valor são os fluxos de caixa futuros do negócio, descontados retroativamente até o valor atual. Os fluxos de caixa futuros serão determinados pelo crescimento da companhia, e a taxa de desconto que Buffett usa é o rendimento do título público de longo prazo dos Estados Unidos, ou seja, sua definição de uma taxa livre de risco. Lembre que Buffett não usa um prêmio de risco em seus cálculos. Em vez disso, ajusta o risco pela margem de segurança, representada pelo preço que está disposto a pagar.

Usando essa teoria, podemos fazer nossos próprios cálculos do valor da IBM. Aplicando o modelo de dividendos descontados em dois estágios, presumi que a IBM aumentaria seus ganhos a 7% durante dez anos e a 5% depois disso. Então, descontei 10% desses fluxos de caixa – uma porcentagem substancialmente maior do que os 2% dos títulos públicos de dez anos do Tesouro dos Estados Unidos. A taxa mais alta de desconto simplesmente introduz uma margem de segurança maior. Com base nesses cálculos, a IBM vale 326 dólares por ação, muito mais do que o preço médio de 169 dólares que Buffett pagou. Se ajustarmos a taxa de crescimento para os próximos dez anos em 5%, mais perto da estimativa da Gartner para o crescimento do segmento de serviços de TI, o valor chega a 279 dólares por ação, ainda 100 dólares a mais do que Buffett pagou.

Outra maneira de contemplar a questão de valuation é indagar quais taxas de crescimento estão incluídas no preço de 169 dólares a ação. Para valer 169 dólares a ação, a IBM teria de aumentar seus lucros do proprietário em 2% em perpetuidade. Os leitores podem questionar a estimativa de 326 dólares ou de 279 dólares como um valor justo para a ação da IBM, mas desconfio que outros tantos afirmarão que a IBM vai crescer mais do que a 2% na próxima década. Quanto a mim, estou certo de que a resposta para "qual é o valor justo?" está em algum ponto entre essas duas estimativas, o que nos lembra novamente uma das máximas favoritas de Buffett: "Prefiro estar aproximadamente certo do que precisamente errado".

Em muitos sentidos, a compra da IBM me faz lembrar de Buffett adquirindo ações da Coca-Cola. Naquela época, muitos analistas ficaram espantados. Buffett tinha comprado as ações perto de sua máxima (tal como com a IBM). Muitos acreditavam que a Coca-Cola era uma empresa monótona, de crescimento lento, cujos melhores dias tinham ficado para trás (tal como a IBM). Quando Buffett comprou a Coca-Cola, o preço da ação representava 15 vezes os lucros e 12 vezes o fluxo de caixa, ou prêmios de 30% e de 50% em relação à média de mercado. Quando aplicamos o modelo de dividendos descontados aos lucros do proprietário da Coca-Cola usando vários índices de crescimento, descobrimos que a companhia estava vendendo com um desconto significativo em relação ao valor justo, apesar do índice preço/lucro e do índice preço/fluxo de caixa. Supondo um índice de crescimento incrivelmente baixo, de 5%, para a Coca-Cola, o modelo de dividendos descontados dizia que a Coca-Cola valia 20,7 bilhões de dólares, muito mais do que seu atual valor de mercado, de 15,1 bilhões de dólares.

Nos dez anos seguintes, o preço da ação da Coca-Cola subiu dez vezes enquanto o do índice da Standard & Poor's 500 subiu três. Sinal de alerta: sem dúvida não estou dizendo que a IBM pode subir dez vezes nos próximos dez anos; somente que o método Wall Street de usar razões contábeis para determinar o valor pode captar o aqui e agora, mas presta um desserviço quando se trata de calcular o crescimento sustentável a longo prazo. Ou, em outros termos, na maior parte das vezes, o crescimento sustentável a longo prazo é precificado de forma equivocada pelo mercado.

Não se engane: o maior impacto sobre o sucesso futuro da IBM virá dos lucros futuros da companhia. Toni Sacconaghi, analista de tecnologia na Sanford C. Bernstein, chama a IBM de "fortaleza IBM, uma companhia cujo desempenho dos lucros parece perfeitamente impermeável aos ciclos do segmento". Toni chegou inclusive ao ponto de dizer que a IBM, o maior fornecedor mundial de tecnologia da informação para corporações e governos, é "tediosamente previsível".[53] Tediosamente previsível foi o que disseram da Coca-Cola em 1989. Tediosamente previsível é o tipo de empresa de que Buffett mais gosta.

Também aprendemos que a gestão financeira é um fator secundário muito importante para determinar o sucesso de uma companhia. O legado deixado por Gerstner e Palmisano será sem dúvida uma grande influência para Ginni Rometty, o novo CEO da IBM. O documento da IBM intitulado "Modelo Financeiro e Perspectiva de Negócios" (um plano de cinco anos) já contempla 50 bilhões de dólares para futuras recompras de ações. Levando em conta a taxa atual de recompra de ações da IBM, a companhia estará reduzida a menos de 100 milhões de ações em circulação em 2030. Obviamente ninguém sabe ao certo se a IBM manterá sua taxa atual de recompra de ações, mas isso não impede Buffett de sonhar. Como ele disse aos acionistas, "se a recompra chegar a reduzir as ações da IBM em circulação a 63,9 milhões, vou abandonar minha famosa frugalidade e pagar as férias dos funcionários da Berkshire".[54]

H. J. Heinz Company

No dia 14 de fevereiro de 2013, a Berkshire Hathaway e a 3G Capital compraram a H. J. Heinz Company por 23 bilhões de dólares. Ao custo de 72,50 dólares a ação, o negócio representava um prêmio de 20% sobre o preço da ação da Heinz de um dia antes.

É fácil verificar como a Heinz se ajustava ao molde da Berkshire Hathaway. Por ser uma das companhias do ramo alimentício mais famosas do mundo, tem um reconhecimento global, similar ao de empresas do porte da Coca-Cola e da IBM. Os frascos vermelhos do ketchup da Heinz podem ser encontrados em milhões de lares, assim como as batatas fritas Ore-Ida e o molho inglês Lea & Perrins. Em 2012, a companhia relatou uma receita de 11,6 bilhões de dólares, com a maioria das vendas vindo da Europa e de mercados emergentes em rápida expansão. Buffett disse: "É o nosso tipo de companhia".[55]

Princípio: histórico consistente de operações

Dezoito anos antes de o farmacêutico John Pemberton inventar a fórmula da Coca-Cola, Henry J. Heinz já estava embalando produtos alimentícios em Sharpburg, na Pensilvânia. A companhia começou vendendo um molho à base de raiz-forte em 1869, mas em 1876 passou para a venda de ketchup de tomate. Henry Heinz trouxe seus dois primeiros sócios em 1888 e trocou o nome da empresa para H. J. Heinz Company. O famoso slogan da companhia – "57 variedades" – foi introduzido em 1896. Reza a lenda que Henry Heinz estava num trem suspenso na cidade de Nova York quando avistou uma placa numa loja de calçados anunciando que vendia "21 estilos". Heinz escolheu o número 57 ao acaso, mas se decidiu pelo "7" especificamente por causa de sua influência psicológica positiva. Buffett notou que 1869, quando a Heinz iniciou suas atividades, foi o mesmo ano em que seu bisavô Sidney fundou seu armazém.

Princípio: perspectivas favoráveis a longo prazo

A Heinz é a número 1 mundial na venda de ketchup e a segunda na venda de molhos. O futuro da Heinz depende não apenas de manter sua liderança no mercado, mas também de se posicionar diante de mercados emergentes em rápido crescimento. Nos Estados Unidos, a Heinz está bem posicionada. A companhia comprou a Foodstar, da China, em 2010, e uma participação de 80% da brasileira Coniexpress S. A. Indústrias Alimentícias, em 2011. Hoje, os mercados emergentes respondem por sete dos dez principais mercados da companhia. O valor da Foodstar na China já dobrou.

Qual a importância dos mercados emergentes para a Heinz? Nos últimos cinco anos, esses mercados de rápido crescimento significaram mais de 80% do aumento de vendas da companhia. No ano fiscal de 2012, 21% da receita resultou dos mercados emergentes; as estimativas para o ano fiscal de 2013 chegaram a cerca de 25%. De acordo com o CEO William Johnson, a taxa de crescimento orgânico da companhia nos mercados emergentes está entre as melhores desse segmento.

Princípio: determinar o valor do negócio

Em 2012, Heinz reportou uma renda líquida de 923 milhões de dólares, 342 milhões de dólares em encargos de depreciação e amortização e 418 milhões em investimentos em capital, deixando os acionistas com 847 milhões de dólares em lucros do proprietário. Mas, no relatório anual da companhia, notamos que 163 milhões de dólares foram de encargos pós-impostos para demissões, reduções no valor contábil de ativos e outros custos de implantação. Adicionando retroativamente essas despesas não operacionais, podemos estimar que a companhia gerou em torno de 1 bilhão de dólares em lucros do proprietário.

Usando o modelo de dividendos descontados em duas etapas, estimamos que a companhia ampliaria seu bilhão de dólares em lucros do proprietário a uma taxa de 7% por dez anos, e daí em diante a 5%. Descontar os fluxos de caixa a 9% (que é o custo da ação preferencial com que a Berkshire contribuiu para o negócio) produz um valor estimado por ação de 96,40 dólares. À taxa mais lenta de 5% de crescimento constante em perpetuidade, as ações da companhia valeriam 82,10 dólares. Considerando que a companhia aumentou seus lucros por ação a uma taxa composta de crescimento anual de 8,4%, e sabendo que os próximos cinco anos verão uma grande porção de seus lucros vindo de mercados emergentes em rápido crescimento, eu diria que essas estimativas de valuation são muito conservadoras.

Princípio: comprar a preços atraentes

Se a companhia pode crescer a 7% por dez anos e a 5% daí em diante, Buffett comprou as ações com um desconto de 25% de seu valor intrínseco. Presumindo uma taxa de crescimento muito conservadora de 5%, ele comprou ações da Heinz com 12% de desconto. De fato, esses não são os descontos com a margem de segurança que costumamos ver nas aquisições de Buffett, mas a atratividade de comprar a Heinz vai além da fórmula de desconto usual.

A Berkshire Hathaway e a 3G Capital, uma firma brasileira de private equity, possuirão cada uma metade da Heinz, por 4 bilhões de dólares em patrimônio. Para isso, a Berkshire investiu 8 bilhões de dólares em ações preferenciais resgatáveis, rendendo 9%. As ações preferenciais também têm dois outros atributos atraentes para a Berkshire. O primeiro é que, em algum momento futuro, as ações preferenciais serão resgatadas com um prêmio significativo; o segundo é que ações preferenciais vêm com garantias que permitirão à Berkshire comprar 5% das ações ordinárias da empresa por uma quantia nominal. No final das contas, a Berkshire Hathaway ganhará um retorno anual de 6% sobre seus investimentos combinados, excluindo o valor das garantias, a conversão do prêmio das ações preferenciais e qualquer crescimento futuro do valor intrínseco da companhia. Mesmo que a Heinz perca dinheiro, a Berkshire Hathaway receberá seu dividendo preferencial. E, mesmo na remota possibilidade de que a Heinz vá à falência, a Berkshire estará numa posição de suplantar outros credores e se colocar de maneira favorável numa Heinz nova e reorganizada de forma menos dispendiosa.

Princípio: racionalidade

É fácil entender como a Heinz se encaixa no perfil do tipo de companhia que Buffett gosta de comprar. O negócio é simples e compreensível; tem um histórico de operações consistente; e, como tem se posicionado para se beneficiar do crescimento dos mercados emergentes, apresenta perspectivas favoráveis a longo prazo. O retorno sobre o capital investido (inclusive a dívida) é de 17%, com um retorno sobre o patrimônio líquido dos acionistas de 35%.

Há, porém, duas ressalvas em relação ao negócio com a Heinz que tornam essa compra um caso especial. A primeira é que a companhia arcará com 6 dólares de dívida para cada dólar de patrimônio. O juro da dívida, junto com o dividendo preferencial de 9% pago à Berkshire Hathaway, comandará uma boa parte dos lucros dos proprietários. Em suma, agora a companhia está altamente alavancada. A segunda é que a companhia será dirigida por uma nova equipe de gestores da 3G Capital, liderada pelo homem mais rico do Brasil, Jorge Paulo Lemann.

No passado, quando Buffett comprava uma companhia, ele preferia que a equipe da gestão existente continuasse a dirigir o negócio, mas, nesse caso, um novo time de gestores será responsável pelo futuro da Heinz.

Buffett conheceu Lemann quando ambos pertenciam ao conselho de administração da Gillette, nos anos 1990. Embora Lemann e a 3G Capital não sejam muito conhecidos nos Estados Unidos, essa equipe tem experimentado um tremendo sucesso com redes de fast-food, bancos e cervejarias. Em 2004, num acordo considerado um verdadeiro divisor de águas, Lemann realizou a fusão da AmBev, sua companhia cervejeira de menor porte, com a belga Interbrew, muito maior e fabricante da Stella Artois e da Beck's. Ainda que a AmBev fosse menor, foram os sócios de Lemann que ocuparam os cargos sênior na nova companhia mista. Então, em 2008, esse empreendimento recém-surgido de uma fusão pagou 52 bilhões de dólares pela Anheuser-Busch, tendo assim efetuado a maior fusão de cervejarias de que se tem notícia.

Em 2010, a 3G Capital comprou a Burger King por 3,3 bilhões de dólares. Em poucas semanas, a companhia demitiu metade de seus 600 funcionários da sede, em Miami, liquidou a ala executiva e, daí em diante, passou a exigir dos empregados que obtivessem autorização para fazer impressões a cores. Desde essa aquisição, a 3G Capital enxugou os custos operacionais em 30%. Nesse ínterim, cada restaurante introduziu novos produtos, inclusive smoothies e snack wraps, e orquestrou uma campanha de modernização paga pelos donos das franquias. Em seu relatório do quarto trimestre de 2012, a Burger King registrou o dobro dos lucros e fluxos de caixa melhores.

Ao estudar o perfil de gestão da 3G Capital e o sucesso que teve em cada um dos negócios que fechou, vem-me à mente outro gestor que Buffett considerava um dos melhores do mundo: Tom Murphy. A mesma paixão que inspirava Murphy a eliminar custos desnecessários e melhorar a produtividade dos negócios da Cap Cities/ABC é evidente nos gestores da 3G Capital.

Alguns observadores acreditam que a 3G Capital, sendo uma empresa de private equity, buscará vender seu investimento na Heinz mais cedo do que de costume, mas Lemann insiste que a 3G Capital pretende segurar a Heinz por um longo tempo, da mesma maneira como se tornou proprietária de longo prazo da Anheuser-Busch InBev NV. Assim como a AmBev serviu como plataforma para a consolidação e o crescimento futuro do negócio de cerveja, também a Heinz poderia servir como plataforma inicial para a consolidação e o futuro crescimento da indústria alimentícia.

Independentemente de a 3G Capital continuar ou não, Buffett está satisfeito em ser um proprietário de longo prazo. Ele diz: "A Heinz será o bebê da 3G", mas, naturalmente, acrescenta: "É possível que aumentemos nossa participação se algum membro do Grupo 3G quiser vender sua posição no futuro".[56]

Um tema comum

Você deve ter notado um refrão-padrão nestes estudos de caso: Warren Buffett não tem pressa de vender, mesmo quando as ações que compra estão indo bem. A apreciação de curto prazo não interessa a ele. Philip Fisher lhe ensinou que ou o investimento feito é melhor do que o caixa ou não é. Buffett diz que "fica bem contente de segurar títulos indefinidamente, desde que a perspectiva de retorno sobre o capital próprio do negócio subjacente seja satisfatória, que a gestão seja competente e honesta e que o mercado não supervalorize o negócio".[57] (Você reconhece os princípios nessa afirmação?) Como ele lembra aos acionistas, seu período favorito para segurar um investimento é "para sempre".

E, com essa memorável declaração, Buffett nos mostra o outro lado da moeda: depois de tomar decisões racionais sobre quais ações comprar, como devemos administrar o portfólio? Esse é o assunto do próximo capítulo.

5

Gestão do portfólio de investimentos

A MATEMÁTICA DE INVESTIR

Recapitulando: até aqui, estudamos a abordagem adotada por Warren Buffett para comprar um negócio ou escolher ações (o que, naturalmente, ele entende que são a mesma coisa). Essa abordagem se assenta em preceitos atemporais, codificados em 12 princípios. Vimos como esses preceitos foram aplicados em muitas aquisições da Berkshire, inclusive na famosa compra da Coca-Cola e, mais recentemente, da IBM. Também dedicamos algum tempo a entender como os conceitos de outras pessoas o ajudaram a moldar sua filosofia de investidor.

Contudo, como todo investidor sabe, decidir qual ação comprar é só metade da história; a outra metade é gerenciar o portfólio de investimentos, o que, por sua vez, é uma combinação de construção e de gestão contínua.

Quando pensamos na gestão de nossa carteira, costumamos acreditar que se trata de um processo simples de decidir o que comprar, vender ou manter. Essas decisões são (ou deveriam ser, se você quer pensar como Buffett) determinadas pela margem de segurança, que ele mensura comparando o preço da ação hoje com seu valor intrínseco. Você compra ótimos negócios quando o preço está bem abaixo desse valor, mantém negócios quando o preço está modestamente abaixo e vende quando o preço está significativamente mais alto.

No entanto, embora seja crucial, a abordagem da margem de segurança não é em si suficiente. Devemos também levar em conta outros três importantes construtos de gestão de portfólio desenvolvidos por Buffett:

1. O modo como ele constrói o portfólio para que cresça a longo prazo.
2. Seu método alternativo para julgar a evolução de um portfólio.
3. Suas técnicas para lidar com a montanha-russa emocional que inevitavelmente acompanha a gestão de um portfólio. (Os desafios psicológicos de lidar com um portfólio estilo Warren Buffett são esmiuçados no Capítulo 6.)

Hollywood nos forneceu a aparência clichê de um gestor de investimentos: fala em dois celulares ao mesmo tempo, faz anotações em ritmo frenético enquanto tenta acompanhar no computador as telas com dados bancários que piscam e bipam sem parar e demonstra uma expressão de agonia sempre que um desses dados exibe uma queda minúscula no preço de uma ação.

Warren Buffett está longe desse tipo de frenesi. Ele se movimenta com a calma que nasce de uma grande confiança. Buffett não tem necessidade de vigiar uma dezena de telas de computador ao mesmo tempo; as mudanças de minuto a minuto no mercado não têm o menor interesse para ele. Warren Buffett não pensa em termos de segundos, minutos, dias, meses ou trimestres, mas, sim, anos. Ele não precisa acompanhar de perto centenas de companhias, porque seus investimentos em ações ordinárias estão concentrados em algumas poucas. Ele se descreve como um "investidor com foco": "Nós apenas focamos umas poucas companhias proeminentes".[1] Essa abordagem, chamada "investimento com foco", simplifica em grande medida a tarefa de gerenciar o portfólio.

Investir com foco é uma ideia admiravelmente simples; contudo, como a maioria das ideias simples, apoia-se em bases complexas formadas por um entrelaçamento de conceitos. Neste capítulo, estudaremos mais de perto os efeitos produzidos por um investimento com foco, com o objetivo de lhe proporcionar um novo modo de pensar sobre a gestão de um portfólio. Uma palavra de alerta: é altamente provável que esta nova maneira seja exatamente o oposto do que sempre lhe disseram para fazer ao investir no mercado de ações.

O estado atual da gestão de um portfólio parece estar travado num cabo de guerra entre duas estratégias concorrentes: (1) a administração ativa do portfólio e (2) o investimento em índice.

Os administradores ativos de um portfólio estão constantemente em movimento, comprando e vendendo um grande volume de ações ordinárias. Seu trabalho consiste em tentar manter os clientes satisfeitos, senão correm o risco de perdê-los e inclusive ficar sem emprego. Para se manterem em alta, os gestores ativos tentam prever o que vai acontecer com as ações nos meses subsequentes para que, no final do trimestre, o portfólio esteja relativamente em boa forma e o cliente fique feliz.

Já o investimento em índices adota uma abordagem "buy-and-hold" ["comprar e manter"], que implica montar e então manter por anos ou décadas um portfólio de ações ordinárias amplamente diversificado, deliberadamente projetado para imitar o comportamento de um índice específico referencial, como o Standard & Poor's 500.

Os administradores ativos afirmam que, graças à sua habilidade superior para selecionar ações, podem ter um desempenho melhor do que qualquer índice. Os estrategistas de índice, por sua vez, contam com a vantagem da história. Todos os anos, de 1980 a 2011, somente 41% dos fundos mútuos de alta capitalização bateram o índice S&P 500.[2]

Do ponto de vista do investidor, a atração implícita das duas estratégias é a mesma: minimizar o risco por meio da diversificação. Ao reterem um alto número de ações que representam muitos segmentos e setores do mercado, os investidores esperam construir um bom manto protetor contra as terríveis perdas que poderiam ocorrer se tivessem posto todo o dinheiro numa única arena e esta sofresse algum desastre. Num período normal, como se costuma pensar, algumas ações num portfólio diversificado descem enquanto outras sobem, e nós ficamos de dedos cruzados para que estas compensem aquelas.

Para alcançar essa proteção, os administradores ativos mantêm um portfólio recheado. Em seu modo de ver, quanto mais ações o portfólio contiver, melhores suas chances. É melhor ter dez ações do que uma só, e ter 100 é melhor do que ter dez. Por definição, o fundo indexado permite esse tipo de diversificação, contanto que o índice que ele reflete também seja diversificado. É assim que funciona o fundo mútuo de ações tradicional, que tem mais de 100 ações.

Há apenas um problema: já faz tanto tempo que ouvimos esse mantra da diversificação que nos tornamos intelectualmente entorpecidos em relação à sua inevitável consequência: resultados medíocres. Tanto os fundos ativos como os indexados oferecem diversificação, mas, em geral, nenhuma dessas duas estratégias traz retornos excepcionais.

O que Buffett diz sobre esse debate incessante? Considerando essas duas opções em particular – a estratégia indexada *versus* a ativa –, ele não hesitaria em ficar com a indexada, assim como fariam os investidores com baixa tolerância a riscos e as pessoas que sabem muito pouco sobre a economia de um negócio, mas ainda querem participar dos benefícios de longo prazo de investir em ações ordinárias. Em seu estilo inimitável, Buffett afirma que, "investindo periodicamente num fundo indexado, os investidores que não sabem nada podem na verdade se sair melhor do que muitos profissionais de investimento".[3]

Todavia, Buffett logo indicaria que existe uma terceira alternativa, um tipo muito diferente de estratégia ativa de portfólio, que aumenta significativamente as chances de bater o índice. Essa alternativa é o investimento *com foco*. Em suma, investimento com foco quer dizer o seguinte: escolha algumas ações com possibilidade de produzir retornos acima da média a longo prazo, concentre o grosso de seus investimentos nessas ações e tenha força para se manter firme durante as oscilações de curta duração típicas do mercado.

Os princípios de Warren Buffett, quando seguidos de perto, levam inevitavelmente a boas empresas que são aceitáveis para um portfólio com foco. As empresas escolhidas terão um longo histórico de desempenho superior e gestão estável, e essa estabilidade aponta para uma alta probabilidade de, no futuro, terem o mesmo desempenho que demonstraram no passado. Esse é o cerne do investimento com foco: concentrar os investimentos em companhias com a mais alta probabilidade de desempenho acima da média. (A teoria da probabilidade, que chega a nós pelo campo da matemática, é um dos conceitos implícitos que constituem a fundamentação do investimento com foco. Mais adiante neste capítulo, veremos a teoria da probabilidade em maiores detalhes.)

Você se lembra do conselho de Buffett ao investidor que não sabe nada, recomendando que ele fique em fundos indexados? Ainda mais interessante foi o que ele disse em seguida: "Se você é um investidor que sabe alguma coisa, que é capaz de entender a economia do negócio e consegue localizar entre cinco e dez companhias com preços sensatos, que possuem importantes vantagens competitivas de longo prazo, a diversificação convencional não tem sentido para você".[4]

O que há de errado com a diversificação convencional? Para início de conversa, ela aumenta grandemente as chances de que você compre alguma coisa que não conhece o suficiente. Os investidores que "sabem alguma coisa", quando aplicam os princípios de Buffett, fariam melhor se focassem sua atenção apenas em poucas companhias – entre cinco e dez, como Buffett sugere. Para o investidor médio, pode-se defender a ideia de que invista em dez ou vinte companhias.

Como vimos no Capítulo 2, as ideias de Buffett foram grandemente influenciadas por Philip Fisher, e vemos com clareza a influência dele nessa questão da administração do portfólio. Fisher era famoso por seus portfólios com foco; ele sempre dizia que preferia ter um pequeno número de empresas de destaque que entendia bem, em vez de um grande número de empresas médias que em geral ele não entendia bem. Como vimos, Fisher normalmente limitava seus portfólios a menos de dez empresas, três ou quatro das quais representavam 75% do total de investimentos.

A influência de Fisher em Buffett também pode ser vista em sua opinião de que, quando você encontra uma grande oportunidade, o único curso de ação razoável é fazer um alto investimento. Hoje, Buffett adota esta maneira de pensar: "A cada investimento que faz, você deve ter a coragem e a convicção de colocar pelo menos 10% de seu valor líquido nessa ação".[5]

Você pode ver por que Buffett diz que o portfólio ideal não deve conter mais de dez ações, considerando que cada uma vai receber um peso de 10%. Porém, o investimento com foco não é uma simples questão de encontrar dez boas ações e dividir o lote de investimento igualmente entre elas. Ainda que todas as ações de um portfólio com foco sejam apostas de alta probabilidade de acerto, algumas terão inevitavelmente chances mais altas do que outras e devem poder receber um aporte maior do investimento.

O jogador de *blackjack*, também conhecido como vinte e um, entende essa estratégia de forma intuitiva; quando as chances estão fortemente a seu favor, ele faz uma aposta mais alta. Os investidores e apostadores baseiam-se na mesma ciência: a matemática. Junto com a teoria da probabilidade, a matemática contribui com outra parte da fundamentação do investimento com foco: o modelo de otimização de Kelly – a ser descrito em detalhes mais adiante neste capítulo. A fórmula de Kelly usa a probabilidade para calcular a otimização; neste caso, o tamanho ótimo da aposta que deve ser feita no portfólio.

O investimento com foco é a antítese da abordagem de alta rotatividade amplamente diversificada. Embora dentre todas as estratégias ativas o investimento com foco tenha mais chances de chegar a um desempenho melhor do que o retorno de um fundo indexado a longo prazo, ele exige que os investidores mantenham seu portfólio com paciência quando parece que outras estratégias estão avançando mais rápido. Em períodos mais curtos, percebemos que as mudanças nas taxas de juros, a inflação ou as expectativas de curtíssimo prazo para os lucros de uma companhia podem afetar o preço das ações. Mas, quando o horizonte de tempo se alonga, a economia predominante do negócio subjacente é que comandará o preço de sua ação.

E quanto dura esse tempo ideal? Não há uma regra definitiva, embora Buffett provavelmente possa dizer cinco anos, uma vez que esse é o prazo que ele adota para os resultados da Berkshire Hathaway. O objetivo não é um índice zero de rotatividade; isso é uma bobagem na direção oposta, pois impediria o investidor de aproveitar o que vem de melhor no futuro. Minha sugestão – a título de regra prática geral – é que deveríamos pensar num índice de rotatividade entre 10% e 20%. O índice de 10% de rotatividade sugere que o investidor segure suas ações por dez anos; o índice de 20% implica um período de cinco anos.

O investimento com foco busca resultados acima da média, e, como veremos, há evidências consistentes – tanto pesquisa acadêmica quanto um histórico de casos reais – de que essa abordagem é bem-sucedida quando aplicada com ponderação. Entretanto, não pode haver dúvida de que o caminho é cheio de obstáculos, pois um nível mais alto de volatilidade nos preços é um subproduto necessário da abordagem com foco. Os investidores com foco toleram os tropeços porque sabem que, a longo prazo, a economia subjacente das companhias mais do que compensará quaisquer flutuações de preço a curto prazo.

Buffett é mestre em ignorar os tropeços, assim como seu sócio, Charlie Munger, que chegou ao conceito fundamental do investimento com foco por um caminho ligeiramente diferente. Como ele explicou, "lá pelos idos dos anos 1960, eu realmente peguei uma tabela de taxas de juros compostos e fiz várias suposições sobre o tipo de vantagem que eu poderia ter em referência ao comportamento das ações ordinárias em geral".[6] Charlie esboçou diversos cenários para determinar o número de ações de que precisaria no portfólio de sua sociedade de investimentos e que tipo de volatilidade poderia esperar.

"Por ser jogador de pôquer, sei que você tem de apostar pesado quando tem altas chances a seu favor", disse Charlie. E concluiu que, desde que pudesse lidar com a volatilidade do preço, possuir somente três tipos de ação seria o bastante: "Eu sabia que podia lidar psicologicamente com os tropeços porque fui criado por pessoas que acreditavam poder lidar com tropeços".[7]

Talvez você também descenda de uma longa linhagem de pessoas capazes de lidar com tropeços, mas, mesmo que não tenha nascido com tanta sorte, pode desenvolver alguns desses traços. Você precisa decidir conscientemente se deseja mudar o modo como pensa e se comporta. Adquirir novos hábitos e padrões de pensamento não acontece da noite para o dia, mas certamente é viável aprender aos poucos a não entrar em pânico nem reagir impetuosamente aos caprichos do mercado.

A matemática do investimento com foco

É uma tremenda supersimplificação, mas não uma afirmação exagerada, dizer que o mercado de ações é um armazém gigantesco de incontáveis probabilidades. Esse armazém contém milhares de forças isoladas, todas combinadas para ditar preços, que estão em constante movimento; qualquer uma delas pode exercer um impacto drástico, e nenhuma é previsível com certeza absoluta. Assim, a tarefa do investidor é limitar o campo, identificando e removendo o que é mais desconhecido e, a seguir, focando no menos desconhecido. Essa tarefa é um exercício de probabilidade.

Quando não temos certeza da situação, mas ainda queremos expressar nossa opinião, costumamos iniciar nossos comentários assim: "é provável que..." ou "não é muito provável que...". Quando damos mais um passo à frente e tentamos quantificar essas expressões gerais, estamos lidando com probabilidades. As probabilidades são a linguagem matemática do risco.

Qual é a probabilidade de uma gata parir uma ave? Zero. Qual é a probabilidade de o sol nascer amanhã? A esse evento, considerado certo, é atribuída a probabilidade 1. Todos os eventos que não são nem completamente certos nem completamente impossíveis têm uma probabilidade de algum ponto entre 0 e 1, que é expressa como uma fração. E a teoria da probabilidade consiste em determinar essas frações.

Em 1654, Blaise Pascal e Pierre de Fermat trocaram uma série de cartas que formaram a base da teoria da probabilidade. Menino prodígio, com talento para a matemática e a filosofia, Pascal tinha sido desafiado pelo Cavaleiro de Méré, um filósofo e apostador, a resolver o enigma que tinha deixado muitos matemáticos sem resposta: como dois jogadores de cartas deveriam decidir quais as chances de vencer o jogo se tivessem de sair antes do fim da partida? Pascal consultou Fermat, outro gênio da matemática, para responder ao desafio de Méré.

Segundo Peter Bernstein, em *Desafios aos deuses*, seu maravilhoso tratado sobre risco, "a correspondência que Pascal e Fermat trocaram em 1654 sobre essa questão assinalou um evento marcante na história da matemática e da teoria da probabilidade".[8] Embora tenham atacado o problema de modo diferente (Fermat usou a álgebra, enquanto Pascal recorreu à geometria), conseguiram construir um sistema para determinar a probabilidade de vários desfechos possíveis. De fato, o triângulo de números de Pascal resolve muitos problemas, inclusive indicando a probabilidade de que seu time de futebol favorito ganhe o campeonato após perder o primeiro jogo.

O trabalho de Pascal e Fermat assinala o início da teoria da tomada de decisão. A teoria da decisão é o processo de decidir o que fazer quando você está incerto quanto ao que acontecerá. Disse Bernstein: "Tomar essa decisão é o primeiro passo essencial em qualquer iniciativa de lidar com o risco".[9]

* * *

Embora Pascal e Fermat tenham ambos recebido o crédito pelo desenvolvimento da teoria da probabilidade, outro matemático – Thomas Bayes – descreveu num ensaio as premissas para colocar em prática a teoria da probabilidade.

Nascido na Inglaterra em 1701, exatos 100 anos após Fermat e 78 após Pascal, Bayes teve uma vida discreta. Era membro da Royal Society, mas não publicou nada sobre matemática em vida. Após sua morte, veio a público um artigo intitulado "Essays towards solving a problem in the doctrine of chances" [Ensaios sobre a resolução de um problema na doutrina das probabilidades]. Na época, ninguém lhe deu muita importância, mas, de acordo com Bernstein, esse ensaio era "um trabalho notavelmente original que imortalizou Bayes entre os estatísticos, economistas e outros cientistas sociais".[10] O trabalho propunha uma maneira de os investidores fazerem uso da teoria matemática da probabilidade.

A análise bayesiana proporciona uma maneira lógica de examinar um conjunto de desfechos que são todos possíveis, mas dentre os quais apenas um ocorrerá. Trata-se de um procedimento conceitualmente simples. Começamos atribuindo uma probabilidade a cada um dos desfechos com base nas evidências que estiverem disponíveis. Se evidências adicionais se tornarem disponíveis, a probabilidade adicional é revisada a fim de incorporar as novas informações. O teorema de Bayes fornece o procedimento matemático para atualizar nossa opinião original, o que leva à mudança de nossas chances relevantes.

Como funciona esse teorema? Vamos imaginar que você e um amigo passaram a tarde jogando um jogo de tabuleiro e que agora, ao final de todas as partidas, estão batendo papo sobre vários elementos do jogo. Algo que o amigo lhe diz motiva você a fazer uma aposta amistosa: lançando o dado, você vai tirar um 6. As chances diretas são de uma em seis, uma probabilidade de 16%, mas então imagine que o amigo lança o dado rapidamente e logo o cobre com a mão, dando uma rápida espiada antes. "Uma coisa posso te dizer: é um número par", ele revela. Agora, você tem uma nova informação, e suas chances mudam radicalmente para uma em três, ou uma probabilidade de 33%. Enquanto você está considerando se muda a aposta ou não, o amigo incrementa a provocação: "E não é um 4". Com mais essa informação, suas chances mudam de novo para uma em duas, ou seja, 50% de probabilidade.

Por meio desse exemplo simples, você realizou uma análise bayesiana. Cada acréscimo de informação afetou a probabilidade original, e essa é uma inferência bayesiana.

A análise bayesiana é uma tentativa de incorporar todas as informações disponíveis num processo de fazer inferências, ou tomar decisões, a respeito do estado implícito da natureza. As faculdades e as universidades usam o teorema de Bayes para ajudar os estudantes a entender a tomada de decisão. Na sala de aula, a abordagem bayesiana é mais popularmente chamada de teoria da árvore de decisão. Cada ramo da árvore representa uma nova informação que, por sua vez, muda as chances da tomada de decisão. Charlie Munger explica que, "na Faculdade de Administração de Harvard, a grande coisa quantitativa que une a turma do primeiro ano é o que eles chamam de 'teoria da árvore de decisão'. É só pegar a álgebra do ensino médio e aplicá-la aos problemas da vida real. Os alunos adoram. Ficam encantados ao descobrir que a álgebra do ensino médio funciona na vida".[11]

Como Charlie salienta, a álgebra básica é extremamente útil para calcular probabilidades, mas a fim de aplicar a teoria da probabilidade à prática dos investimentos precisamos examinar mais profundamente como os números são calculados. Em particular, precisamos prestar atenção à noção de frequência.

O que significa dizermos que a probabilidade de adivinhar que vai dar cara num único lançamento de moeda é uma em duas? Ou que a probabilidade de aparecer um número ímpar num único lançamento de dado é uma em duas? Se uma caixa contém 70 bolinhas de gude vermelhas e 30 azuis, o que significa dizermos que a probabilidade é de três em dez de que será escolhida uma bolinha azul? Em todos esses exemplos, a probabilidade do evento é chamada de "interpretação da frequência" e se baseia na lei das médias.

Se um evento incerto se repete incontáveis vezes, a frequência de ocorrência desse evento se reflete em sua probabilidade. Por exemplo, se lançamos uma moeda 100 mil vezes, o número de vezes que se espera que dê cara é 50 mil. Repare que eu não disse que seria igual a 50 mil. A lei dos grandes números diz que a frequência relativa e a probabilidade precisam ser iguais somente para um número infinito de repetições. Na teoria, sabemos que, num lançamento honesto de uma moeda, a chance de dar cara é uma em duas, mas nunca seremos capazes de dizer que a chance é igual até que tenha ocorrido um número infinito de lançamentos.

Em qualquer problema que lida com a incerteza, é bastante óbvio que nunca seremos capazes de fazer uma afirmação definitiva. No entanto, se o problema for bem definido, deveremos ser capazes de listar todos os resultados possíveis. Se um evento incerto se repete com frequência suficiente, a frequência dos resultados deve refletir a probabilidade dos diferentes resultados possíveis. A dificuldade acontece quando se trata de um evento que só ocorre uma vez.

Como estimamos a probabilidade de passar na prova de ciências amanhã ou a probabilidade de o time Green Bay Packers vencer o Super Bowl? O problema que temos pela frente é que cada um desses eventos é único. Podemos analisar todas as estatísticas dos jogos anteriores do Green Bay, mas não temos um número suficiente de confrontos com exatamente os mesmos atletas, jogando por seus times em circunstâncias idênticas. Podemos nos lembrar de provas anteriores de ciências para ter uma ideia de como nos saímos, mas as provas não são idênticas, e nosso conhecimento não é constante.

Sem testes repetidos, que produziriam uma frequência de distribuição, como podemos calcular uma probabilidade? Não podemos. Em vez disso, temos de contar com a interpretação subjetiva das probabilidades. Fazemos isso o tempo todo. Poderíamos dizer que as chances de os Packers ganharem o troféu são duas para uma, ou que a possibilidade de passar numa prova de ciências difícil é uma em dez. Essas são afirmações probabilísticas; elas descrevem o *grau da nossa crença* naquele evento. Quando não é possível fazer repetições suficientes de um dado evento para chegar a uma interpretação de sua probabilidade baseada na frequência, temos de contar com nosso bom senso.

Você pode ver imediatamente que muitas interpretações subjetivas daqueles dois eventos iriam levá-lo na direção errada. Na probabilidade subjetiva, cabe a você o ônus de analisar suas suposições. Pare e pense nelas a fundo. Você está supondo que tem uma chance em dez de ir bem na prova de ciências porque o material é mais difícil e você não se preparou como devia, ou por falsa modéstia? Sua lealdade perpétua aos Packers não está deixando que você enxergue a superioridade do outro time?

De acordo como os manuais de análise bayesiana, se você pensa que suas suposições são razoáveis, é "perfeitamente aceitável" que torne sua probabilidade subjetiva de determinado evento igual à probabilidade da frequência.[12] O que você deve fazer é filtrar e eliminar o que é ilógico e não razoável e conservar o que é razoável. É proveitoso pensar que as probabilidades subjetivas não são nada mais do que extensões do método da probabilidade de frequência. Em muitos casos, inclusive, as probabilidades subjetivas adicionam valor porque essa abordagem nos permite levar em conta questões operacionais em vez de depender de uma regularidade estatística de longo prazo.

A teoria da probabilidade e o mercado

Independentemente de os investidores reconhecerem ou não, praticamente todas as decisões que eles tomam são exercícios de probabilidade. Para que tenham êxito, é fundamental que suas declarações sobre probabilidade combinem o registro histórico com os dados mais recentes disponíveis. E isso é a análise bayesiana em ação.

Buffett nos ensina a "tirar a probabilidade de perder vezes a quantidade de perdas possíveis da probabilidade de ganhar vezes a quantidade de ganhos possíveis. É isso que estamos tentando fazer. É imperfeito, mas é somente disso que se trata".[13]

Um exemplo útil que ajuda a esclarecer o elo entre investimento e teoria da probabilidade é a prática da arbitragem de risco. A arbitragem pura nada mais é do que lucrar com a discrepância no preço de um título citado em dois mercados diferentes. Por exemplo, commodities e moedas são citadas em diversos mercados em todo o mundo. Se dois mercados separados citam um preço diferente para a mesma commodity, você pode comprar num deles, vender no outro e embolsar a diferença.

A arbitragem de risco, que é a forma mais comumente praticada hoje em dia, envolve fusões ou aquisições corporativas anunciadas, mas essa é uma área que Buffett evita, portanto, nós também. Em discurso a um grupo de alunos da Universidade Stanford, Buffett explicitou sua opinião sobre a arbitragem de risco: "Minha tarefa é avaliar a probabilidade de os eventos [as fusões anunciadas] de fato transpirarem, assim como a taxa ganho/perda".[14]

Antes de abordarmos os próximos comentários que Buffett fez aos alunos de Stanford, vamos imaginar o seguinte cenário: suponha que a companhia Abbott tenha começado o dia negociando sua ação a 18 dólares. No meio da manhã, ela anuncia que em algum momento do ano, talvez dentro de seis meses, a Abbott será vendida para a companhia Costello ao valor de 30 dólares a ação. Imediatamente, o preço da Abbott dispara para 27 dólares, nível em que permanece estável, e depois começa a oscilar.

Buffett fica sabendo da fusão anunciada e precisa tomar uma decisão. Em primeiro lugar, ele tenta avaliar o grau de certeza. Alguns acordos corporativos acabam não se materializando. O conselho de administração pode inesperadamente resistir à ideia da fusão, ou a Federal Trade Commission [Comissão Federal do Comércio] pode apresentar uma objeção. Ninguém jamais sabe ao certo se o acordo, com arbitragem de risco, será de fato fechado, e é aí que entra o risco.

O processo de decisão de Buffett é um exercício de probabilidade subjetiva. Como ele explica, "se eu pensar que há 90% de chance de ocorrer e que existem três aspectos positivos, e 10% de chance de não dar certo e nove pontos negativos, isso representa 90 centavos de dólar a menos em 2,70 dólares, deixando 1,80 dólar de expectativa matemática".[15]

Segundo Buffett, depois é preciso calcular o tempo envolvido e, então, relacionar o retorno do investimento a outros investimentos disponíveis a você. Se você comprou uma ação da companhia Abbott a 27 dólares, de acordo com a matemática de Buffett existe um retorno potencial de 6,6% (1,80 dólar/27 dólares). Se é esperado que o negócio seja fechado em seis meses, o retorno anualizado do investimento seria de 13,2%. A seguir, Buffett iria comparar o retorno dessa arbitragem de risco com outros retornos disponíveis a ele.

Buffett reconhece livremente que a arbitragem de risco contém potencial para perdas. Ele diz: "Estamos perfeitamente dispostos a perder dinheiro em determinada transação, e a arbitragem é um exemplo, mas não estamos dispostos a entrar em nenhuma transação que achamos que contém a probabilidade de alguns eventos mutuamente independentes e similares gerarem perda. Esperamos estar entrando em transações em que nossos cálculos de probabilidades tenham validade".[16]

Podemos ver com bastante clareza que as estimativas de arbitragem de risco de Buffett são probabilidades subjetivas. Não existe distribuição de frequência na arbitragem de risco. Cada acordo é único. Cada circunstância exige estimativas diferentes. Mesmo assim, há valor em se aproximar de um negócio de arbitragem de risco com o apoio de cálculos matemáticos racionais. Como verificaremos adiante, esse processo não é diferente de quando você investe em ações ordinárias.

A otimização de Kelly

Toda vez que você entra num cassino, a probabilidade de que saia de lá tendo ganhado alguma coisa é muito pequena. Isso não deveria surpreender; afinal de contas, todos sabemos que é a casa que leva vantagem. Mas há um jogo que, se for jogado corretamente, lhe oferece uma chance legítima de derrotar a casa: o *blackjack*, também conhecido como vinte e um. Em seu livro *Beat the Dealer: A Winning Strategy for the Game of Twenty-One*, Edward O. Thorp, formado em matemática, descreve um processo estratégico para derrotar o cassino. [17]

A estratégia de Thorp se baseia num conceito simples. Quando o baralho está cheio de 10, figuras e ases, você tem uma vantagem estatística sobre o carteador. Se você atribuir -1 às cartas altas e +1 para as baixas, é muito fácil rastrear as cartas que saíram; basta manter um cálculo contínuo na cabeça, somando e subtraindo conforme as cartas aparecem. Quando a conta resulta positiva, você sabe que ainda há mais cartas altas para sair. Os jogadores astutos reservam suas maiores apostas para quando a conta das cartas atinge um número alto.

Camuflada no livro de Thorp há uma nota sobre o modelo de aposta de Kelly.[18] Ele, por sua vez, se inspirou em Claude Shannon, o inventor da teoria da informação.

Shannon era um matemático que trabalhava na empresa Bell Laboratories, nos anos 1940, e passou boa parte de sua carreira tentando encontrar a melhor maneira de transmitir informação através de fios de cobre sem que os dados fossem corrompidos pelo ruído molecular aleatório. Em 1948, num artigo intitulado "A mathematical theory of communication" [Uma teoria matemática da comunicação],[19] ele descreveu o que havia descoberto: uma fórmula matemática para a quantidade ótima de informação que, considerando a possibilidade de sucesso, pode ser enviada através de um fio de cobre.

Alguns anos depois, J. L. Kelly, outro matemático, leu o artigo de Shannon e entendeu que aquela fórmula poderia funcionar com a mesma facilidade numa situação de apostas, outra iniciativa humana que poderia ser aprimorada, conhecendo-se as possibilidades de sucesso. Em 1956, num artigo intitulado "A new interpretation of information rate" [Uma nova interpretação da taxa de informação], Kelly salientava que as várias taxas de transmissão de Shannon e os possíveis desfechos de um evento aleatório eram essencialmente a mesma coisa – probabilidades – e que a mesma fórmula poderia otimizar ambos.[20]

O modelo de otimização de Kelly, frequentemente chamado "estratégia do crescimento ótimo", é baseado no conceito de que, se você conhece a probabilidade de sucesso, você aposta a fração de seus recursos que maximize a taxa de crescimento. Isso se expressa pela fórmula $2p - 1 = x$, em que 2 vezes a probabilidade de ganhar (p) menos 1 é igual à porcentagem do total de recursos que você deveria apostar (x). Por exemplo, se a probabilidade de derrotar a casa for de 55%, você deveria apostar 10% de seus recursos para obter o máximo aumento de seus ganhos. Se a probabilidade for de 70%, aposte 40%. E se você sabe que as chances de ganhar são de 100%, o modelo dirá: aposte tudo.

O mercado de ações, naturalmente, é muito mais complexo do que o jogo de vinte e um. Num jogo de cartas, há um número finito de cartas; portanto, um número limitado de resultados possíveis. Com seus muitos milhares de ações e milhões de investidores, o mercado de ações tem um número quase ilimitado de resultados possíveis. Usar a abordagem de Kelly requer constantes ajustes e recálculos ao longo de todo o processo de investimento. Não obstante, o conceito implícito – ligar matematicamente o grau de probabilidade ao tamanho do investimento – contém lições importantes.

Acredito que o modelo de Kelly seja uma ferramenta atraente para investidores com foco. No entanto, só será benéfico para aqueles que o usarem com responsabilidade. Há alguns riscos em aplicar a abordagem de Kelly, e os investidores devem ter em mente e compreender suas três limitações:

1. A pessoa que pretende investir, usando ou não o modelo de Kelly, deve ter um horizonte de longo prazo. Mesmo que o jogador de vinte e um tenha um modelo consistente capaz de vencer a banca, nem sempre esse sucesso se revela logo nas primeiras rodadas. Vale o mesmo para os investimentos. Quantas vezes o investidor viu que tinha escolhido a empresa certa, mas o mercado não teve pressa para recompensar essa escolha?
2. Evite recorrer à alavancagem. O perigo de fazer um empréstimo para investir no mercado de ações (com uma conta margem) já foi alardeado em alto e bom som tanto por Ben Graham como por Warren Buffett. Uma inesperada necessidade de usar seu capital pode ocorrer no momento menos feliz do jogo. Se você usa o modelo de Kelly numa conta margem, um declínio no mercado de ações pode forçá-lo a vender suas ações e, assim, retirar uma aposta de alta probabilidade.
3. O maior perigo de entrar num jogo de alta probabilidade é o risco de se exceder na aposta. Se você avalia que um evento tem 70% de chance de sucesso, quando na realidade tem somente 55%, você corre o risco da chamada "ruína do jogador". O jeito de minimizar esse risco é apostar menos, usando o que se conhece como "modelo semi-Kelly" ou "fração de Kelly". Por exemplo, se o modelo de Kelly lhe diz para apostar 10% de seu capital, você pode escolher apostar somente 5% (semi-Kelly). Tanto a aposta semi-Kelly como a fracionária

fornecem uma margem de segurança para a gestão do portfólio; junto com a margem de segurança que aplicamos na escolha de ações individuais, essas opções garantem uma dupla camada de proteção.

Como o risco de apostar em excesso é muito maior do que as penalidades de apostar menos, acredito que todos os investidores, especialmente os que só estão começando a usar a estratégia de investir com foco, deveriam recorrer às apostas fracionárias de Kelly. Infelizmente, minimizar suas apostas também minimiza seus ganhos potenciais. Entretanto, como o relacionamento no modelo de Kelly é parabólico, a penalidade para apostar menos não é severa. Uma aposta semi-Kelly, que reduz em 50% o valor que você aposta, reduz a taxa de crescimento potencial em 25%.

Munger e as probabilidades das apostas

Em 1994, Charlie Munger aceitou um convite do dr. Guilford Babcock para uma palestra para os alunos do curso de investimentos da Faculdade de Economia da Universidade do Sul da Califórnia. Ele abordou vários tópicos, inclusive a "arte de obter experiência de vida". Ele ainda explicou, do jeito que só ele sabe, o que pensa de probabilidades e otimização: "O modelo de que gosto – a fim de simplificar a noção do que é o mercado de ações ordinárias – é o sistema usado no turfe e chamado de "apostas mútuas". Se você parar para pensar, o sistema de apostas mútuas é um mercado: todo mundo vai lá e aposta, e as chances mudam com base no que foi apostado. É isso que acontece no mercado de ações".

Ele ainda disse: "Qualquer paspalho pode ver que um cavalo de baixo peso, com um histórico maravilhoso de vitórias, uma boa posição etc. tem muito mais probabilidade de ganhar do que o cavalo com um histórico terrível, peso extra etc. Mas, se você analisar as chances, o cavalo ruim paga 100 por 1 e o cavalo bom, 3 por 2. Então, do ponto de vista estatístico, não fica claro qual é a melhor aposta. Os preços mudaram de tal maneira que ficou muito difícil derrotar o sistema".[21]

A analogia do turfe usada por Charlie é perfeita para investidores. Muito frequentemente, eles são atraídos por um cavalo azarão, porém com retorno vantajoso, mas que, por alguma razão, não termina a corrida. Ou, às vezes, escolhem o animal dado como certo sem nem prestar atenção no possível ganho. Para mim, parece que o jeito mais sensato de lidar com apostas em cavalos ou no mercado de ações é esperar até que o cavalo bom, ou o mercado de ações, se apresente com chances convidativas.

O elemento psicológico

Andrew Beyer, autor de vários livros sobre corrida de cavalos puro-sangue, passou muitos anos observando as apostas feitas por frequentadores de jóqueis-clubes e verificou que grande quantidade deles perdia dinheiro por causa da impetuosidade. No turfe, assim como em todos os lugares, a mentalidade do cassino – a ânsia de entrar em ação, pondo dinheiro na mesa, lançando o dado, puxando a alavanca, fazendo alguma coisa – impulsiona a pessoa a apostar estupidamente, sem parar para refletir sobre o que está fazendo.

Beyer, que entende a ânsia psicológica de entrar em ação, aconselha o jogador a lidar com isso dividindo sua estratégia entre apostas de ação e apostas *prime*.

As apostas *prime* são reservadas para os jogadores sérios quando ocorrem duas condições específicas: (1) alta confiança na capacidade de o cavalo vencer e (2) chances de lucro maiores do que o esperado. Esse tipo de aposta exige muito dinheiro. Já as apostas de ação, como o próprio nome indica, são reservadas para palpites e azarões que satisfazem a necessidade psicológica de apostar. Envolvem valores menores e nunca se tornam uma parte significativa do conjunto de apostas da pessoa.

Quando o apostador começa a perder de vista a distinção entre apostas *prime* e apostas de ação, como Beyer salienta, ele "está dando um passo que inevitavelmente levará a apostas de má qualidade, sem equilíbrio entre escolhas fortes e fracas".[22]

Da teoria à realidade

Agora, vamos sair do jóquei-clube e reunir toda essa teoria para aplicá-la à realidade do mercado de ações. O encadeamento de ideias continua o mesmo.

1. *Calcule as probabilidades.* A probabilidade que você deve considerar é esta: quais são as chances de esta ação que estou pensando em comprar me proporcionar, com o tempo, um retorno econômico maior do que o do mercado de ações?
2. *Espere as melhores chances.* As chances de sucesso estão a seu favor quando você tem uma margem de segurança; quanto mais incerta a situação, maior a margem de que você precisa. No mercado de ações, a margem de segurança é proporcionada por um preço com desconto. Quando a companhia de que você gosta está vendendo a um preço abaixo de seu valor intrínseco, essa é a sua deixa para agir.

3. *Adapte-se a novas informações.* Sabendo que você vai aguardar até que as chances fiquem a seu favor, preste escrupulosa atenção, nesse ínterim, a tudo que a companhia faz. A gestão começou a agir de modo irresponsável? As decisões financeiras começaram a mudar? Aconteceu alguma coisa que pode vir a alterar o cenário da concorrência em que o negócio atua? Nesse caso, as probabilidades possivelmente mudarão.
4. *Decida quanto investir.* De todo o dinheiro que você tem à disposição para investir no mercado, que proporção deve ser alocada para uma aquisição específica? Comece com a fórmula de Kelly e depois ajuste para baixo, talvez para uma aposta semi-Kelly ou uma aposta Kelly-fracionária.

Pensar em probabilidades pode ser algo novo para você, mas não é impossível aprender a usá-las. Se você é capaz de aprender a pensar em ações dessa maneira, já tem meio caminho andado para se tornar capaz de lucrar com suas próprias aulas. Lembre-se de quando Buffett comprou a Coca-Cola em 1988. Ele investiu um terço do portfólio da Berkshire nessa companhia. A Coca-Cola era um negócio de destaque, com uma economia acima da média, vendendo a um preço substancialmente abaixo de seu valor intrínseco. Oportunidades como essa não ocorrem muitas vezes no mercado de ações, mas, quando ocorrem, quem entende de probabilidades irá reconhecê-las e saberá o que fazer. Nas palavras de Charlie Munger, "o [investidor] sábio aposta pesado quando o mundo lhe oferece essa oportunidade. Ele aposta alto quando tem as chances a seu favor. No resto do tempo, não aposta. Simples assim".[23]

Investidores com foco em Graham & Doddsville

Em 1934, no auge da Grande Depressão, um livro notável foi publicado, mas com um título nem tão notável assim: *Security Analysis*. Seus coautores, Benjamin Graham e David Dodd, tinham trabalhado nele por cinco anos. O tempo que tinham para escrever era interrompido pelos cursos que ministravam na Universidade Columbia e pela ajuda que prestavam a clientes que precisavam enfrentar as consequências da quebra da Bolsa de 1929. Mais tarde, Graham disse que a demora se mostrou providencial, pois lhe permitiu incluir "a sabedoria adquirida ao custo de muito sofrimento".[24] *Security Analysis* é universalmente reconhecido como um clássico. Após cinco edições e 80 anos desde a primeira, continua sendo publicado. É impossível exagerar sua influência no mundo moderno do investimento.

Cinquenta anos depois da primeira edição, a Faculdade de Economia da Universidade Columbia promoveu um seminário para comemorar a data. Warren Buffett, um dos ex-alunos mais conhecidos da faculdade e o mais famoso defensor da abordagem de valor proposta por Graham, foi convidado para falar. Com um discurso intitulado "The Superinvestors of Graham-and--Doddsville", sua palestra acabou, também ela, se tornando um clássico, tal como o livro que homenageava.[25]

A maior parte da plateia naquele dia de 1984 – professores, pesquisadores e outros acadêmicos do corpo docente – ainda defendia com convicção a teoria moderna do portfólio e a validade da hipótese do mercado eficiente. Não foi surpresa nenhuma quando Buffett discordou firmemente e, em sua palestra, demoliu a plataforma sobre a qual se assentava a teoria do mercado eficiente.

Ele começou recapitulando o argumento central da teoria moderna do portfólio: que o mercado de ações é eficiente, que todas as ações são precificadas corretamente e que aqueles que batem o mercado ano após ano são apenas pessoas de sorte. "Talvez sejam", ele ainda disse, "mas conheço alguns sujeitos que fizeram isso, e o sucesso deles não pode explicado apenas como meramente aleatório."

Em seguida, Buffett passou a apresentar as evidências. Todos os exemplos que deu naquele dia envolviam pessoas que tinham conseguido bater o mercado com o tempo e haviam chegado a esse resultado não por sorte, mas por terem seguido os princípios assimilados da mesma fonte: Ben Graham. Segundo ele, todos são habitantes da "aldeia intelectual" chamada Graham & Doddsville.

Embora possam tomar decisões específicas com algumas diferenças, como Buffett explicou, essas pessoas são ligadas por uma mesma abordagem que busca aproveitar as discrepâncias entre o preço do mercado e o valor intrínseco. Ele também disse que "é desnecessário lembrar que nossos investidores inspirados em Graham e Dodd não discutem beta, o modelo de precificação de ativos [ou CAPM, sigla em inglês], nem a covariância de retornos. Esses não são tópicos de interesse para eles. De fato, a maioria desses investidores teria dificuldade para definir esses termos".

Num artigo publicado após sua palestra de 1984, Buffett incluiu tabelas que apresentavam resultados impressionantes de desempenho dos seguidores de Graham & Doddsville.[26] Mas não foi somente a abordagem de Graham em relação a investimentos de valor que uniu esses grandes investidores. Cada um deles – Charlie Munger, Bill Ruane e Lou Simpson – também conseguiu trabalhar com portfólios focados, tal como fazia Buffett. Podemos aprender muito com o histórico de desempenho deles, mas, antes de começarmos essa investigação, vamos estudar um pouco nosso primeiro investidor com foco.

John Maynard Keynes

A maioria das pessoas reconhece John Maynard Keynes por suas contribuições à teoria econômica, mas poucos sabem que ele também foi um lendário investidor. Uma prova de suas façanhas no âmbito dos investimentos pode ser encontrada no registro de desempenhos do Chest Fund, no King's College, em Cambridge, Inglaterra.

Antes de 1920, os investimentos do King's College se restringiam a títulos de renda fixa. Quando Keynes foi nomeado segundo tesoureiro, no final de 1919, ele persuadiu os curadores a começarem a separar um fundo que conteria apenas ações ordinárias, moedas e futuras commodities. Esse fundo à parte tornou-se o Chest Fund. A partir de 1927, quando foi nomeado primeiro tesoureiro, até sua morte, em 1945, Keynes foi o único responsável por essa conta. Durante todos esses anos, manteve os ativos focados em apenas poucas companhias. Em 1934, mesmo ano em que foi publicada a obra *Security Analysis*, Keynes escreveu a um colega, explicando seus motivos: "É um erro pensar que limitamos nosso risco diversificando demais em empresas que não conhecemos muito e em que não temos nenhum motivo especial para confiar. [...] Nossos conhecimentos e experiências são definitivamente limitados, e em geral não há mais do que duas ou três empresas, em qualquer período definido, nas quais eu me sinta pessoalmente autorizado a depositar inteira confiança".[27]

Quatro anos mais tarde, Keynes preparou um relatório completo de política para o Chest Fund, apresentando seus princípios:

1. uma criteriosa seleção de poucos investimentos, levando em conta seu baixo custo em relação a seu provável valor atual e potencial valor *intrínseco* [grifo de Keynes], por um período de alguns anos e em relação a investimentos alternativos nessa época;
2. a resoluta retenção dessas unidades razoavelmente grandes ao longo dos altos e baixos de vários anos, até que tenham concretizado sua promessa ou que tenha ficado evidente que foram adquiridas erroneamente;
3. uma posição *equilibrada* de investimentos [grifo de Keynes], ou seja, uma variedade de riscos, apesar de os produtos de investimentos individuais serem grandes, e, se possível, riscos opostos.[28]

Embora ele não tenha usado o termo, acredito que esteja claro, pela política de investimentos de Keynes, que ele era um investidor "com foco". Ele limitava propositalmente sua compra de ações a poucas e bem escolhidas companhias e confiava numa análise fundamental para estimar o valor de suas preferências quanto ao preço. Gostava de manter o rodízio do portfólio a uma taxa muito baixa e almejava incluir "riscos opostos" introduzindo uma variedade de posições econômicas concentradas em negócios previsíveis, de alta qualidade.

Como se saiu Keynes durante sua gestão? Ao longo de seus 18 anos no comando do Chest Fund, o retorno anual médio do fundo atingiu 13,2% numa época em que o mercado geral do Reino Unido permanecia basicamente constante. Considerando que esse período incluiu tanto a Grande Depressão quanto a Segunda Guerra Mundial, devemos dizer que o desempenho de Keynes foi extraordinário.

Mesmo assim, o Chest Fund enfrentou períodos dolorosos; em três anos distintos (1930, 1938 e 1940), seu valor caiu significativamente mais do que o mercado do Reino Unido em geral. Em 1983, revendo o histórico de desempenho de Keynes, dois analistas fizeram o seguinte comentário: "Com base nas amplas oscilações do patrimônio do fundo, é óbvio que ele deve ter sido mais volátil do que o mercado".[29] De fato, se mensurarmos o desvio-padrão do Chest Fund, descobriremos que ele se mostrou duas vezes e meia mais volátil do que o mercado em geral. Sem dúvida, os investidores desse fundo às vezes passaram por uma fase turbulenta, mas, no fim, tiveram ganhos significativamente maiores do que os proporcionados pelo mercado.

* * *

A menos que você pense que Keynes, com seus conhecimentos de macroeconomia, possuía a habilidade de fazer marketing no momento exato, repare nesta observação dele sobre política de investimento: "Não nos mostramos capazes de aproveitar o movimento sistemático geral de aproximação e afastamento das ações ordinárias como um todo, em diferentes fases do ciclo de negociações", ele escreveu. "Como resultado dessas experiências, tenho a convicção de que a ideia de uma mudança completa é, por várias razões, impraticável e inclusive indesejável. Muitos investidores que tentam [fazer isso] vendem tarde demais e compram tarde demais, e fazem isso com alta frequência, incorrendo em muitas despesas; desenvolvem um modo de pensar instável e especulativo que, se for difundido, acarreta a grave desvantagem social de agravar a escala das flutuações."[30]

A alta rotatividade aumenta as despesas, promove uma mentalidade especulativa e torna piores as flutuações do mercado geral. Era verdade naquele tempo, assim como é agora.

Charles Munger Partnership

Embora o desempenho dos investimentos da Berkshire Hathaway em geral esteja vinculado a seu presidente, nunca devemos nos esquecer de seu vice-presidente, Charlie Munger, ele mesmo um extraordinário investidor. Buffett conta que o conheceu "por volta de 1960 e lhe disse então que a advocacia era um belo passatempo, mas que ele podia fazer mais".[31] Como você deve se lembrar do Capítulo 2, naquela época Munger tinha um movimentado escritório de advocacia em Los Angeles. Aos poucos, foi direcionando suas energias para uma nova sociedade de investimentos que levava seu nome.

"O portfólio dele se concentrava em bem poucos títulos, e, portanto, seu desempenho era muito mais volátil", Buffett explicou, "mas se baseava na mesma abordagem de desconto sobre o valor." Quando tomava decisões de investimento para sua sociedade, Charlie seguia a metodologia de Graham e só contemplava empresas que estivessem vendendo abaixo de seu valor intrínseco: "Ele estava disposto a aceitar altas e baixas de desempenho e, por coincidência, é um sujeito cuja psique tende à concentração".[32]

Observe que Buffett não usa a palavra "risco" para descrever o desempenho de Charlie. Utilizando a definição convencional de risco, como a encontramos na teoria moderna do portfólio, em que o risco decorre da volatilidade dos preços, há quem diga que, ao longo de seus 13 anos de existência, a sociedade de Charlie foi extremamente arriscada. Seu desvio-padrão era quase duas vezes o do mercado, mas bater o retorno médio anual do mercado por 18 pontos, durante esse período, foi o feito de um investidor astuto, não de alguém que corre riscos.

Sequoia Fund

Buffett conheceu Bill Ruane em 1951, quando ambos frequentavam o curso de análise de títulos ministrado por Graham na Universidade Columbia. Os dois colegas de classe mantiveram contato desde então, e Buffett pôde observar de perto, com admiração, o desempenho de Ruane como investidor. Quando

Buffett encerrou sua sociedade de investimentos, em 1969, pediu que Ruane gerisse os fundos de alguns dos sócios. Esse foi o começo do Sequoia Fund.

Os dois homens sabiam que era um momento difícil para criar um fundo mútuo, mas Ruane mergulhou de cabeça. O mercado de ações estava se dividindo em um mercado de segundo nível. A maior parte do *hot money* [crédito de curtíssimo prazo] estava gravitando em torno das novas *nifty fifty* [as 50 empresas com mais alto valor de mercado], o que deixava as ações de valor bem para trás. Embora, como Buffett salientou, o desempenho comparativo para investidores em valor no início dos anos 1970 fosse difícil, "fico feliz de dizer que meus sócios, num nível espantoso, não só ficaram com Ruane como puseram mais dinheiro e com ótimos resultados".[33]

O Sequoia Fund foi um verdadeiro pioneiro, o primeiro fundo mútuo gerido de acordo com os princípios do investimento com foco. Os registros públicos dos produtos de investimento do Sequoia demonstram claramente que Bill Ruane e Rick Cuniff, seu sócio na Ruane, Cuniff & Company, administravam um portfólio de baixa rotatividade e foco muito estreito. Em média, bem mais de 90% do fundo estava investido num grupo de seis a dez companhias. Mesmo assim, a diversidade econômica do portfólio era – e continua a ser – ampla. Ruane tem observado com frequência que, embora o Sequoia seja um portfólio focado, sempre possuiu uma variedade de negócios.

Desde o começo, Bill Ruane foi um gestor de investimentos singular. Em termos gerais, a maioria dos gerentes de investimentos constrói um portfólio de ações não muito diferente do índice contra o qual mede forças. O gestor de portfólio entende os pesos que o setor da indústria confere ao índice e então passa a preencher o portfólio com ações adequadas a cada setor. Na corretora Ruane, Cuniff & Company, os sócios começam com a ideia de selecionar as melhores ações possíveis e então deixam que o portfólio se forme em torno dessas escolhas.

É claro que escolher as melhores ações possíveis exige um alto nível de pesquisa. Essa firma construiu a reputação de ser uma das mais brilhantes corretoras de gestão financeira. Os gestores evitam os relatórios de pesquisa de Wall Street fornecidos por corretores. Em vez deles, confiam nas intensas investigações de suas próprias empresas. "Nós não damos muita importância a títulos em nossa companhia", Ruane disse certa vez, "mas, se déssemos, meu cartão de visitas diria 'Bill Ruane, analista de pesquisa'."

Esse tipo de mentalidade é incomum em Wall Street, como ele explicou: "As pessoas normalmente começam a carreira numa função de analista, mas aspiram a uma promoção ao cargo de gestor de portfólio, que tem mais prestígio. Nós, ao contrário, sempre acreditamos que, se você é um investidor de longo prazo, a função de analista é da máxima importância, e a gestão do portfólio é uma decorrência natural".[34]

Em que medida essa abordagem específica beneficiou os acionistas do Sequoia? De 1971 a 2013, o Sequoia Fund obteve em média um retorno anual de 14,46%, comparado aos 10,65% do índice Standard & Poor's 500.

Como outros portfólios com foco, o Sequoia Fund alcançou esse retorno acima da média com uma trajetória ligeiramente mais acidentada. O desvio-padrão do mercado durante esse período foi de 16,1%, enquanto o do Sequoia foi de 21,2%. Os que adotam a teoria moderna do portfólio e sua definição de risco podem concluir, como fez a Munger Partnership, que o Sequoia correu mais riscos para obter seu retorno em excesso, mas os que reconhecem o cuidado e a diligência que caracterizaram a pesquisa do Sequoia teriam bastante dificuldade para concluir que sua abordagem foi arriscada.

Lou Simpson

Por volta da época em que Warren Buffett começou a adquirir ações da seguradora GEICO, no final dos anos 1970, ele também realizou uma aquisição que teria um impacto direto na saúde financeira da GEICO: Lou Simpson.

Depois de obter o grau de mestre em economia pela Universidade Princeton, Simpson foi trabalhar na Stein Roe & Farnham e na Western Asset Management, antes de Buffett atraí-lo para a GEICO, em 1979. Ao recordar a entrevista de emprego, Buffett se lembra de que Lou tinha "o temperamento ideal para um investidor". Era um sujeito que pensava de maneira independente, confiava em suas próprias pesquisas e "não extraía nenhum prazer particular de operar a favor ou contra a maioria das pessoas".[35]

Lou desenvolveu a fama de ser um leitor voraz que ignorava os relatórios de pesquisa de Wall Street e, em vez disso, se concentrava nos relatórios anuais das companhias. Seu processo de seleção de ações ordinárias era similar ao de Buffett. Ele só comprava negócios de alto retorno que fossem dirigidos por uma gestão competente e que estivessem disponíveis por um preço razoável. Lou tinha outro atributo em comum com Buffett: concentrava seu portfólio em apenas poucos tipos de ações. O portfólio do patrimônio bilionário da GEICO tinha tipicamente menos de dez tipos de ações.

Entre 1980 e 2004, o portfólio da GEICO obteve um retorno médio anual de 20,3%, enquanto o do mercado foi de 13,5%. Nas palavras de Buffett,

"Lou investiu de modo consistente em ações ordinárias subvalorizadas que, individualmente, era improvável que lhe causassem uma perda permanente e que, coletivamente, eram quase livres de risco".[36]

Vemos aqui mais uma vez a noção de risco adotada por Buffett: ela não tem nada a ver com a volatilidade dos preços, mas, sim, com a certeza de que as ações individuais, com o tempo, produzirão lucro.

O desempenho de Simpson e seu estilo de investimento ajustam-se muito bem ao modo de pensar de Buffett: "Lou pratica a mesma abordagem concentrada e conservadora que usamos na Berkshire, e é um bônus enorme para nós tê-lo a bordo. São muito poucas as pessoas a quem delego a gestão do dinheiro e dos negócios dos quais temos o controle, mas fico feliz em fazer isso com Lou".[37]

Buffett, Munger, Ruane, Simpson. Está claro que os superinvestidores de Buffettville têm a mesma abordagem intelectual em relação ao investimento. O que os une é a opinião de que o jeito de reduzir os riscos é comprar ações somente quando a margem de segurança (ou seja, a discrepância favorável entre o valor intrínseco da empresa e o preço no mercado hoje) é alta. Eles também acreditam que concentrar o portfólio em torno de um número limitado desses eventos de alta probabilidade não só reduz o risco como ajuda a gerar retornos muito acima da taxa de retorno do mercado.

Mesmo assim, quando salientamos esses bem-sucedidos investidores com foco, há algumas pessoas que continuam céticas, perguntando-se se todos eles têm sucesso por causa de seu íntimo relacionamento profissional. Como se verificou depois, todos esses selecionadores de ações possuíam ações de tipos diferentes. Buffett não tinha exatamente o mesmo tipo que Munger, que não tinha o mesmo que Ruane, que não tinha o que Simpson possuía, e ninguém sabe o que Keynes tinha.

Bom, os céticos dizem que isso até pode ser verdade, mas que só foram oferecidos cinco exemplos de investidores com foco, e cinco observações não são suficientes para extrair uma conclusão estatística significativa. Num segmento que tem milhares de gestores de portfólio, essas cinco histórias de sucesso poderiam ter sido completamente aleatórias.

Muito bem. Para eliminar qualquer ideia de que cinco superinvestidores de Buffettville são apenas aberrações estatísticas, precisamos examinar um campo mais amplo. Infelizmente, a população de investidores com foco é muito reduzida. Dentre os milhares de gestores de portfólio que administram dinheiro, há bem poucos que cuidam de portfólios concentrados. Desse modo, estamos diante do mesmo desafio.

Eu estava enfrentando o mesmo problema de quando escrevi *The Warren Buffett Portfolio: Mastering the Power of the Focus Investing Strategy*, de 1999. Simplesmente, não havia um número suficiente de investidores com foco para estudar e extrair daí uma conclusão estatística significativa. Então, o que foi que eu fiz? Fui a um laboratório de estatística e esbocei um universo com 3 mil portfólios com foco.[38]

Usando a base de dados do Compustat sobre retornos das ações ordinárias, isolamos 1.200 companhias que exibiam dados mensuráveis, como receita, lucros e retorno sobre o patrimônio líquido. Então, pedimos ao computador que reunisse aleatoriamente, dentre essas 1.200 companhias, 12 mil portfólios de vários tamanhos e, com eles, compusemos quatro grupos:

1. Três mil portfólios contendo 250 ações.
2. Três mil portfólios contendo 100 ações.
3. Três mil portfólios contendo 50 ações.
4. Três mil portfólios contendo 15 ações – o grupo de portfólios com foco.

Em seguida, calculamos o retorno médio anual de cada portfólio em cada grupo, para um período de dez anos (1987-1996). Depois, comparamos o retorno dos quatro grupos de portfólio com o mercado de ações em geral (definido como o índice Standard & Poor's 500) para o mesmo período.

- Entre os portfólios com 250 ações, o desvio-padrão foi de 0,65; o melhor portfólio teve um retorno de 16% ao ano, e o pior registrou 11,4%.
- Entre os portfólios com 100 ações, o desvio-padrão foi de 1,11% – 18,3% o melhor e 10% o pior.
- Entre os portfólios com 50 ações, o desvio-padrão foi de 1,54% – 19,1% o melhor, 8,6% o pior.
- Entre os portfólios com 15 ações, o desvio-padrão foi de 2,78% – 26,6% o melhor, 6,7% o pior.

Com base em todas essas informações, emergiu um dado fundamental: quando reduzimos o número de ações de um portfólio, começamos a aumentar a probabilidade de gerar retornos mais altos do que a taxa de retorno do mercado. Mas, ao mesmo tempo – e isso não nos surpreendeu –, aumentamos a probabilidade de gerar retornos mais baixos.

Para reforçar a primeira conclusão, chegamos a algumas estatísticas notáveis quando esmiuçamos os dados:

- Dos 3 mil portfólios com 250 ações, 63 bateram o mercado.
- Dos 3 mil portfólios com 100 ações, 337 bateram o mercado.
- Dos 3 mil portfólios com 50 ações, 549 bateram o mercado.
- Dos 3 mil portfólios com 15 ações, 808 bateram o mercado.

Com um portfólio de 250 ações, você tem uma chance em 50 de bater o mercado. Com um portfólio de 15 ações, suas chances aumentam drasticamente, para uma em quatro.

Outra consideração importante: nesse estudo, não incluí como fator o impacto das despesas de operação. Evidentemente, quando o índice de rotatividade do portfólio é alto, os custos também são. Esses custos atuam no sentido de diminuir o retorno para os investidores.

A segunda conclusão simplesmente reforça a importância de uma seleção inteligente dos tipos de ações. Não é por coincidência que os superinvestidores de Buffettville também são exímios selecionadores de ações. Se você gerencia um portfólio com foco e não é muito habilidoso na escolha de ações, o desempenho pode ser bem abaixo do esperado. Contudo, se você desenvolve a habilidade de escolher as companhias certas, grandes retornos podem ser obtidos focando seu portfólio em suas melhores ideias.

Quando isolamos nossos 3 mil portfólios no laboratório de estatística, há 15 anos, tratava-se apenas de um exercício objetivo e direto. Desde então, a academia mergulhou mais fundo no conceito de investimento com foco, examinando o comportamento de portfólios de diversos tamanhos e estudando o desempenho dos retornos ao longo de períodos muito mais extensos. Destacamos aqui o trabalho de K. J. Martijn Cremers e Antti Petajisto, que, juntos, realizaram uma pesquisa bem abrangente sobre o investimento com foco, baseando sua investigação num conceito que chamam de "ação ativa".[39]

A ação ativa representa a porcentagem de ações no portfólio que é diferente dos índices referenciais contra as quais os produtos do portfólio são mensurados. É apresentada como uma porcentagem e leva em conta não apenas a escolha do título, mas também a valorização e a desvalorização das ações no portfólio em comparação com sua valorização no referencial. De acordo com Cremers e Petajisto, os gestores de portfólio com ações ativas de 60% ou menos são indexadores camuflados. Quer dizer, seu portfólio lembra de perto o índice contra o qual está sendo mensurado. Um portfólio com 80% ou mais de ações ativas é verdadeiramente diferente do índice.

Cremers e Petajisto computaram as ações ativas de fundos mútuos americanos de patrimônio entre 1980 e 2003 e puderam relacionar as ações ativas às características do fundo, como tamanho, despesas, índices de rotatividade e desempenho. O que descobriram? Que a ação ativa prevê o desempenho do fundo. Os fundos mútuos com o maior número de ações ativas, portanto os fundos mais diferentes do índice, tiveram um desempenho significativamente maior do que o referencial, enquanto os portfólios com menos ações ativas tiveram desempenho pior do que o do referencial.

Curiosamente, Cremers relata que, em 1980, 50% dos fundos mútuos de alta capitalização tiveram um resultado de 80% ou mais de ações ativas. Quer dizer, metade dos fundos mútuos tinha um portfólio que era significativamente diferente do portfólio do referencial. Atualmente, apenas 25% dos fundos mútuos são considerados verdadeiramente ativos. Cremer diz que "tanto os investidores como os gestores de fundos se tornaram mais conscientes sobre o referencial. Se você é um gestor, quer evitar estar nos 20% ou 40% mais baixos (de seu grupo). O meio mais seguro de conseguir isso, sobretudo quando você é avaliado durante períodos mais curtos, é abraçar o índice".[40]

Como os investidores habitualmente retiram dinheiro dos fundos mútuos de baixo desempenho, os gestores têm tornado seus portfólios cada vez mais parecidos com o índice, conseguindo desse modo reduzir as chances de que venham a ter um desempenho significativamente pior do que o do índice. Naturalmente, como já vimos, quanto mais seu portfólio lembra o índice, menos é provável que você tenha chance de superá-lo. É importante lembrar que qualquer gestor que tenha um portfólio diferente do portfólio do referencial, por menor que seja a diferença, é gestor de um portfólio ativo. A única questão que resta é: em que medida seu portfólio é ativo?

A verdadeira medida do valor

Naquela famosa palestra sobre Graham & Doddsville, Warren Buffett disse muitas coisas importantes, mas nenhuma mais profunda do que esta: "Quando o preço de uma ação pode ser influenciado por um 'bando' de Wall Street com preços estipulados na margem por pessoas influenciadas mais pelas emoções, pela ambição ou pela depressão, é difícil argumentar que o mercado sempre precifica de modo racional. Na realidade, os preços do mercado frequentemente não fazem sentido".[41]

É profunda por causa do ponto para o qual nos direciona. Se aceitamos a ideia de que os preços nem sempre são racionais, então ficamos livres da miopia de usá-los como a única base de nossas decisões. Se aceitamos a ideia de que o preço da ação não é tudo, podemos alargar nosso horizonte para focar no que importa: uma pesquisa meticulosa e a análise do negócio subjacente. Claro que sempre queremos estar a par dos preços para podermos identificar quando caem abaixo do seu valor, mas não precisamos mais nos deixar estrangular por essa medida unidimensional, que pode nos levar na direção errada.

Fazer essa mudança não será fácil. Toda a nossa indústria – gestores financeiros, investidores institucionais e todas as espécies de investidores individuais – é míope quanto aos preços. Se o preço de determinada ação está subindo, supomos que boas coisas estejam acontecendo; se o preço começa a cair, supomos que algo ruim esteja acontecendo e agimos de acordo com essa noção.

Esse é um hábito mental pobre, exacerbado por outro: avaliar o desempenho do preço em breves intervalos de tempo. Não só ficamos dependendo apenas da coisa errada (preço), conforme Buffett diria, como também ficamos olhando para ela com demasiada frequência e saltamos fora depressa demais quando não gostamos do que vemos.

Essa dupla tolice – a mentalidade de curto prazo baseada no preço – é uma maneira deturpada de pensar que transparece em todos os níveis do nosso segmento. É o que instiga as pessoas a verificar a situação das ações todos os dias, às vezes até de hora em hora. É o motivo que leva investidores institucionais, responsáveis por bilhões de dólares, a estarem prontos para comprar e vender a um estalar de dedos. É a razão pela qual gestores de fundos mútuos movimentam aceleradamente as ações do portfólio do fundo, pois acham que é sua obrigação.

O notável é que esses mesmos gestores financeiros são os primeiros a insistir com os clientes para que permaneçam calmos quando a situação começa a parecer instável. Enviam cartas tranquilizadoras, aplaudindo as virtudes de se manter fiel ao rumo traçado. Então, por que não põem em prática o que pregam?

É especialmente fácil observar essa contradição na gestão de fundos mútuos porque suas atitudes são muito bem documentadas e examinadas pela mídia financeira. Como há muitas informações disponíveis e como os fundos mútuos, são tão conhecidos e bem compreendidos, acredito que podemos aprender muito sobre a insensatez de uma mensuração baseada em preço dando uma olhada no modo como isso funciona nos fundos mútuos.

Joseph Nocera, autor de livros sobre finanças, tem salientado as inconsistências entre o que os gestores de fundos mútuos recomendam que os acionistas façam – ou seja, "buy and hold" ["comprar e manter"] – e o que esses gestores de fato fazem com seus próprios portfólios – ou seja, comprar e vender, comprar e vender, comprar e vender. Para reforçar suas próprias observações sobre esse duplo padrão, Nocera citou Don Phillips, do Morningstar: "Existe uma enorme falta de conexão entre o que o segmento de fundos faz e o que diz para os investidores fazerem".[42]

A questão óbvia que se apresenta é: se os investidores são aconselhados a "comprar e manter", por que os gestores ficam comprando e vendendo ações desvairadamente, todos os anos? Segundo Nocera, a resposta é que "a dinâmica interna do segmento de fundos torna quase impossível para os gestores de fundos enxergar além do curto prazo".[43] E por quê? Porque o negócio dos fundos mútuos se tornou um jogo de curto prazo sem sentido para quem apresenta o melhor desempenho, totalmente mensurado pelo preço.

Hoje, há uma pressão substancial sobre os gestores de portfólio para que gerem desempenhos a curto prazo com números que saltem aos olhos. Esses números chamam muita atenção. A cada três meses, publicações importantes como o *Wall Street Journal* e o *Barron's* divulgam classificações de fundos mútuos conforme seu desempenho trimestral. Os fundos que se saíram melhor nos últimos três meses sobem para o topo da lista, são elogiados pelos comentaristas financeiros na televisão e nos jornais, correm para se promover publicamente em anúncios publicitários elogiosos de sua performance e atraem uma avalanche de novos depósitos. Os investidores que esperam para ver qual gestor de fundo tem o chamado "pé-quente" se lançam a essas classificações. Na verdade, as classificações de desempenho trimestrais estão sendo cada vez mais usadas para separar os gestores tidos como talentosos dos medíocres.

A fixação no desempenho do preço em curto prazo, embora agudamente óbvia nos fundos mútuos, não se limita a eles e domina a mentalidade da indústria do investimento de ponta a ponta. Não estamos mais num ambiente em que os gestores são mensurados a longo prazo. Até mesmo aqueles que atuam como gestores autônomos são infectados pelas nuances doentias desse ambiente. De muitas maneiras, fomos escravizados pela máquina do marketing, que nada mais faz do que assegurar um baixo desempenho.

Presos nesse círculo vicioso, parece-nos que não há saída. Mas, como aprendemos, é claro que existe um meio de melhorar o desempenho do investimento. O que devemos fazer é achar maneiras melhores de mensurar esse desempenho. A cruel ironia é que a estratégia com maior probabilidade de fornecer retornos acima da média com o tempo parece ser incompatível com o modo como julgamos o desempenho.

Em 1986, V. Eugene Shahan, ex-aluno da Faculdade de Economia da Universidade Columbia e gerente de portfólio na U.S. Trust, escreveu um artigo em continuação ao ensaio de Buffett "The Superinvestors of Graham-and-Doddsville". Intitulado "Are Short-Term Performance and Value Investing Mutually Exclusive?" [O desempenho a curto prazo e o investimento em valor são mutuamente exclusivos?], o artigo retoma a mesma questão que formulamos agora: até que ponto é apropriado mensurar a habilidade de um gestor de investimentos com base num desempenho de curto prazo?

Ele notou que, à exceção do próprio Buffett, muitas pessoas que ele descrevia como "superinvestidores" – inegavelmente habilidosos, inegavelmente bem-sucedidos – encaravam períodos de baixo desempenho no curto prazo. Numa versão da fábula da lebre e da tartaruga, adaptada para a gestão financeira, Shahan comentou: "Pode ser mais uma das ironias da vida o fato de que investidores principalmente interessados no desempenho de curto prazo possam alcançá-lo, mas à custa de resultados a longo prazo. Os resultados extraordinários dos superinvestidores de Graham & Doddsville foram compilados com a aparente indiferença em relação ao desempenho a curto prazo".[44] No "derby" atual do desempenho dos fundos mútuos, como Shahan explica, os superinvestidores de Graham & Doddsville teriam sido ignorados. Vale o mesmo para os superinvestidores de Buffettville.

John Maynard Keynes, gestor do Chest Fund por 18 anos, teve um desempenho inferior ao esperado durante um terço do tempo. Na realidade, ficou abaixo do esperado durante os três primeiros anos em que geriu o fundo, o que o deixou atrás do mercado por 18 pontos percentuais.

No Sequoia Fund, a história é parecida. Durante o período de avaliação, o Sequoia teve desempenho abaixo do esperado em 37% do tempo. Assim como Keynes, Ruane também teve dificuldades para amadurecer. Ele confessou que, "com o passar dos anos, periodicamente nos qualificamos para ser os Reis do Mau Desempenho. Tivemos a falta de visão de começar o Sequoia Fund em meados dos anos 1970 e sofremos a tortura chinesa de um desempenho abaixo do S&P por quatro anos seguidos". No final de 1974, o Sequoia estava 36 pontos percentuais abaixo do mercado: "Nós nos escondíamos debaixo da mesa, não atendíamos o telefone e nos perguntávamos se algum dia aquela tempestade iria passar".[45] E é claro que a tempestade passou. Sete anos depois de entrar em operação, o Sequoia tinha ganhado 220% *versus* um ganho de 60% do índice Standard & Poor's 500.

Nem mesmo Charlie Munger conseguiu escapar dos inevitáveis tropeços do investimento com foco. Durante 14 anos, o desempenho de Charlie esteve abaixo do esperado durante 36% do tempo. Assim como outros investidores com foco, teve uma série de azares a curto prazo. De 1972 a 1974, ficou 37 pontos percentuais abaixo do mercado. Ao longo de 17 anos, Lou Simpson ficou abaixo do mercado 24% do tempo. Seu pior desempenho relativo, ocorrido no período de um ano, deixou-o 15 pontos percentuais aquém do mercado.

Aliás, vimos as mesmas tendências de desempenho quando analisamos nossos 3 mil portfólios com foco no laboratório. Dos 808 que bateram o mercado no período de dez anos, a espantosa quantidade de 95% deles resistiu a algum prolongado intervalo de mau desempenho – três, quatro, cinco ou mesmo seis anos de um total de dez.

O que você acha que aconteceria com Keynes, Munger, Ruane ou Simpson se fossem gestores em início de carreira no mercado de hoje, que só é capaz de ver o valor do desempenho em um ano?

Entretanto, seguindo o argumento de que usar uma estratégia com foco provavelmente resultará em períodos de baixo desempenho, qual a melhor forma de saber, usando somente o desempenho do preço como medida, se estamos diante de um investidor espetacular que está tenho um ano muito ruim (ou mesmo três anos ruins), mas que acabará se dando bem a longo prazo, ou de um gestor a quem talvez falte a habilidade para ser bom investidor com foco?

Podemos facilmente imaginar o que Warren Buffett diria. Para ele, a moral da história é clara: temos de abandonar nossa insistência em focar no preço como única medida válida e nos livrar do hábito contraproducente de fazer julgamentos de curto prazo.

Mas se o preço não é a medida válida, o que iremos usar em seu lugar? "Nada" não é uma boa resposta. Nem mesmo os estrategistas que adotam o "buy and hold" recomendam que fiquemos de olhos fechados. Apenas temos de achar outro referencial para mensurar o desempenho. Felizmente, existe um: trata-se da pedra angular que Buffett emprega para julgar sua performance e a de suas unidades operacionais na Berkshire Hathaway.

Warren Buffett disse certa vez que "não se importaria se o mercado de ações fechasse por um ano ou dois anos. Afinal, fica fechado aos sábados e domingos, e isso ainda não me incomodou nem um pouco".[46] É verdade que, como ele diz, "um mercado com negociações ativas é útil, já que periodicamente nos apresenta oportunidades de dar água na boca. Mas isso não é de jeito nenhum essencial".[47]

Para assimilar plenamente a mensagem desse comentário, pense com cuidado no que Buffett disse em seguida: "Uma suspensão prolongada da negociação dos títulos que possuímos não nos preocuparia mais do que a ausência de cotações diárias para as subsidiárias totalmente possuídas pela Berkshire. No final, nosso destino econômico será determinado pelo destino econômico dos negócios que possuímos, quer nossa propriedade seja parcial [na forma de ações] ou total".[48]

Se você fosse dono de um negócio e não houvesse cotações diárias para medir o desempenho da companhia, como você avaliaria seu progresso? Talvez medisse o crescimento dos lucros, o aumento do retorno sobre o capital ou a melhora das margens operacionais. Você simplesmente deixaria a economia do negócio ditar se está aumentando ou diminuindo o valor de seu investimento. Na visão de Buffett, o teste decisivo para mensurar o desempenho de uma companhia de capital aberto não é em nada diferente. Como ele explica, "Charlie e eu deixamos que nossos títulos negociáveis nos digam, por seus resultados operacionais – e não pelas cotações de preço diárias ou mesmo anuais –, se nossos investimentos estão tendo sucesso ou não. O mercado pode ignorar por um tempo o sucesso de um negócio, mas em algum momento irá confirmá-lo".[49]

Porém, será que podemos contar com o mercado para nos recompensar por termos escolhido as empresas certas? Podemos traçar uma correlação significativamente forte entre os lucros operacionais de uma companhia e o preço de suas ações? A resposta parece ser "sim", se tivermos o horizonte de tempo apropriado.

Quando nos dispomos a determinar quão próximos estão o preço e os lucros, usando nosso grupo experimental de 12 mil companhias, verificamos que, quanto mais longo o período de tempo, maior a correlação. Com ações retidas por três anos, o grau de correlação entre o preço da ação e os lucros operacionais variou de 0,131 a 0,360. (Uma correlação de 0,360 significa que 36% da variação no preço era explicada pela variação nos lucros.) Com ações retidas por cinco anos, a correlação variava de 0,374 a 0,599. No período de dez anos de retenção, a correlação entre lucro e preço da ação variava de 0,593 a 0,695.

Esses dados sustentam a tese de Buffett de que, com tempo suficiente, o preço de um negócio irá se alinhar com a economia da empresa. Apesar disso, ele adverte que a tradução de lucros em preço de ações é ao mesmo tempo "desigual" e "imprevisível". Apesar de o relacionamento entre lucros e preço se fortalecer com o tempo, nem sempre é previdente: "Embora os valores de mercado rastreiem os valores do negócio muito bem por períodos longos, em qualquer ano esse relacionamento pode variar a seu bel-prazer".[50] Ben Graham nos ensina a mesma coisa: "A curto prazo, o mercado é uma urna eleitoral, mas, a longo prazo, é uma balança de precisão".[51]

Algumas medidas válidas

Está claro que Buffett não tem pressa para que o mercado confirme o que ele já entende ser verdade. Como ele diz, "a velocidade com que é reconhecido o sucesso de um negócio, além disso, não é tão importante desde que o valor intrínseco da companhia esteja crescendo num ritmo satisfatório. Aliás, um reconhecimento demorado pode ser vantajoso: pode lhe dar a chance de comprar mais de uma coisa boa a um preço irrisório".[52]

Para ajudar os acionistas a avaliar o valor dos grandes investimentos da Berkshire Hathaway em ações ordinárias, Buffett cunhou o termo "lucros transparentes" [*look-through earnings*]. Os lucros transparentes da Berkshire são constituídos pelos lucros operacionais de seus negócios consolidados (as subsidiárias), pelos lucros retidos de seus amplos investimentos em ações ordinárias e pela reserva para impostos que a Berkshire teria de pagar se os lucros retidos tivessem efetivamente sido pagos.

O conceito de lucros transparentes foi originalmente desenvolvido para os acionistas da Berkshire, mas também contém uma lição importante para investidores com foco que estão em busca de uma maneira de entender o valor de seu portfólio quando, como acontece de tempos em tempos, os preços das ações se desvencilham da economia subjacente. Buffett afirmou que "o objetivo de cada investidor deveria ser criar um portfólio (vale dizer, uma companhia) que lhe proporcione os mais altos lucros transparentes possíveis daqui a uma década mais ou menos".[53]

De acordo com Buffett, desde 1965 (ano em que ele assumiu o controle da Berkshire Hathaway), os lucros transparentes crescem a um ritmo quase idêntico ao valor de mercado de seus títulos. No entanto, nem sempre esses dois se movimentaram no mesmo compasso. Em muitas ocasiões, os lucros foram maiores do que os preços; em outras, os preços cresceram mais depressa do que os lucros. O importante a lembrar é que o relacionamento dá certo com o tempo. O conselho de Buffett é que "uma abordagem dessa natureza forçará o investidor a pensar nas perspectivas de longo prazo do negócio em vez de nas de curto prazo, e essa maneira de pensar provavelmente melhorará os resultados".[54]

Quando Buffett considera a adição de algum investimento, primeiro analisa o que já tem para depois conferir se a nova aquisição é melhor em algum sentido. O que a Berkshire possui hoje é uma medida econômica válida, usada para comparar possíveis aquisições. Charlie Munger salienta que "o que Buffett está dizendo é algo muito útil para praticamente todo investidor. Para a pessoa comum, a melhor coisa que você já tem deve ser sua medida válida". O que acontece em seguida é um segredo dos mais importantes – mas amplamente ignorado – para aumentar o valor de um portfólio: "Se a coisa nova que você está cogitando comprar não é melhor do que aquilo que você já sabe estar disponível", nas palavras de Charlie, "então ela não atinge seu patamar. Isso elimina 99% do que você enxerga".[55]

Com o que já possui agora, você tem à sua disposição um referencial econômico, uma medida válida. Você pode definir seu próprio referencial econômico pessoal de diversas maneiras, por exemplo, pelos lucros transparentes, pelo retorno sobre o patrimônio, pela margem de segurança. Quando você compra ou vende ações de uma companhia de seu portfólio, você aumentou ou diminuiu seu referencial econômico. A tarefa de um gestor de portfólio, que é proprietário de títulos de longo prazo e acredita que o preço futuro das ações terminará correspondendo à economia subjacente, é encontrar modos de elevar seu referencial.

Se você recuar um passo para refletir por um momento, verá que o índice Standard & Poor's 500 é uma medida válida, composto de 500 companhias, cada qual com seu próprio retorno econômico. Para chegarmos a um desempenho melhor do que o S&P 500 após algum tempo – para elevarmos o referencial –, devemos reunir e gerir um portfólio de companhias com economia superior à economia média do índice.

"Se meu universo de possibilidades de negócios se limitasse, digamos, a companhias privadas de Omaha, primeiro eu tentaria avaliar as características econômicas de cada negócio", diz Buffett. "Depois, avaliaria a qualidade das pessoas encarregadas de sua gestão; e, em terceiro lugar, tentaria comprar algumas das melhores operações por um preço razoável. Certamente, não iria querer possuir uma parte igual de cada negócio da cidade. Então, por que a Berkshire deveria seguir outro curso de ação ao lidar com o universo mais amplo das companhias de capital aberto? E, já que é tão difícil encontrar ótimos negócios e gestores espetaculares, por que deveríamos descartar produtos já comprovados? Nosso lema é: se você teve sucesso no início, pare de experimentar."[56]

O investimento com foco é necessariamente uma abordagem de longo prazo. Se fossemos indagar a Buffett o que ele considera o período ideal de retenção, ele diria "para sempre" – desde que a companhia continue gerando uma economia acima da média e que a gestão aloque os lucros da companhia de maneira racional. Como ele explica, "a inatividade nos parece um comportamento inteligente. Nem nós nem a maioria dos gestores de negócios sonharia em negociar febrilmente subsidiárias de alta lucratividade só porque uma pequena manobra na taxa de desconto do Tesouro Nacional foi prevista ou porque algum guru de Wall Street mudou de opinião sobre o mercado. Por que, então, deveríamos nos comportar de maneira diferente em relação a nossas posições minoritárias em negócios excelentes?".[57]

É claro que, se você tem uma empresa de pouca qualidade, você precisa de rotatividade; caso contrário, acaba possuindo por muito tempo a economia de um negócio aquém do esperado. Mas, se possui uma companhia superior, a última coisa que vai querer é vendê-la.

Essa abordagem menos acelerada ["*slothlike*"] em relação à gestão de um portfólio pode parecer excêntrica a quem está acostumado a comprar e vender ações ativamente, a intervalos regulares, mas traz dois importantes benefícios econômicos, além de aumento do capital e taxas acima da média: ela reduz os custos de transações e aumenta os retornos após os impostos. Cada uma dessas vantagens já é, por si só, extremamente valiosa, e o benefício combinado de ambas é enorme.

Em sua análise de 3.650 fundos de ação domésticos, o Morningstar – instituto de pesquisa de fundos mútuos sediado em Chicago – descobriu que os fundos de baixa rotatividade geravam retornos superiores, se comparados aos fundos com rotatividade mais alta. O estudo do Morningstar descobriu que, ao longo de um período de dez anos, os fundos com índices de rotatividade de menos de 20% eram capazes de obter retornos 14% mais altos do que fundos com índices de rotatividade de mais de 100%.

Essa é uma daquelas dinâmicas de bom senso tão óbvias que facilmente deixam de ser percebidas. O problema de uma rotatividade elevada é que todas as negociações acrescentam os custos da corretagem ao fundo, e isso contribui para diminuir os retornos líquidos.

Exceto no caso de contas líquidas de impostos, os impostos são as despesas mais altas de um investidor, mais altas do que as comissões de corretagem e em geral mais altas também do que os custos para gerir um fundo. Na realidade, os impostos se tornaram um dos motivos principais para os fundos gerarem retornos baixos. De acordo com os gestores financeiros Robert Jeffrey e Robert Arnott, "essa é uma má notícia". Eles são os autores de "Is Your Alpha Big Enough to Cover Its Taxes?" [O seu alfa é grande o bastante para cobrir os impostos?], artigo citado no prestigiado *Journal of Portfolio Management*, no qual dizem que "a boa notícia é que existem estratégias de negociação que podem minimizar as consequências desses impostos tipicamente ignorados".[58]

Em suma, a estratégia principal envolve mais uma dessas noções de bom senso que costumam ser bastante desvalorizadas: o enorme valor do ganho não realizado. Quando uma ação tem seu preço apreciado mas não é vendida, o aumento de valor é um ganho não realizado. Nenhum imposto sobre ganhos de capital é devido até que a ação seja vendida. Se você deixa esse ganho onde ele está, obrigatoriamente seu dinheiro se acumula mais.

No geral, os investidores têm subestimado demais o enorme valor desse ganho não realizado, o que Buffett chama de "empréstimo sem juros do Tesouro". Para deixar claro esse ponto, Buffett pede que imaginemos o que acontecerá se fizermos um investimento de 1 dólar que dobra de preço anualmente. Se você vender o investimento ao final do primeiro ano, terá um ganho líquido de 0,66 centavos de dólar (supondo que você pertença à faixa de impostos de 34%). Digamos que você reinveste o 1,66 dólar e que essa soma dobra de valor no final do segundo ano. Se o investimento continua duplicando a cada ano e você continua vendendo, pagando o imposto e reinvestindo o valor restante, ao final de 20 anos você terá um lucro líquido de 25.200 dólares, após ter pago 13 mil dólares de impostos. Se, em vez disso, você faz um investimento de 1 dólar e só vende depois de 20 anos, você ganhará 692 mil dólares, depois de ter pagado aproximadamente 356 mil dólares de impostos.

O estudo de Jeffrey e Arnott concluiu que, para obter um alto retorno após os impostos, o investidor precisa manter a taxa anual média de seu portfólio entre 0% e 20%. Quais são as melhores estratégias para baixar os índices de rotatividade? Uma abordagem possível é um fundo indexado de baixa rotatividade. Outra é um portfólio com foco. "Parece a fala de um conselheiro conjugal antes do casamento, ou seja, tente construir um portfólio com o qual você possa conviver por um tempo muito, muito longo."[59]

Antes de encerrar este capítulo, é muito importante que você pense a sério sobre o que exatamente implica a abordagem do investimento com foco:

- Não se aproxime do mercado, a menos que esteja disposto a pensar em ações, primeiro e sempre, com uma mentalidade parcial de dono de um negócio.
- Esteja preparado para estudar com afinco o negócio que você possui, assim como as companhias concorrentes, para que ninguém saiba mais desse negócio do que você.
- Apenas comece um portfólio com foco se estiver disposto a investir por um período mínimo de cinco anos (dez anos seria um prazo ainda melhor).
- Nunca alavanque seu portfólio com foco. Um portfólio com foco desalavancado vai ajudá-lo a atingir seus objetivos depressa o bastante. Lembre-se: um inesperado pedido de cobertura em nosso capital provavelmente destruirá um portfólio bem estruturado.
- Aceite a necessidade de desenvolver o temperamento e a personalidade certos para se tornar um investidor com foco.

Sendo um investidor com foco, seu objetivo é chegar a um nível de entendimento de seu negócio que não se encontra em Wall Street. Você pode protestar e dizer que isso não é realista, mas, considerando o que Wall Street promove, pode não ser tão difícil quanto você pensa. Wall Street vende desempenhos de curto prazo, enfatizando o que pode acontecer de trimestre a trimestre. Os proprietários de negócios, por outro lado, têm maior interesse nas vantagens competitivas de longo prazo das companhias que possuem. Se você está disposto a trabalhar duro e estudar esses negócios, com o tempo acabará sabendo mais sobre as empresas cujas ações você possui do que o investidor médio, e isso é tudo de que você necessita para levar vantagem.

Alguns investidores preferem conversar sobre "o que o mercado está fazendo" em vez de se darem ao trabalho de ler um relatório anual. Mas um bate-papo num coquetel sobre os rumos futuros do mercado de ações e das taxas de juro será muito menos proveitoso do que passar meia hora lendo o último comunicado da empresa em que você investiu.

Esse lhe parece um esforço excessivo? É mais fácil do que você pensa. Não é preciso aprender nenhum programa de computador, nem decifrar nenhum manual volumoso de investimento bancário. Você não precisa se tornar uma autoridade com MBA em valuation de negócios para se beneficiar da abordagem do foco. Não há nada científico em valorar um negócio e então pagar um preço abaixo do valor desse negócio.

Como Buffett confessa, "você não precisa ser um gênio. Investir não é um jogo em que o sujeito com um QI de 160 derrota o de 130. O tamanho do cérebro de um investidor é menos importante do que sua capacidade para desvincular seu raciocínio de suas emoções".[60] Mudar seu jeito de lidar com os investimentos, inclusive como – se seguir em frente – irá interagir com o mercado de ações, implicará certos ajustes emocionais e psicológicos. Ainda que você possa aceitar plenamente os argumentos matemáticos a favor do investimento com foco, e ainda que você veja outras pessoas muito inteligentes tendo bastante sucesso com isso, talvez ainda sinta alguma hesitação, em termos emocionais.

A chave está em manter suas emoções dentro de uma perspectiva apropriada, e isso é muito mais fácil se você entende alguns elementos da psicologia básica envolvida na aplicação do jeito Warren Buffett de investir – o que nos leva ao próximo capítulo.

6

A psicologia do investimento

O primeiro investimento de Warren Buffett em ações ordinárias foi uma decepção, tanto financeira quanto emocionalmente. Mas acho que podemos desculpá-lo: afinal, ele tinha apenas 11 anos. Você deve se lembrar, do Capítulo 1, que ele e a irmã Doris juntaram suas economias e compraram um total de seis ações preferenciais da Prefeitura a 38,25 dólares a unidade. Alguns meses depois, ela estava sendo negociada a 26,95 dólares, uma queda de 30%.

Mesmo ainda tão jovem, Buffett tinha feito a lição de casa, o que, nessa época, incluía analisar os gráficos de preços e pegar carona em uma das ações prediletas de seu pai. Apesar disso, Doris ficou furiosa com a ideia de perder dinheiro. Todo santo dia brigava com o irmão caçula por causa do investimento que tinham feito. Assim que as ações preferenciais da Prefeitura se recuperaram e o investimento dos dois ficou a salvo, Buffett vendeu as ações e mal pôde acreditar quando, mais tarde, dispararam e passaram a valer mais de 200 dólares a unidade.

Apesar dessa experiência dolorosa, a primeira tentativa de Buffett no mercado de ações não foi uma total perda de tempo, pois ali ele aprendeu duas lições importantes: a primeira foi o valor da paciência; a segunda foi que, embora as mudanças de curto prazo nos preços das ações possam ter pouca relação com valor, podem ter muito a ver com o desconforto emocional. No próximo capítulo, estudaremos o papel da paciência no investimento de longo prazo. Por ora, examinaremos o efeito debilitante que as mudanças de curto prazo no preço das ações podem exercer no comportamento do investidor. Isso nos leva ao âmbito fascinante da psicologia.

Poucos aspectos da existência humana são mais carregados de emoção do que nossa relação com o dinheiro, e isso tem uma importância especial quando estamos falando do mercado de ações. Boa parte do que rege as decisões das pessoas sobre a aquisição de ações só pode ser explicada pelos princípios do comportamento humano. E como, por definição, o mercado diz respeito às decisões coletivas tomadas por todos os compradores de ações, não exageramos ao dizer que o mercado inteiro é empurrado e puxado por forças psicológicas.

A intersecção da psicologia com a economia

O estudo daquilo que nos faz funcionar é extremamente fascinante. Para mim, é de especial interesse entender como a psicologia tem um papel tão preponderante no ato de investir, já que em geral se supõe que o mundo dos investimentos seja dominado por números frios e informações sem alma. Quando se trata de decisões de investimento, nosso comportamento às vezes é errático, muitas vezes contraditório e, de vez em quando, tolo.

O que é especialmente alarmante e todos os investidores precisam perceber é que muitas vezes eles não estão cientes de terem tomado más decisões. A fim de compreender plenamente o mercado e investir, sabemos agora que temos de entender nossa própria irracionalidade. O estudo da psicologia em relação aos erros de julgamento é de fato tão valioso para o investidor como a análise de um balanço patrimonial e de um demonstrativo de resultado.

Nos últimos anos, acompanhamos o que parece ser uma revolução, uma nova maneira de tratar questões financeiras pela perspectiva do comportamento humano. Essa fusão de economia e psicologia, chamada "finanças comportamentais", já vem lentamente deixando o recinto da torre de marfim das universidades para se tornar parte de conversas entre os profissionais de investimento, que, se derem uma olhada no passado, poderão vislumbrar o vulto de um sorridente Ben Graham.

Muito prazer, sr. Mercado

Ben Graham, amplamente reconhecido como o pai da análise financeira, ensinou três gerações a navegar pelo mercado de ações com um mapa matemático de viagem. O que, porém, não recebe a mesma atenção são os ensinamentos do mesmo Graham sobre psicologia e investimento. Tanto em

Security Analysis como em *O investidor inteligente*, Graham dedicou um espaço considerável para explicar como as emoções do investidor desencadeiam flutuações no mercado de ações.

Graham achava que o pior inimigo de um investidor era ele mesmo, não o mercado de ações. A pessoa pode ter um grande conhecimento de matemática, finanças e contabilidade, mas, se não souber controlar suas emoções, não terá competência para se beneficiar do processo de investimento.

Warren Buffett, seu mais famoso aluno, explica que "existem três importantes princípios na abordagem de Graham". O primeiro é simplesmente considerar que as ações são negócios, o que "fornece ao investidor uma perspectiva inteiramente diferente da adotada pela maioria das pessoas no mercado". O segundo é o conceito de "margem de segurança", que "garante uma vantagem competitiva". E o terceiro é ter a atitude de um verdadeiro investidor com relação ao mercado de ações. Buffett afirma que, "se você tem essa atitude, começa na frente de 99% das pessoas que estão operando no mercado de ações, e essa é uma vantagem enorme".[1]

Graham ensina que desenvolver a atitude de um investidor é uma questão de estar preparado, financeira e psicologicamente, para os inevitáveis altos e baixos do mercado; não se trata apenas de saber intelectualmente que uma piora repentina irá acontecer, mas ter o lastro emocional necessário para reagir de modo apropriado quando isso se der. Na opinião de Graham, a reação apropriada do investidor a uma piora do mercado é a mesma reação do dono de um negócio quando lhe oferecem um preço que não é atraente: ele o ignora. Graham diz que "o verdadeiro investidor quase nunca é forçado a vender suas ações e, em todas as outras vezes, tem liberdade para ignorar a cotação de preços atual".[2]

Para deixar ainda mais claras suas ideias, Graham criou um personagem alegórico chamado "sr. Mercado". A conhecida história do sr. Mercado é uma aula brilhante sobre como e por que os preços das ações periodicamente se afastam da racionalidade.

Imagine que você e o sr. Mercado sejam sócios de uma empresa privada. Todo dia, sem falta, o sr. Mercado faz uma cotação do preço pelo qual está disposto a comprar o negócio de alguém ou vender o dele.

O negócio de vocês dois tem a sorte de contar com características econômicas estáveis, mas as cotações do sr. Mercado estão bem longe disso. É que ele é emocionalmente instável. Em alguns dias está animado e só consegue ver épocas felizes à frente. Nesses dias, ele cota um preço muito alto pelas ações de seu negócio. Em outros momentos, o sr. Mercado está desanimado e, só enxergando problemas à frente, cota um preço muito baixo.

O sr. Mercado tem outras características encantadoras, disse Graham. Ele não se importa de ser desdenhado. Se hoje as cotações dele são ignoradas, amanhã ele volta com uma nova. Graham alertou para o fato de que o recurso útil é a caderneta do sr. Mercado, não o conhecimento dele. Se o sr. Mercado entra em cena num estado de espírito tolo, você tem toda a liberdade de ignorá-lo ou se aproveitar dele, mas será um desastre se cair sob sua influência.

Já se passaram mais de 60 anos desde que Ben Graham criou o sr. Mercado. Não obstante, os erros de julgamento para os quais Graham alertou continuam acontecendo em larga medida. Os investidores ainda agem de modo irracional. Medo e cobiça ainda permeiam o mercado. Erros bobos ainda dominam o dia a dia. Assim, além de uma boa capacidade para julgar negócios, os investidores precisam entender como se proteger do torvelinho emocional que o sr. Mercado desencadeia. Para tanto, devemos nos familiarizar com as finanças comportamentais, ou seja, o lugar em que se dá a intersecção dos conhecimentos financeiros com a psicologia.

Finanças comportamentais

As finanças comportamentais são um estudo investigativo que busca explicar as ineficiências do mercado usando teorias psicológicas. Observando que as pessoas muitas vezes cometem erros tolos e fazem suposições ilógicas quando lidam com suas próprias questões financeiras, os acadêmicos começaram a pesquisar mais fundo os conceitos psicológicos para explicar os elementos irracionais no pensamento das pessoas. É uma área de estudos relativamente nova, mas o que estamos aprendendo é fascinante, além de bastante útil para investidores inteligentes.

Confiança excessiva

Várias pesquisas psicológicas salientaram que os erros de julgamento ocorrem porque as pessoas em geral são excessivamente confiantes. Se você pedir a uma grande amostra de pessoas que descreva a própria habilidade como motorista, a maioria absoluta lhe dirá que dirige acima da média. Outro exemplo: os médicos acreditam que podem diagnosticar a pneumonia com 90% de certeza, quando, na verdade, só estão certos 50% do tempo. “Uma das coisas mais difíceis de imaginar é que você não é mais inteligente do que a média", afirma Daniel Kahneman, professor de psicologia e relações públicas na Universidade Princeton e vencedor do Prêmio Nobel de Economia.[3] Mas a dura realidade é que nem todos podem ser melhores do que a média.

A confiança por si só não é uma coisa ruim, mas confiança em excesso é outra coisa e pode ser especialmente prejudicial quando estamos lidando com nossas questões financeiras. Investidores com excesso de confiança não só tomam decisões tolas para si mesmos, como também têm um impacto poderoso no mercado como um todo.

Via de regra, os investidores são altamente confiantes e se acham mais inteligentes do que todo mundo. São propensos a superestimar suas habilidades e seus conhecimentos. De modo típico, confiam em informações que confirmam aquilo em que acreditam e desconsideram as que os contradizem. Além disso, ficam avaliando em sua mente cada informação que esteja imediatamente acessível, em vez de ir em busca de dados pouco divulgados. Com muita frequência, os investidores e gestores financeiros cultivam a crença de que têm informações melhores e que, por isso, podem lucrar por serem mais astutos do que os outros investidores.

O excesso de confiança explica por que tantos gestores financeiros tomam atitudes erradas. Confiam exageradamente nas informações que coletam e pensam que têm mais razão do que efetivamente têm. Se todos os envolvidos acham que sua informação está correta e que sabem de algo que os outros ignoram, o resultado é um grande volume de negociações.

O viés da reação exagerada

Um dos nomes mais importantes no campo das finanças comportamentais é Richard Thaler, professor de ciência e economia comportamental. Depois de sair da Universidade Cornell, foi para a Universidade de Chicago com o único propósito de questionar o comportamento racional dos investidores. Ele chama a atenção para vários estudos recentes, demonstrando que as pessoas dão ênfase demais a eventos aleatórios achando que identificaram uma tendência. Em especial, os investidores costumam se apegar às informações mais recentes que receberam e extrapolam com base nelas; para eles, a divulgação de resultados deve, portanto, se tornar um indicador de lucros futuros. Assim, acreditando que enxergam o que os outros não veem, tomam decisões rápidas baseadas em raciocínios superficiais.

É evidente que o que vemos nesses casos é o excesso de confiança. As pessoas acham que entendem os dados com maior clareza do que as outras e que os interpretam melhor, mas há mais coisas em jogo. O excesso de confiança é exacerbado por uma reação exagerada. Os comportamentalistas aprenderam que as pessoas costumam ter uma reação exagerada diante de uma má notícia, mas reagem lentamente a boas notícias. Os psicólogos têm um nome para isso: viés da reação exagerada. Desse modo, se a divulgação de resultados a curto prazo não é boa, a resposta do investidor típico é uma reação exagerada, impensada, abrupta, com um impacto inevitável no preço das ações. Thaler descreve essa ênfase exagerada no curto prazo como uma "miopia" do investidor (fazendo referência ao termo médico para enxergar mal de longe) e pensa que a maioria dos investidores faria bem melhor se não recebesse demonstrativos mensais.

A fim de ilustrar suas ideias sobre reações exageradas, Thaler desenvolveu uma análise simples. Pegou todas as ações da Bolsa de Valores de Nova York e classificou-as por seu desempenho nos últimos cinco anos. Isolou as 35 melhores (as que mais tinham subido de preço) e as 35 piores (as que mais tinham caído) e criou portfólios hipotéticos com essas 70 ações. Depois, manteve esses portfólios intactos por mais cinco anos e observou que as "piores" tinham apresentado desempenho superior ao das "melhores" 40% do tempo. No mundo real, poucos investidores teriam tido força de vontade suficiente para não se entregar a reações exageradas diante do primeiro sinal de uma queda nos preços, e teriam perdido os benefícios quando as piores começaram a se mover na outra direção.[4]

Já faz algum tempo que o conceito de viés da reação exagerada é conhecido, mas, nos últimos anos, a tecnologia moderna se encarregou de exacerbá-lo ainda mais. Antes do advento da internet e dos programas de TV a cabo com notícias do mundo financeiro, a maioria dos investidores examinava apenas de vez em quando como estavam os preços das ações. Davam uma olhada no relatório de seu corretor no final do mês, checavam os resultados financeiros trimestrais no fim de cada período e depois tabulavam seu desempenho anual no fim do ano.

Hoje, em virtude dos avanços na tecnologia da comunicação, os investidores são capazes de se manter continuamente conectados com o mercado de ações. Aplicativos de celular permitem que a pessoa, enquanto anda de carro ou trem, confira como vai indo seu portfólio. Ela pode checar a performance de suas ações a caminho de uma reunião ou na volta dela, ou na fila do caixa do supermercado. Contas on-line de corretagem podem lhe informar o desempenho de seu portfólio desde o início do pregão. Essas contas são capazes de calcular seu desempenho relativo, rastreando o retorno diário, de cinco dias, de dez dias, mensal, trimestral e anual. Em suma, os investidores podem checar o preço de suas ações a cada segundo das 24 horas do dia.

Será que essa fixação constante no preço das ações é saudável para os investidores? Richard Thaler tem uma resposta concisa. Frequentemente, em suas palestras na Behavioral Conference, patrocinadas pelo Departamento Nacional de Pesquisa Econômica e pela Escola John F. Kennedy, da Universidade Harvard, ele sempre inclui este conselho: "Invista em títulos e depois não abra mais a correspondência".[5] E ainda costuma acrescentar: "Não queira saber a cada minuto o que há na caixa de entrada de seu computador, nos recados de seu celular ou de outro dispositivo que você tenha".

Aversão a perdas

Quando Doris Buffett atormentou seu irmão caçula por causa do investimento nas ações preferenciais da Prefeitura, aquela foi uma clara demonstração de como era difícil para ela aturar o desconforto associado à queda no preço das ações. Mas não sejamos tão duros com Doris. Ela estava sofrendo de um problema emocional que afeta milhões de investidores diariamente. Trata-se da aversão a perdas, e, na minha opinião, esse é o maior dos obstáculos que impedem os investidores de aplicar com sucesso a abordagem de Warren Buffett.

Essa questão psicológica foi descoberta 35 anos atrás por dois gigantes da área: o prêmio Nobel Daniel Kahneman, que já citamos anteriormente neste capítulo, e Amos Tversky, professor de psicologia na Universidade Stanford. Esses dois cientistas, colaboradores há muito tempo, estavam interessados na teoria da tomada de decisões.

Em 1979, Kahneman e Tversky escreveram um ensaio intitulado "Prospect theory: an analysis of decision under risk" [Teoria da perspectiva: uma análise da decisão diante do risco], que posteriormente se tornaria o mais citado de todos os artigos publicados no *Econometrica*, prestigiado periódico acadêmico de economia. Até aquele momento, a teoria da utilidade da tomada de decisões, popularizada por John von Neumann e Oskar Morgenstern no livro *Theory of Games and Economic Behavior*, de 1944, era o dogma aceito em economia. A teoria da utilidade afirma que o modo como as alternativas são apresentadas não deveria importar para quem toma uma decisão. O mais importante para essa pessoa é fazer o que é melhor para si mesma. Por exemplo, se a pessoa está diante de um jogo que lhe dá 65% de chances de ganhar e

35% de perder, se seguir a teoria da utilidade ela deve jogar porque o jogo tem um resultado positivo.

A teoria da utilidade é matematicamente imaculada. Num mundo ideal, é a abordagem perfeita à tomada de decisões. No entanto, Kahneman e Tversky eram formados em psicologia, não em economia, por isso não estavam tão certos quanto a isso. Haviam passado a carreira estudando erros específicos de julgamento humano e tinham aprendido que as pessoas avaliam ganhos e perdas de maneira diferente. Segundo a teoria da utilidade, atribui-se valor ao bem final. Segundo a teoria da perspectiva de Kahneman e Tversky, atribui-se um valor individual aos ganhos e às perdas. Kahneman e Tversky foram capazes de provar que as pessoas não buscam a riqueza final, como prevê a teoria da utilidade, mas que seu foco são os ganhos e as perdas incrementais que contribuem para sua riqueza final. A descoberta mais importante da teoria da perspectiva foi a constatação de que as pessoas têm aversão a perdas. Na verdade, Kahneman e Tversky provaram matematicamente que as pessoas lamentam as perdas mais do que festejam os ganhos do mesmo tamanho, de duas a duas vezes e meia mais.

Em outras palavras, a dor de uma perda é bem maior do que a alegria de um ganho. Muitos experimentos têm demonstrado que as pessoas precisam duas vezes mais de um resultado positivo para superar um negativo. Numa aposta meio a meio, em que as chances sejam exatamente iguais, a maioria das pessoas não arriscará nada, a menos que o ganho potencial seja duas vezes maior do que a perda potencial.

Isso é conhecido como "aversão assimétrica a perdas": o lado negativo tem um impacto maior do que o positivo, e essa é uma característica fundamental da psicologia humana. Aplicada ao mercado de ações, significa que os investidores sofrem duas vezes mais por perder dinheiro do que se sentem bem quando escolhem uma ação de bom desempenho. O impacto da aversão à perda nas decisões de investimento é óbvio e profundo. Todos queremos acreditar que tomamos boas decisões. A fim de preservar a boa opinião que temos de nós mesmos, ficamos apegados a más escolhas por tempo demais, na vaga esperança de que a situação se reverta. Se não vendermos nossas piores ações, nunca teremos de encarar nossos fracassos.

Essa aversão a perdas torna os investidores desnecessariamente conservadores. Os participantes de planos 401(k), cujo horizonte de tempo são décadas, ainda mantêm grandes volumes de dinheiro investidos no mercado de títulos de dívida. Por quê? Somente uma aversão a perdas muito intensa faria alguém alocar seus recursos de maneira tão conservadora. Mas essa aversão pode afetar a pessoa de maneira ainda mais imediata, levando-a a se apegar irracionalmente a ações perdedoras. Ninguém gosta de admitir erros. Mas, se você não vende um erro, está potencialmente desistindo de um ganho que poderia ter com um novo investimento mais inteligente.

Contabilidade mental

Durante muitos anos, Richard Thaler teve a sorte de estudar e colaborar com Kahneman e Tversky, assim como com vários outros acadêmicos no campo das finanças comportamentais. Thaler já escreveu vários artigos sobre tomada de decisão, e muitos deles podem ser encontrados em seu famoso livro *The Winner's Curse: Paradoxes and Anomalies of Economic Life*, de 1992. Contudo, Thaler é mais conhecido por um ensaio de 1995 intitulado "Myopic loss aversion and the equity risk premium" [Aversão a perdas por miopia e o prêmio de risco], elaborado em coautoria com Shlomo Benartzi, professor e codiretor do grupo de tomada de decisão comportamental da Faculdade de Administração da Universidade da Califórnia em Los Angeles. Nesse ensaio, Thaler e Benartzi retomaram a aversão à perda descrita por Kahneman e Tversky em sua teoria da perspectiva para ligá-la diretamente ao mercado de ações.

Thaler e Benartzi estavam intrigados com uma questão central: por que alguém com um horizonte de longo prazo iria querer possuir títulos de ações quando sabe que o desempenho delas tem sido constantemente superado? Os autores acreditavam que a resposta dependia de dois conceitos de Kahneman e Tversky. O primeiro era a aversão a perdas, que já vimos. O segundo era um conceito comportamental chamado "contabilidade mental", que descreve os métodos que as pessoas usam para codificar resultados financeiros. Refere-se ao nosso hábito de mudar de ponto de vista sobre dinheiro conforme mudam as circunstâncias dominantes. Tendemos mentalmente a alocar dinheiro em "contas" diferentes, e isso determina como pensamos em usá-lo.

Vamos ilustrar isso com uma situação simples. Suponhamos que você acabou de voltar para casa depois de ter saído com seu/sua companheiro(a). Você pega a carteira para pagar a babá, mas a nota de 20 dólares que achou que estaria lá não está. Então, você leva a babá para casa e, no caminho, para no caixa eletrônico para pegar outra nota de 20 dólares. No dia seguinte, encontra a nota original de 20 dólares no bolso do casaco.

Se você é como a maioria das pessoas, vai reagir com alguma alegria. Os 20 dólares no casaco são um dinheiro encontrado. Embora a primeira nota de

20 e a segunda tenham vindo da mesma conta bancária, e as duas notas representem dinheiro que você lutou para ganhar, a nota que você tem na mão é um dinheiro que não esperava ter e que se sente livre para gastar frivolamente.

Mais uma vez, Richard Thaler apresenta um interessante experimento acadêmico para demonstrar esse conceito. Em seu estudo, ele começou com dois grupos de pessoas. As do grupo um receberam 30 dólares em dinheiro vivo e lhes disseram que tinham duas escolhas: (1) embolsar o dinheiro e ir embora ou (2) apostar em cara ou coroa; se ganhassem, receberiam mais 9 dólares e, se perdessem, teriam um abatimento de 9 dólares no pagamento. A maioria das pessoas (70%) aceitou apostar porque pensou que no mínimo ficaria com 21 dólares do dinheiro recebido. As do grupo dois receberam uma oferta diferente: (1) apostar em cara ou coroa; se ganhassem, receberiam 39 dólares e, se perdessem, receberiam 21 dólares; ou (2) ganhariam 30 dólares sem apostar. Mais da metade (57%) resolveu ficar com o dinheiro seguro. Os dois grupos iriam ganhar exatamente a mesma quantia, com exatamente as mesmas chances, mas a situação foi percebida diferentemente.[6]

As implicações são claras: a maneira como decidimos investir e a maneira como escolhemos lidar com os investimentos têm muito a ver com o modo como pensamos no dinheiro. Por exemplo, sugeriu-se que a contabilidade mental é uma razão a mais para as pessoas não venderem ações de mau desempenho. Na cabeça delas, a perda não se torna real até que aconteça de fato. Isso nos ajuda a compreender nossa tolerância ao risco: é muito mais provável que queiramos correr um risco com dinheiro achado.

Aversão a perdas por miopia

Thaler e Benartzi ainda não tinham terminado. Thaler recordou um enigma financeiro proposto originalmente pelo prêmio Nobel Paul Samuelson. Em 1963, Samuelson perguntou a um colega se ele estaria disposto a aceitar a seguinte aposta: uma chance de 50% de ganhar 200 dólares ou uma chance de 50% de perder 100 dólares. Segundo Samuelson, o colega recusou a oferta inicial, mas depois reconsiderou. Ele ficaria feliz em entrar no jogo se pudesse jogar 100 vezes e não tivesse de conferir o resultado a cada vez. Essa vontade de entrar no jogo com novas regras inspirou uma ideia a Thaler e Benartzi.

O colega de Samuelson estava disposto a aceitar a aposta com duas modificações: ampliar o horizonte de tempo do jogo e reduzir a frequência com que seria obrigado a conferir o resultado. Levando essas observações para o mundo dos investimentos, Thaler e Benartzi raciocinaram que, quanto mais tempo um investidor mantém um ativo, mais atraente ele se torna, mas somente se o investimento não for avaliado frequentemente.

Quando analisamos os retornos históricos dos investimentos, descobrimos que a ampla maioria dos retornos de longo prazo é resultado de apenas 7% de todos os meses de negociação. O retorno dos restantes 93% apresenta uma média de aproximadamente zero.[7] Desse modo, o que fica claro é que avaliar o desempenho em períodos de tempos mais curtos aumenta as chances de ver perdas no portfólio. Se você confere seu portfólio diariamente, existe uma chance de 50% de você perceber uma perda. Essa probabilidade não melhora muito se você amplia seu período de avaliação para um mês. Por outro lado, se não confere seu portfólio todo dia, você é poupado da angústia de observar as oscilações diárias nos preços; quanto mais tempo você retiver seus ativos, menos provavelmente será confrontado com a volatilidade e, portanto, mais atraentes suas escolhas parecerão ser. Em outras palavras, os dois fatores que contribuem para a turbulência emocional do investidor são a aversão a perdas e uma alta frequência de avaliação de desempenho. Usando um termo médico, Thaler e Bernatzi cunharam a expressão "aversão a perdas por miopia", a fim de refletir uma combinação da aversão a perdas com o atributo da frequência.

Em seguida, Thaler e Bernatzi buscaram determinar o prazo ideal. Sabemos que em períodos curtos os preços de ações são muito mais voláteis do que os de títulos de dívida. Também sabemos que, se nos dispusermos a ampliar o período em que medimos os preços das ações, o desvio-padrão do retorno da ação diminuirá. O que Thaler e Bernatzi queriam saber era isto: quanto tempo os investidores precisam manter as ações sem conferir seu desempenho para chegar ao ponto de serem indiferentes à aversão a perdas de ações *versus* títulos de dívida? Resposta: um ano.

Thaler e Bernatzi examinaram o retorno, o desvio-padrão e a probabilidade de um retorno positivo para ações em horizontes de tempo de uma hora, um dia, uma semana, um mês, um ano, 10 anos e 100 anos. Em seguida, empregaram uma função de utilidade simples baseada no duplo fator de aversão a perdas de Kahneman e Tversky (utilidade = probabilidade de aumento do preço – probabilidade de queda × 2). Com base na matemática, o fator de utilidade emocional de um investidor não cruzou o limiar de número positivo até chegar a período de um ano de observação. Muitas vezes me perguntei se a sugestão de Warren Buffett pela abertura do mercado de ações somente uma vez por ano para negociações não estaria atrelada aos dados psicológicos da aversão a perdas por miopia.

Thaler and Bernatzi argumentam que, toda vez que falamos sobre aversão a perdas, também devemos considerar a frequência com que os retornos são calculados. Se os investidores avaliarem seus portfólios em períodos cada vez mais curtos, então está claro que serão menos atraídos por ações voláteis. Como Thaler e Bernatzi explicam, a "aversão a perdas é um fato da vida. Por outro lado, a frequência de avaliações é uma escolha política que presumivelmente poderia ser modificada, pelo menos em princípio".[8]

O fator lemingue

Outra armadilha psicológica que atrai os investidores é a tentação de seguir o que todo mundo está fazendo, tenha sentido ou não. Poderíamos chamar esse processo de "falácia do lemingue".

Os lemingues são pequenos roedores nativos da tundra, famosos por seu êxodo em massa para o mar. Em períodos normais, os lemingues migram durante a primavera em busca de comida e novos abrigos. A cada três ou quatro anos, no entanto, algo diferente acontece. Devido à sua alta taxa de acasalamento e ao baixo índice de mortalidade, a população de lemingues começa a aumentar. Quando os grupos estão muito numerosos, os lemingues começam um movimento errático na escuridão. Em pouco tempo, esse grupo destemido começa a se deslocar à luz do dia. Ao serem confrontados por barreiras, os lemingues do bando são tão numerosos que uma reação semelhante ao pânico os faz atravessar o obstáculo. Quando esse comportamento se intensifica, os lemingues passam a desafiar outros animais que normalmente evitariam. Embora muitos lemingues morram por falta de alimento, pela ação de predadores e por acidentes, a maioria chega ao mar. Lá mergulham e nadam até morrerem de exaustão.

O comportamento dos lemingues não é plenamente compreendido. A teoria dos zoólogos é que a migração em massa ocorre devido a mudanças em seu suprimento de comida e/ou por fatores estressantes. A população aumentada e a competição entre os lemingues possivelmente desencadeiam uma mudança hormonal que induz uma alteração em seu comportamento.

Por que tantos investidores se comportam como lemingues? Para nos ajudar a entender esse fenômeno, Buffett conta uma das histórias prediletas de Ben Graham, incluída no relatório anual da Berkshire Hathaway de 1985.

Um perfurador de poços de petróleo, chegando ao céu, onde pretendia receber a recompensa divina, é recebido por São Pedro com más notícias: "Você tem direito a residir aqui, mas, como pode ver, o alojamento para petroleiros está lotado. Não temos como acomodar você ali". Depois de pensar por um momento, o petroleiro pergunta se pode dizer algumas palavras aos atuais ocupantes. Como isso parece inócuo, São Pedro concorda. O petroleiro coloca as mãos em torno da boca e grita: "Descobriram petróleo no inferno!". Imediatamente, os portões do alojamento se abrem e os petroleiros saem correndo. Impressionado, São Pedro convida o petroleiro a se mudar e se instalar com conforto. O homem para e diz: "Não. Acho que vou junto com eles. Afinal de contas, onde tem fumaça tem fogo".

Para ajudar os investidores a evitar essa armadilha, Buffett nos pede que pensemos nos gestores financeiros profissionais, que, com grande frequência, são recompensados por um sistema que iguala o que é seguro ao que é médio, e recompensa as práticas-padrão mais do que o pensamento independente. Buffett diz que "a maioria dos gestores tem muito pouco incentivo para tomar uma decisão inteligente que tenha alguma chance de parecer idiota. Essa proporção entre ganho e perda pessoal é bem óbvia; se uma decisão pouco convencional tem um bom resultado, o investidor ganha um tapinha nas costas; mas, se não tem, o que recebe é um aviso de demissão. Fracassar de modo convencional é o caminho a seguir; como grupo, os lemingues podem ter uma imagem prejudicada, mas nenhum lemingue individualmente já teve repercussão negativa na mídia".[9]

Lidando com as armadilhas emocionais

Cada uma dessas maneiras comuns de pensar sobre dinheiro cria problemas para os investidores que não conseguem escapar das repercussões prejudiciais, mas, em minha opinião, a mais séria de todas é a aversão a perdas por miopia. Acredito que esse seja o maior dos obstáculos psicológicos que impedem os investidores de adotar com sucesso o método de Warren Buffett para investir. Ao longo das minhas três décadas de experiência profissional, já observei em primeira mão a dificuldade que os investidores, gestores de portfólio, consultores e membros de comitês de grandes fundos institucionais têm para interiorizar as perdas, que se tornam ainda mais dolorosas por serem tabuladas com frequência. Superar esse ônus psicológico penaliza quase todo mundo, exceto alguns poucos escolhidos.

Talvez não surpreenda o fato de que uma pessoa que venceu a aversão a perdas por miopia tenha se tornado também o maior investidor do mundo: Warren Buffett. Sempre acreditei que o prolongado sucesso de Buffett tem muito a ver com a estrutura peculiar de sua companhia. A Berkshire Hathaway possui não apenas ações ordinárias como também negócios dos quais é totalmente dona, de modo que Buffett vem observando em primeira mão como estão inextricavelmente ligados o crescimento do valor desses negócios e o preço de suas ações ordinárias. Ele não tem necessidade de ver como estão os preços das ações todos os dias porque não precisa da confirmação do mercado para convencê-lo de que fez o investimento certo. Como ele mesmo diz, repetidamente, "não preciso do preço de uma ação para me dizer o que já sei sobre valor".

Uma observação adicional sobre o modo como isso funciona com Buffett pode ser encontrada no investimento de 1 bilhão de dólares que ele fez na Coca-Cola Company, em 1988. Nessa época, era o maior investimento isolado que a Berkshire já tinha feito em ações. Ao longo dos dez anos seguintes, o preço da ação da Coca-Cola subiu dez vezes, enquanto o índice S&P 500 subiu três vezes. Em retrospecto, podemos pensar que a Coca-Cola era um dos investimentos mais fáceis que alguém poderia fazer. No final dos anos 1990, participei de diversos seminários sobre investimentos e sempre perguntava à plateia: "Quantos de vocês tiveram ações da Coca-Cola nos últimos dez anos?". Praticamente todas as mãos se levantavam no mesmo instante. Então, eu indagava: "Quantos aqui tiveram a mesma taxa de retorno de Buffett com esse investimento?". Timidamente, as pessoas foram baixando devagar a mão.

Era nesse momento que eu fazia a pergunta de verdade: "Por quê?". Se tanta gente na plateia tinha ações da Coca-Cola (na realidade, essas pessoas tinham feito o mesmo investimento que Buffett), por que então nenhuma delas havia obtido o mesmo retorno? Acho que a resposta reside na aversão à perda por miopia. Durante uma década (de 1989 a 1998), a Coca-Cola teve desempenho superior ao do mercado, mas, numa base anual, isso só ocorreu em seis anos. Segundo a matemática da aversão a perdas, investir na Coca-Cola teve uma utilidade emocional negativa (seis unidades emocionais positivas – quatro unidades emocionais negativas × 2). Só posso imaginar que aquelas pessoas que investiram em ações da Coca-Cola o fizeram num ano em que essas ações estavam tendo um desempenho pior do que o do mercado e decidiram vender. O que fez Buffett? Primeiro, avaliou o progresso econômico da Coca-Cola – ainda excelente – e então continuou em posse do negócio.

Ben Graham nos lembra que, "na maior parte do tempo, as ações ordinárias estão sujeitas a flutuações de preço irracionais e excessivas em ambas as direções, como consequência da entranhada tendência da maioria das pessoas a especular e apostar – ou seja, dar espaço para a esperança, o medo e a cobiça".[10] Ele advertia que os investidores deveriam estar preparados para os altos e baixos do mercado e, com isso, queria dizer preparados psicológica e financeiramente – não apenas intelectualmente – para a eventualidade de uma queda, tendo então a prontidão necessária para agir de modo apropriado quando isso acontecesse.

"O investidor que se permite ser atropelado ou se preocupa indevidamente com declínios injustificados do mercado que afetam seus investimentos está perversamente transformando sua vantagem básica numa desvantagem básica", disse Graham. "Essa pessoa se sairia melhor se suas ações não tivessem nenhuma cotação de mercado, porque então ela não sofreria o tormento mental causado pelos erros de julgamento de outra pessoa."[11]

E, do outro lado, Warren Buffett

A abordagem de Warren Buffett aos investimentos – pensando nas ações como negócios e gerindo um portfólio com foco – entra diretamente em conflito com as teorias financeiras ensinadas a milhares de alunos de economia todos os anos. Em conjunto, elas são chamadas de "teoria moderna do portfólio" – ou apenas "teoria do portfólio". Como veremos, essa teoria foi montada não por donos de negócios, mas por acadêmicos em suas torres de marfim. Buffett se recusa a habitar nessa construção intelectual. Aqueles que adotam seus princípios logo se veem emocional e psicologicamente desconectados do modo como a maioria dos investidores se comporta.

Harry Markowitz – Covariância

Em março de 1952, Harry Markowitz, formado pela Universidade de Chicago, publicou um artigo de 14 páginas no *Journal of Finance* intitulado "Portfolio selection" [Escolha do portfólio],[12] em que explicava o que acreditava ser um conceito simples: retorno e risco estão inextricavelmente ligados. Markowitz também apresentava os cálculos que davam base à conclusão de que nenhum investidor consegue obter ganhos acima da média sem correr riscos acima da média. Hoje, isso parece ridículo de tão óbvio, mas era um conceito revolucionário nos anos 1950, época em que os portfólios eram montados sem critério. Hoje em dia, esse breve artigo recebe o crédito de ter inaugurado as finanças modernas.

Sete anos depois, Markowitz publicou seu primeiro livro: *Portfolio Selection*. Nessa obra, que muitos acreditam ser sua maior contribuição, ele volta sua atenção para mensurar o grau de risco de um portfólio inteiro. Ali, introduziu a covariância, um método para mensurar a direção de um grupo de ações. Quanto mais dinheiro há numa mesma direção, maior é a chance de que as mudanças econômicas as arrastem para baixo, ao mesmo tempo. Da mesma maneira, um portfólio composto de ações de risco pode de fato ser uma carteira conservadora, se o preço das ações individuais se comportar diferentemente. De todo modo, Markowitz afirmava que a chave está na diversificação. O curso de ação mais inteligente para os investidores, segundo ele, está em primeiro identificar o nível de risco que podem gerir com conforto e depois construir um portfólio diversificado e eficiente de ações com baixa covariância.

Eugene Fama – O mercado eficiente

Em 1965, Eugene Fama, Ph.D. pela Universidade de Chicago, publicou no *Journal of Business* sua tese de doutorado intitulada "The behavior of stock market prices" [O comportamento dos preços no mercado de ações], em que propunha uma teoria abrangente do mercado de ações. Sua mensagem era bem clara: as previsões sobre preços futuros de ações não fazem sentido porque o mercado é eficiente demais. Num mercado eficiente, à medida que as informações vão se tornando disponíveis, um grande número de pessoas inteligentes põe agressivamente essas informações em prática de uma maneira que leva os preços a se ajustarem instantaneamente, antes que alguém consiga lucrar. Num dado ponto, os preços refletem todas as informações disponíveis, e, por conta disso, dizemos que o mercado é eficiente.

Bill Sharpe – Modelo de precificação de ativos

Cerca de dez anos após a publicação do ensaio de Markowitz, um jovem Ph.D. chamado Bill Sharpe conversou longamente com ele sobre seu trabalho com a teoria do portfólio e a necessidade de incontáveis covariâncias. No ano seguinte, 1963, Sharpe publicou uma dissertação intitulada "A simplified model of portfolio analysis" [Um modelo simplificado de análise de portfólio]. Embora reconhecesse explicitamente sua dívida para com as ideias de Markowitz, Sharpe sugeria um método mais simples: para ele, todos os títulos têm um relacionamento em comum com algum fator básico subjacente. Portanto, a análise era simplesmente uma questão de mensurar a volatilidade de um título individual em relação a seu fator-base. Ele denominou essa medida da volatilidade de "fator beta".

Um ano depois, Sharpe apresentou um conceito de longo alcance chamado "modelo de precificação de ativos" (*capital asset pricing model* – CAPM), uma extensão direta de seu modelo de fator único voltado para compor portfólios eficientes. O CAPM diz que as ações contêm riscos distintos. Um é simplesmente o risco de estar no mercado, que Sharpe chama de "risco sistêmico". O risco sistêmico é "beta" e não pode ser diversificado a ponto de desaparecer. O segundo tipo, chamado "risco não sistêmico", é o risco específico da posição econômica da companhia. Diferentemente do sistêmico, o risco não sistêmico pode ser neutralizado pela diversificação, simplesmente adicionando ações diferentes ao portfólio.

* * *

No espaço de uma década, três acadêmicos definiram importantes elementos do que seria posteriormente chamado de "teoria moderna do portfólio": Markowitz, com sua ideia de que o equilíbrio adequado entre recompensa e risco depende da diversificação; Fama, com sua teoria do mercado eficiente; e Sharpe, com sua definição de risco. Assim, pela primeira vez na história, nosso destino financeiro não dependia mais de Wall Street nem de Washington, D. C., e tampouco estava nas mãos dos donos de negócios. Conforme fomos seguindo adiante, o cenário financeiro foi sendo definido por um grupo de professores universitários a cujas portas finalmente os profissionais de finanças tinham vindo bater. Instalados em suas torres de marfim, tinham agora se tornado os novos altos sacerdotes das finanças modernas.

O que Buffett diz sobre o risco e a diversificação

Voltemos a Warren Buffett agora. Ele começou uma sociedade de investimento com alguns poucos milhares de dólares e os transformou em 25 milhões. Com os lucros dessa sociedade, ele tomou o controle da Berkshire Hathaway e rapidamente se encaminhou para um valor que logo ultrapassaria a marca de 1 bilhão de dólares. Ao longo de todos esses 25 anos, ele deu pouca ou nenhuma atenção à covariância das ações, às estratégias para reduzir a variabilidade do retorno de um portfólio ou – Deus nos livre – à ideia de que o mercado de ações é precificado com eficiência. Buffett refletiu profundamente sobre o conceito de risco, mas sua interpretação ficou muito distante do que os acadêmicos estavam dizendo sobre risco.

Lembre que, para a teoria moderna do portfólio, o risco era definido pela volatilidade do preço da ação, mas Buffett sempre entendeu que uma queda no preço das ações era uma oportunidade. No mínimo, a queda do preço, na realidade, *reduz* o risco. Ele salienta que, "para os donos de um negócio – e é assim que pensamos sobre os acionistas –, a definição acadêmica de risco está muito distante do mercado, a tal ponto que produz absurdos".[13]

Buffett oferece uma definição diferente de risco: a possibilidade de dano ou lesão. Esse é um fator do "risco do valor intrínseco" de um negócio, não o comportamento do preço da ação. Segundo Buffett, o risco real é se o retorno de um investimento após os impostos "lhe dará [como investidor] pelo menos tanto poder de compra quanto tinha no começo, mais uma modesta taxa de juros sobre aquele investimento inicial".[14]

Para Buffett, o risco está inextricavelmente ligado ao horizonte de tempo do investidor. Essa é a maior diferença isolada entre o que Warren Buffett pensa sobre risco e como a teoria moderna do portfólio encara o risco. Buffett explica que, se você compra ações hoje com a intenção de vender amanhã, então você entrou numa transação arriscada. As chances não são melhores do que no lançamento de uma moeda: você perderá na metade das vezes. Porém, ele acrescenta que, se você amplia seu horizonte de tempo, a probabilidade de essa ser uma transação arriscada diminui significativamente, presumindo, é claro, que você tenha realizado uma transação sensata. Buffett alerta: "Se você me pede que avalie o risco de comprar a Coca-Cola agora de manhã para vender amanhã de manhã, eu diria que essa é uma transação muito arriscada".[15] No entanto, dentro do modo de pensar de Buffett, comprar ações da Coca-Cola agora de manhã e conservá-las durante dez anos representa risco zero.

A visão peculiar de Buffett sobre risco norteia igualmente sua estratégia de diversificação do portfólio. Também nesse caso, o modo como ele pensa é exatamente o oposto da teoria moderna do portfólio. Como você deve se lembrar, o benefício primário de um portfólio amplamente diversificado consiste em mitigar a volatilidade de preços das ações individuais. Contudo, se você não tem essa preocupação da volatilidade de preços no curto prazo, tal qual Buffett, então você também enxergará a diversificação do portfólio por um prisma diferente.

Buffett explica que a "diversificação serve como proteção contra a ignorância. Se você quer ter certeza de que nada de ruim acontecerá com você em termos de mercado, você deve possuir tudo. Não há nada de errado com isso. É uma abordagem perfeitamente sensata para alguém que não sabe como analisar negócios". Em muitos aspectos, a teoria moderna do portfólio protege aqueles investidores com conhecimento e entendimento limitados de como valorar um negócio. No entanto, a proteção tem um custo. De acordo com

Buffett, a teoria moderna do portfólio "lhe dirá como ter um desempenho médio, mas acho que praticamente qualquer um já consegue imaginar como ter um desempenho médio lá pela quinta série".[16]

Por fim, se a teoria do mercado eficiente está correta, não existe possibilidade, exceto uma probabilidade aleatória, de que qualquer pessoa ou grupo tenha um desempenho melhor do que o do mercado, e certamente nenhuma chance de que a mesma pessoa ou grupo seja capaz de fazê-lo de modo consistente. No entanto, o registro de desempenho de Buffett nos últimos 48 anos é uma evidência incontestável de que isso é possível, sobretudo quando combinado com a experiência de outros indivíduos brilhantes que também bateram o mercado seguindo as orientações de Buffett. O que isso diz a respeito da teoria do mercado eficiente?

O problema de Buffett com essa teoria gira em torno de um ponto central: ela não oferece provisão para aqueles investidores que analisam todas as informações disponíveis e ganham uma vantagem competitiva por tomarem essa atitude: "Observando corretamente que o mercado é com frequência eficiente, deram um passo adiante e concluíram incorretamente que ele é sempre eficiente. A diferença entre essas duas proposições é como entre a noite e o dia".[17]

Apesar disso, a teoria do mercado eficiente ainda é religiosamente ensinada nas faculdades de economia, fato que dá a Warren Buffett uma satisfação infinita. Com ironia, ele afirma: "Naturalmente, o desserviço prestado a estudantes e investidores profissionais ingênuos que engoliram a teoria do mercado eficiente tem prestado um serviço extraordinário a nós e a outros seguidores de Graham. Em qualquer tipo de concorrência – financeira, mental ou física –, é uma enorme vantagem ter adversários que aprenderam que é inútil sequer tentar. De um ponto de vista egoísta, provavelmente deveríamos garantir que os catedráticos continuem ensinando a teoria do mercado eficiente em caráter perpétuo".[18]

Hoje em dia, os investidores ficam imobilizados diante de uma encruzilhada intelectual e profundamente emocional. À esquerda, estende-se o caminho da teoria moderna do portfólio, com seus 50 anos de história repletos de artigos acadêmicos, belas fórmulas e vencedores de prêmios Nobel. Essa teoria busca atrair e levar os investidores de A a B com a menor volatilidade de preços possível, minimizando dessa maneira a dor emocional de uma trajetória turbulenta. Como acreditam que o mercado é eficiente e que preço e valor intrínseco são a mesma coisa, os adeptos da teoria moderna do portfólio se concentram primeiro no preço e só depois no valor do ativo, se é que o fazem.

À direita, estende-se o caminho por onde seguiram Warren Buffett e outros investidores de sucesso. Seus 50 anos de história estão repletos de experiências de vida, aritmética simples e donos de negócios de longo prazo. Para conduzir os investidores de A a B, esse caminho não fornece uma trajetória tranquila através de preços de curto prazo, mas orquestra uma abordagem em relação ao investimento que busca maximizar, em bases econômicas ajustadas ao risco, a taxa de crescimento do valor intrínseco. Os proponentes da abordagem de Buffett não acreditam que o mercado seja sempre eficiente. Em vez disso, focam sua atenção primeiro no valor do ativo e só depois no preço – se é que chegam a isso.

* * *

Agora que você já conta com um esboço, embora breve, dos conceitos da teoria moderna do portfólio, é possível ver facilmente que adotar a abordagem de Buffett o levará a um conflito com os defensores dessa teoria. Não apenas você estará se opondo intelectualmente aos proponentes dessa teoria do portfólio, como também será sempre a minoria tanto na sala de aula como no ambiente de trabalho. Adotar o jeito de investir de Warren Buffett fará de você um rebelde que enxerga, no outro lado do campo de batalha, um exército muito maior de gente que investe de maneira bem diferente. Como você verá, ser um pária traz seus próprios desafios emocionais.

Já faz mais de 20 anos que escrevo sobre Warren Buffett e, durante esse período, não encontrei ninguém que tenha discordado veementemente da metodologia descrita em *O jeito Warren Buffett de investir*. No entanto, conheci um sem-número de pessoas que, embora concordem com tudo o que Buffett escreve, nunca foram emocionalmente capazes de pôr suas lições em prática. Acabei acreditando que essa é a mais importante de todas as chaves para entender seu sucesso e uma parte do quebra-cabeça que ainda não foi plenamente explorada. Em suma, Warren Buffett é racional, não emocional.

Por que a psicologia importa

Em 2002, o psicólogo Daniel Kahneman foi agraciado com o Prêmio Nobel de Economia "por ter integrado descobertas da pesquisa psicológica à ciência econômica, sobretudo no que diz respeito ao julgamento humano e à tomada de decisão em situações de certeza". Isso sinalizou a chegada formal das finanças comportamentais como uma força legítima no modo de pensar sobre mercados de capital. Apesar dos programas de computador e das caixas-pretas, ainda são as pessoas que fazem os mercados.

Como as emoções são mais fortes do que a razão, tanto o medo como a cobiça fazem os preços das ações subir e descer em relação ao valor intrínseco de uma companhia. Quando as pessoas são ambiciosas ou estão assustadas, como diz Buffett, elas muitas vezes vendem ações a preços ridículos. A curto prazo, o sentimento do investidor – as emoções humanas – tem um impacto mais pronunciado no preço das ações do que os elementos fundamentais da empresa.

Muito tempo antes de as finanças comportamentais terem nome, elas já eram entendidas e aceitas por uns poucos renegados como Warren Buffett e Charlie Munger. Charlie salienta que, quando ele e Buffett saíram da faculdade, "entraram no mundo dos negócios e encontraram enormes padrões previsíveis de extrema irracionalidade".[19] Ele não está falando de prever o momento de investir, mas sim da ideia de que, quando ocorre uma conduta irracional, ela leva a padrões previsíveis de comportamentos subsequentes.

Exceto por Buffett e Munger, só bem recentemente é que a maioria dos investidores profissionais passou a dar atenção à intersecção de finanças e psicologia. Quando se trata de investir, as emoções são muito reais, na medida em que afetam o comportamento das pessoas e, portanto, também os preços do mercado. Tenho certeza de que você já identificou dois motivos pelos quais entender a dinâmica humana é tão valioso para seus próprios investimentos: (1) você contará com diretrizes que ajudarão a evitar os erros mais comuns e (2) será capaz de reconhecer os erros dos outros a tempo de se beneficiar disso.

Todos somos vulneráveis a erros individuais de julgamento que podem afetar nosso sucesso pessoal. Quando mil pessoas ou um milhão delas cometem erros de julgamento, o impacto coletivo impele o mercado numa direção destrutiva. Com isso, a tentação de seguir a massa é tão forte que os maus julgamentos acumulados só fazem aumentar. Em mares turbulentos de condutas irracionais, os poucos indivíduos que agem racionalmente podem ser os únicos sobreviventes.

Na realidade, o único antídoto para erros de julgamento instigados pelas emoções é a racionalidade, sobretudo quando aplicada a longo prazo, com paciência e perseverança, o que constitui o assunto do nosso próximo capítulo.

7

O valor da paciência

Em sua obra-prima épica *Guerra e paz*, Liev Tolstói fez uma profunda observação: "Os mais fortes de todos os guerreiros são estes dois: o tempo e a paciência". Claro que ele falava do ponto de vista militar, mas essa ideia também se aplica magistralmente à economia e tem grande valor para aqueles que pretendem aprofundar seu entendimento dos mercados de capital.

Todas as atividades do mercado se desenrolam num *continuum* temporal. Indo da esquerda para a direita, observamos decisões de compra-venda que ocorrem em microssegundos, minutos, horas, dias, semanas, meses, anos e décadas. Embora não fique claro exatamente onde se localiza a linha demarcatória, o consenso é que a atividade no lado esquerdo (horizonte de tempo mais curto) tem maior probabilidade de ser especulação e a do lado direito (períodos mais longos) é considerada investimento. Nem é preciso dizer que Warren Buffett se mantém confortavelmente atuando no lado direito, silencioso e paciente a longo prazo.

Isso nos leva à seguinte pergunta: por que tantas pessoas se dedicam a se mexer freneticamente do lado esquerdo, tentando fazer tanto dinheiro quanto possível, no menor prazo possível? Ganância? A crença equivocada de que são capazes de prever mudanças na psicologia do mercado? Ou será porque perderam a fé na possibilidade de obter retornos positivos com investimentos de longo prazo depois de terem vivido dois anos de mercado recessivo e uma crise financeira na década passada? A bem da verdade, devemos dizer que a resposta a essas três perguntas é "sim". Embora todas sejam problemáticas, é a última observação – falta de confiança em investimentos de longo prazo – a que mais me preocupa. E os investimentos de longo prazo são o cerne do jeito Warren Buffett de investir.

A favor do longo prazo

O trabalho mais importante que aborda a comparação entre as estratégias de curto e de longo prazo foi escrito há 20 anos por Andrei Shleifer, professor de Harvard e vencedor da Medalha John Bates Clark, e Robert Vishny, professor de finanças da Faculdade de Administração Booth, da Universidade de Chicago. Em 1990, Shleifer e Vishny escreveram um artigo de pesquisa para a *American Economic Review* intitulado "The new theory of the firm: equilibrium short horizons of investors and firms" [A nova teoria da firma: o equilíbrio de horizontes curtos para investidores e firmas].[1] Nesse trabalho, os autores comparavam o custo, o risco e o retorno de arbitragens de curto e de longo prazo.

O custo da arbitragem é a quantidade de tempo em que seu capital fica investido; risco é a quantidade de incerteza quanto ao resultado; e retorno é a quantidade de dinheiro ganho com esse investimento. Na arbitragem de curto prazo, esses três elementos são menos representativos. Na arbitragem de longo prazo, seu capital fica investido por mais tempo, o conhecimento de quando ocorre o lucro é mais incerto, mas o retorno deve ser mais alto.

De acordo com Shleifer e Vishny, "em equilíbrio, o retorno líquido esperado da arbitragem de cada ativo deve ser o mesmo. Como a arbitragem de ativos de longo prazo é mais cara do que a de ativos de curto prazo, a de longo prazo deve ser mais mal precificada em equilíbrio para que os retornos líquidos sejam iguais".[2] Em outras palavras, como a arbitragem de longo prazo é mais cara do que a de curto prazo, o retorno do investimento deve ser maior.

Shleifer e Vishny salientam que as ações ordinárias podem ser usadas na arbitragem de curto prazo. Por exemplo, especuladores de curto prazo, atuando como arbitradores de informação, podem apostar no resultado de uma possível aquisição, de uma divulgação de resultados ou de algum outro anúncio público que faria os equívocos de precificação desaparecer rapidamente. Mesmo que o preço da ação não reaja como esperado, o corretor é capaz de sair rapidamente da posição, com pouca repercussão financeira. Seguindo a linha de pensamento de Shleifer e Vishny, o custo do especulador é mínimo (o capital é investido por um curto período) e o risco é pequeno (a incerteza quanto ao resultado é resolvida rapidamente). Contudo, o retorno também é pequeno.

Devemos lembrar aqui que, a fim de gerar retornos substanciais com a arbitragem de curto prazo, essa estratégia deve ser empregada frequentemente, várias vezes seguidas. Shleifer e Vishny também explicam que, para aumentar o retorno do seu investimento além do que um especulador provavelmente receberia, você deve estar disposto a aumentar o custo do investimento (a quantidade de tempo durante a qual seu dinheiro fica investido), assim como a correr maior risco (incerteza quanto ao momento em que o resultado será resolvido). A variável de controle tanto para especuladores como para investidores é o horizonte de tempo. Os especuladores trabalham com períodos mais curtos e aceitam retornos menores. Os investidores atuam em períodos mais longos e esperam retornos maiores.

Isso nos leva à próxima questão: na arbitragem de longo prazo, existem de fato grandes retornos com a compra e a retenção de ações ordinárias? Então, decidi olhar mais de perto as evidências.

Calculamos o retorno de um ano, depois o retorno de três anos seguidos e o de cinco anos (só o preço) entre 1970 e 2012. Durante esse período de 43 anos, o número médio de ações no índice S&P 500 que dobrou em qualquer ano estudado subiu em média 1,8%, ou cerca de nove ações em 500. Ao longo de períodos ininterruptos de três anos, 15,3% das ações dobraram, ou algo em torno de 77 ações em 500. No bloco de cinco anos ininterruptos, 29,9% dobraram, ou cerca de 150 em 500.

Portanto, de volta à pergunta inicial: a longo prazo, existem de fato grandes retornos com a compra e a retenção de ações? A resposta é sem dúvida "sim". E, a menos que você ache trivial o dobro em cinco anos, isso equivale a 14,9% de retorno médio anual composto.

Naturalmente, o valor dessa pesquisa é relevante apenas nos casos em que os investidores têm condições de selecionar com antecedência aquelas ações com potencial para dobrar em cinco anos. A resposta evidentemente está na robustez de seu processo de seleção de ações e de sua estratégia de gestão de portfólio. Estou convicto de que os investidores que adotam os princípios de investimento descritos em *O jeito Warren Buffett de investir* e se mantêm fiéis a uma estratégia de baixa rotatividade em seu portfólio têm uma boa chance de isolar um número razoável de dobros em cinco anos.

A teoria das finanças nos diz que os investidores são recompensados por identificar equívocos de precificação. Podemos presumir que, se o excesso de retornos de qualquer ação é grande o suficiente, deve atrair um alto número de investidores em busca de minimizar a distância entre preço e valor. Quando aumenta o número de arbitradores, também sabemos que os retornos da arbitragem devem decrescer. No entanto, ao examinar o retorno percentual médio de nossa cesta de dobros de cinco anos ininterruptos entre 1970 e 2012, não pudemos apontar nenhuma diminuição significativa no excesso de retornos. Sim, de fato o número absoluto de dobros de investimento está correlacionado ao desempenho do mercado em geral. Mercados mais fortes engendram um número maior de dobros, ao passo que mercados mais fracos produzem menos, mas a porcentagem de desempenho superior dos dobros em relação ao mercado, seja qual for o ambiente, continua impressionante. Em suma, o exército de arbitradores de longo prazo que seria de esperar que combatesse esses preços equivocados continuou em grande medida ausente.

Quem está em melhor posição para minimizar a distância entre preço e valor nos períodos ininterruptos de cinco anos? Resposta: os investidores de longo prazo. No entanto, como essa distância permaneceu grande durante os últimos 43 anos, talvez o eleitorado do mercado tenha se tornado dominado por negociadores de curto prazo.

Entre 1950 e 1970, o período médio para reter ações ia de quatro a oito anos. Porém, desde o início dos anos 1970, o período de retenção vem declinando persistentemente, a ponto de hoje o período médio de retenção para fundos mútuos ser medido em meses. Nossa pesquisa indica que o maior número de oportunidades para embolsar o excesso de retornos ocorre após três anos. Sem dúvida, com taxas de rotatividade de portfólio superiores a 100%, isso mais do que garante que a maioria dos investidores ficará de fora.

Pode-se defender com convicção que o mercado está mais bem servido quando há um equilíbrio entre negociadores de curto prazo e investidores de longo prazo. Se o mercado é formado por uma força igual de arbitradores, metade atacando erros de precificação em curto prazo e metade buscando minimizar a distância entre preço e valor em longo prazo, então, segundo esse raciocínio, as ineficiências do mercado a curto e longo prazo serão em grande medida neutralizadas. Mas o que acontece ao mercado quando esse equilíbrio é desfeito? Um mercado dominado por investidores de longo prazo ignoraria os erros de precificação que ocorrem nos períodos de tempo mais curtos, e um mercado dominado por negociadores de curto prazo tem um amplo desinteresse por equívocos de preço em longo prazo.

Por que o mercado perdeu tanto da diversidade que antigamente o caracterizava? Por causa da lenta migração de pessoas que se converteram do investimento de longo prazo para a especulação de curto prazo. Os resultados dessa mudança evolucionária são em parte previsíveis. É uma questão de aritmética simples. Com tantas pessoas especulando agora, a dificuldade de ganhar apostas de curto prazo aumentou, ao passo que os retornos diminuíram. O poderoso ímã que atraiu tantas pessoas a se tornarem especuladoras de curto prazo deixou apenas um grupo rarefeito para neutralizar as ineficiências – o excesso de retornos – do investimento de longo prazo.

Racionalidade: a diferença crítica

"Racionalismo", de acordo com o *Oxford American Dictionary*, é a crença segundo a qual as opiniões e as ações de uma pessoa devem se basear na razão e no conhecimento em vez de nas reações emocionais. Uma pessoa racional pensa com clareza, sensatez e lógica.

A primeira coisa a entender é que racionalidade não é o mesmo que inteligência. Pessoas inteligentes podem fazer coisas tolas. Keith Stanovich, professor de desenvolvimento humano e psicologia aplicada da Universidade de Toronto, acredita que testes de inteligência, como as medidas de QI ou as provas para ingressar nas faculdades, são métodos fracos para mensurar o pensamento racional: "Na melhor das hipóteses, fornecem previsões moderadas, e algumas habilidades do pensamento racional estão totalmente dissociadas da inteligência".[3]

Em seu livro *What Intelligence Tests Miss: The Psychology of Rational Thought*, ele cunhou o termo "disracionalidade" – a inabilidade de pensar e se comportar racionalmente, apesar de um alto nível de inteligência. Pesquisas em psicologia cognitiva sugerem que há duas causas principais para a disracionalidade: a primeira é um problema de processamento. A segunda é um problema de conteúdo. Vamos ver as duas em mais detalhes, uma por vez.

Stanovich acredita que os seres humanos processam mal. Quando devem resolver um problema, ele diz, as pessoas contam com vários mecanismos cognitivos para escolher. Numa ponta do espectro do pensamento estão os mecanismos dotados de grande poder computacional, mas esse poder tem um custo. É um processo de pensamento mais lento e requer altas doses de concentração. Na ponta oposta desse espectro estão os mecanismos de muito pouco poder computacional; exigem bem pouca concentração e permitem decisões rápidas. Segundo Stanovich, "os seres humanos são cognitivamente avaros, porque nossa tendência básica é usar como padrão mecanismos de processamento que exigem menos esforço computacional, mesmo que sejam menos precisos".[4] Em suma, os seres humanos têm preguiça de pensar.

Pegam o caminho mais fácil quando precisam resolver um problema; por causa disso, suas soluções são frequentemente ilógicas.

Ideias lentas

Agora, vamos dar atenção ao papel da informação. A informação de que precisamos dialoga com o assunto deste capítulo – a paciência – e com o valor das "ideias lentas".

Muitos leitores talvez não conheçam Jack Treynor, mas ele é um gigante intelectual no campo da gestão financeira. Depois de se graduar em matemática no Haverford College, formou-se com honra ao mérito na Faculdade de Administração de Harvard em 1955 e começou sua carreira no departamento de pesquisa da Arthur D. Little, uma empresa de consultoria. Ainda um jovem analista, Treynor gerou 44 páginas de anotações matemáticas sobre a questão do risco enquanto estava num período de três semanas de férias no Colorado. Como era um escritor prolífico, depois de algum tempo tornou-se editor do *Financial Analysts Journal*, do CFA Institute.

Ao longo dos anos, Treynor manteve um intercâmbio acadêmico com muitos dos mais destacados estudiosos das finanças, entre os quais alguns premiados com o Nobel, como Franco Modigliani, Merton Miller e William Sharpe. Vários artigos de Treynor ganharam prêmios de prestígio, incluindo o Graham and Dodd Award do *Financial Analysts Journal* e o Roger F. Murray Prize. Em 2007, foi agraciado com o prestigiado CFA Institute Award for Professional Excellence. Felizmente, os artigos acadêmicos de Treynor, antes agrupados sem muito critério, estão agora reunidos e disponíveis num volume de 574 páginas intitulado *Treynor on Institutional Investing* [Treynor sobre investimentos institucionais]. Essa obra merece um lugar na estante de todo investidor sério.

Meu exemplar já está todo gasto e rabiscado, porque várias vezes ao ano eu releio minhas partes favoritas. Perto do fim, à página 424, está meu artigo favorito: "Long-term investing" [Investimento de longo prazo]. Foi publicado pela primeira vez em maio-junho de 1976 no *Financial Analysts Journal*. Treynor começa falando sobre o sempre presente enigma da eficiência do mercado. Ele indaga se é verdade que, por mais que nos esforcemos, nunca seremos capazes de encontrar uma ideia que o mercado já não tenha descontado. Para lidar com essa questão, Treynor nos pede para distinguir entre "dois tipos de ideias de investimento: (a) aquelas cujas implicações são diretas e óbvias, exigem relativamente pouco conhecimento especializado para serem avaliadas e, consequentemente, são rápidas, e (b) as que exigem reflexão, julgamento e conhecimentos especiais para serem avaliadas e, consequentemente, são lentas".[5]

Ele conclui que, "se o mercado é ineficiente, não será ineficiente com respeito ao primeiro tipo de ideia, uma vez que, por definição, o primeiro tipo provavelmente será mal avaliado pela grande massa de investidores".[6] Em outras palavras, é improvável que as ideias simples – como o índice preço/lucro, a rentabilidade dos dividendos, o índice preço/valor contábil, a taxa de crescimento P/L, as listas de ações com preço mais baixo nas últimas 52 semanas, os gráficos técnicos e qualquer outro método elementar sobre o qual podemos pensar em termos de ações – possam render lucros fáceis. Segundo Treynor, "se existe alguma ineficiência de mercado e uma oportunidade de investimento, portanto, ela surgirá com o segundo tipo de ideia de investimento, o tipo de ideia lenta. Esse segundo tipo de ideia – ao contrário do entendimento óbvio e rapidamente desvalorizado com relação a desenvolvimentos de negócios de longo prazo – é a única base significativa para um investimento de longo prazo".[7]

Estou certo de que você já percebeu que os princípios de investimento descritos em *O jeito Warren Buffett de investir* são as ideias que "viajam devagar" e se relacionam com "desenvolvimentos de negócios 'de longo prazo'", constituindo assim a base para "investir em longo prazo". Sejamos claros: a ideia lenta não é intelectualmente difícil de compreender, mas é mais trabalhosa do que confiar na "direta e óbvia".

Sistema 1 e Sistema 2

Já faz anos que os psicólogos demonstram interesse pela ideia de que nossos processos cognitivos são divididos em dois modos de pensamento, tradicionalmente chamados de "intuição", que produz a cognição "rápida e associativa", e "razão", descrita como "lenta e governada por regras". Atualmente, os psicólogos costumam se referir a esses processos cognitivos como Sistema 1 e Sistema 2. O pensamento do Sistema 1 é aquele em que as ideias simples e diretas são rápidas. Calcular o índice preço/lucro ou o pagamento de dividendos custa pouco tempo e não muito esforço intelectual.

O Sistema 2 é a parte "pensativa" do nosso processo cognitivo. Funciona de maneira controlada, lentamente e com esforço. Nossas "ideias lentas", que exigem "reflexão, julgamento e conhecimentos especiais", pertencem ao âmbito do Sistema 2 de pensamento.

Em 2011, o prêmio Nobel Daniel Kahneman escreveu um importante livro intitulado *Rápido e devagar – duas formas de pensar*. Foi um best-seller do jornal *New York Times* e um dos cinco livros de não ficção mais vendidos naquele ano – um feito notável para um volume de 500 páginas sobre tomada de decisão. Minha parte predileta é o capítulo 3, "O controlador preguiçoso". Kahneman nos lembra que o esforço cognitivo é um trabalho mental, e, como acontece com todo tipo de trabalho, a maioria das pessoas tem a tendência de se tornar preguiçosa quando a tarefa fica mais difícil. Ele se surpreende com a facilidade com que pessoas inteligentes parecem tão satisfeitas com sua resposta inicial que param de pensar.

Kahneman nos diz que há atividades no Sistema 2 de pensamento que exigem autocontrole, e a prática contínua do autocontrole pode ser desagradável. Se somos continuamente forçados a fazer algo várias vezes seguidas, e isso é desafiador, tendemos a exercer menor autocontrole quando vem o próximo desafio. Depois de algum tempo, simplesmente ficamos cansados. Por outro lado, "aqueles que evitam o pecado do ócio intelectual podem ser chamados de 'envolvidos'. São mais alertas, mais ativos de maneira inteligente, menos propensos a se satisfazer com respostas superficialmente atraentes e mais céticos a respeito de suas intuições".[8]

Shane Frederick, professor associado de marketing da Universidade Yale, nos brindou com uma descrição fascinante de como pessoas com QI razoavelmente alto navegam entre os sistemas de pensamento 1 e 2. Ele reuniu um grupo de estudantes de Harvard, de Princeton e do MIT (presumivelmente todos muito inteligentes, uma vez que estão em algumas das melhores universidades americanas) e pediu que respondessem a três perguntas:

1. Um taco e uma bola custam 1,10 dólar. O taco custa 1 dólar a mais do que a bola. Quanto custa a bola?
2. Se cinco máquinas levam cinco minutos para fazer cinco dispositivos, quanto tempo levaria para 100 máquinas fazerem 100 dispositivos?
3. Num lago há uma plantação de lírios. Todos os dias, esse bloco de lírios dobra de tamanho. Se são necessários 48 dias para os lírios cobrirem toda a superfície do lago, quanto tempo levará para cobrirem metade do lago?[9]

Para a surpresa de Frederick, mais da metade dos alunos errou as respostas, e, com isso, ele delineou dois problemas significativos. Em primeiro lugar, as pessoas não estão acostumadas a pensar com afinco para resolver problemas e frequentemente correm para a primeira resposta plausível que lhes vem à mente, para não terem de se envolver com o peso-pesado que é o Sistema 2 de pensamento. O segundo problema – já em si perturbador – foi a constatação de que o processo do Sistema 2 não faz um bom serviço quando se trata de monitorar os erros do Sistema 1 de pensamento. Para Frederick, parecia que os alunos estavam empacados no Sistema 1 e não conseguiam ou não queriam mudar para o Sistema 2.

Como os Sistemas 1 e 2 atuam em relação aos investimentos? Digamos que um investidor esteja cogitando adquirir ações ordinárias. Usando o Sistema 1 de pensamento, ele tabula o índice preço/lucro da companhia, o valor contábil e a emissão de dividendos. Vendo que os dois índices estão sendo negociados perto de baixas históricas e que a companhia elevou os dividendos anualmente nos últimos dez anos, o investidor pode rapidamente concluir que essas ações têm um bom valor. Infelizmente, um grande número de investidores confia quase exclusivamente no Sistema 1 de pensamento para tomar uma decisão, sem nunca parar para se envolver no Sistema 2.

O que significa estar "envolvido"? De forma muito simples, quer dizer que os pensamentos do seu Sistema 2 são fortes, dinâmicos e menos propensos à fadiga. Os pensamentos do Sistema 2 são tão diferentes dos do Sistema 1 que o psicólogo Keith Stanovich afirmou que os dois têm "mentes separadas".

No entanto, uma "mente separada" só é separada se for distinguível. No contexto dos investimentos, a "mente separada" que habita o Sistema 2 de pensamento apenas será distinguível da "mente separada" do Sistema 1 se estiver adequadamente equipada com o indispensável entendimento das vantagens competitivas da empresa, da força de sua equipe de gestão para alocar racionalmente o capital da empresa, dos importantes atributos econômicos que determinam o valor da companhia e das lições psicológicas que impedem o investidor de tomar decisões tolas.

A mim parece que boa parte das decisões tomadas em Wall Street decorre do Sistema 1 de pensamento, que atua principalmente à base da intuição. As decisões são tomadas automática e rapidamente, com pouco ou quase nenhum tempo para reflexões e ponderações. O Sistema 2 contempla pensamentos sérios e exige uma concentração deliberada. As pessoas que pensam com o Sistema 2 são naturalmente pacientes. Para que o Sistema 2 tenha uma atuação eficiente, é preciso alocar tempo para deliberações e até mesmo para meditação. Você não se surpreenderá quando eu apontar que os princípios descritos em *O jeito Warren Buffett de investir* são mais adaptados ao pensamento lento, não às decisões rápidas, à queima-roupa, comuns ao Sistema 1.

A falha de *mindware* (ou de "aparelho mental")

Segundo Stanovich, a segunda causa da disracionalidade é a falta de conteúdo adequado para o Sistema 2 de pensamento. Os psicólogos que estudam a tomada de decisão fazem referência à deficiência de conteúdo como "falha de *mindware*" (ou "falha do aparelho mental"). Quem primeiro mencionou a expressão "aparelho mental" foi David Perkins, cientista cognitivo de Harvard, definindo-a como o conjunto de todas as regras, estratégias, procedimentos e conhecimento que as pessoas têm mentalmente a seu dispor para resolver um problema. "Assim como 'aparelho de cozinha' consiste nos utensílios para se trabalhar na cozinha e software consiste nos dispositivos do seu computador, o 'aparelho mental' ou mindware consiste nos recursos mentais", de acordo com Perkins. "Um item do aparelho mental é qualquer coisa que a pessoa possa aprender e que amplie seu poder de pensar de maneira crítica e criativa."[10]

De que aparelho mental você precisaria para ativar o Sistema 2 de pensamento? No mínimo, você leria o relatório anual de uma companhia, assim como os relatórios anuais da concorrência. Se parece que a companhia tem uma posição competitiva forte, com uma perspectiva favorável a longo prazo, o passo seguinte seria analisar vários modelos de desconto de dividendos que incluam taxas de crescimento diferentes dos lucros do proprietário da empresa, ao longo de vários períodos, a fim de ter uma noção do valuation aproximado. A seguir, você vai estudar e entender a estratégia de alocação de capital em longo prazo adotada pela gestão. Por fim, vai telefonar para alguns amigos, colegas ou consultores financeiros para conferir a opinião deles sobre a empresa ou, melhor ainda, sobre os rivais dela. Preste atenção: nada disso requer um QI elevado, mas é mais trabalhoso e exige mais esforço mental e concentração do que simplesmente calcular o atual índice preço/lucro.

Tempo e paciência

Muito embora haja amplas evidências de que o pensamento de longo prazo, sendo aplicado com paciência, é o melhor curso de ação para investir com sucesso, parece que não mudou muita coisa. Nem mesmo a crise financeira de 2008-2009 e a recessão do mercado conseguiram mudar nosso comportamento. Atualmente, quase toda a atividade do mercado é de curto prazo. Nos anos 1960, a rotatividade anualizada pelo valor-ponderado da NYSE/AMEX era menos de 10%. Hoje, essa taxa é superior a 300% – o que representa um aumento de 30 vezes nos últimos 50 anos.[11] É difícil acreditar que esse aumento surpreendente não tenha tido um efeito transformador, tanto no mercado como em seus participantes.

Teoricamente, um aumento de participação no mercado associado a volumes mais altos de negociação é considerado favorável à descoberta de melhores preços, o que, por sua vez, leva a um afunilamento da distância preço-valor, com a correspondente redução do ruído e da volatilidade do mercado. Na realidade, porém, aprendemos que, se a maioria dos participantes do mercado é de especuladores, não de investidores, então o mais provável é que vejamos exatamente o oposto: o aumento no volume de negociações ajudará a ampliar a distância preço-valor e a aumentar o ruído no sistema, levando a picos de volatilidade. Nesse mundo, o investidor que seja refém das pressões de desempenho a curto prazo não sentirá nada além de descontentamento.

Não precisa ser assim. O sucesso de Warren Buffett tem muito a ver com seu desejo de jogar o jogo de outro modo, e todos nós estamos convidados a participar. O único requisito para ter sucesso nesse jogo é a disponibilidade para adotar um conjunto diferente de regras, e nenhuma delas é mais importante do que o valor da paciência.

Tempo e paciência, dois lados da mesma moeda: essa é a essência de Buffett. Seu sucesso está na atitude paciente que ele discretamente mantém, tanto com relação aos negócios que a Berkshire possui integralmente como às ações ordinárias que compõem seu portfólio. Em seu mundo acelerado e em constante atividade, Buffett mantém propositalmente um ritmo mais lento de atuação. Um observador menos envolvido poderia pensar que essa conduta que lembra a movimentação do bicho-preguiça significa abrir mão de lucros fáceis, mas os que conseguiram acompanhar o processo se dão conta de que Buffett e a Berkshire estão acumulando montanhas de riquezas. O especulador não tem paciência. Buffett, o investidor, vive pela paciência, e, como ele mesmo nos lembra, "a melhor coisa do tempo é sua duração".

Com isso, demos a volta completa ao redor do círculo, chegando ao ponto crítico das emoções e a seu contraponto: a racionalidade. A inteligência, por si só, não é suficiente para assegurar sucesso nos investimentos. O tamanho do cérebro do investidor é menos importante do que sua habilidade para desvincular o pensamento das emoções. Buffett nos ensina que "a racionalidade é essencial quando os outros estão tomando decisões baseadas na ganância ou no medo de curto prazo. É nesse momento que se ganha dinheiro".[12]

Buffett reconhece que não é mais rico nem mais pobre por causa das flutuações de preço do mercado a curto prazo, uma vez que seu período de retenção é um prazo mais longo. Enquanto a maioria das pessoas não consegue aguentar o desconforto associado com a queda no preço das ações, Buffett não perde a calma porque acredita que faz um trabalho melhor do que o mercado quando se trata de valorar uma companhia. Ele entende que, se você também não consegue fazer um trabalho melhor, você não devia entrar nesse jogo. Ele diz que é como no pôquer: se você já está jogando há algum tempo e não sabe quem é otário, então na verdade o otário é você.

Na ausência da racionalidade, os investidores facilmente adotam a mentalidade do Sistema 1, adequada para tarefas simples e previsíveis, mas não para lidar com a complexidade do mercado de ações. Na ausência da racionalidade, os investidores se tornam escravos de emoções básicas como a ganância e o medo. Na ausência da racionalidade, os investidores estão fadados a ser os otários do jogo chamado investir.

8

O maior investidor do mundo

Ele é frequentemente chamado de o maior investidor do mundo, mas como podemos saber ao certo? Como alguém pode fazer esse tipo de afirmação tão categórica? A mim parece que precisamos analisar apenas duas variáveis simples: o desempenho superior e a duração. Ambas são necessárias. Não basta derrotar o mercado de ações no curto prazo. Um número incontável de pessoas já fez isso num momento ou outro. Fazer isso ao longo de um período extenso é o que conta. Como habilmente descreve Michael Mauboussin em seu livro *A equação do sucesso*, existe uma dose de sorte e de habilidade, tanto nos negócios, quanto nos esportes – e nos investimentos. E a única maneira de distinguir se o que predomina é sorte ou habilidade é examinar os resultados ao longo do tempo. A sorte até pode desempenhar um papel no curto prazo, mas o Pai Tempo nos dirá se a habilidade teve alguma participação. Nesse ponto, Buffett é inigualável.

A carreira de Buffett como gestor de investimentos se estende por mais de 60 anos e se divide entre o tempo em que dirigiu a Buffett Investment Partnership, Ltd. (de 1956 a 1969) e o período muito mais longo em que esteve no comando da Berkshire Hathaway, desde 1965, ano em que assumiu o controle da companhia.

Com a idade relativamente jovem de 25 anos e com uma soma relativamente pequena de dinheiro (seu próprio investimento foi de 100 dólares), Buffett começou sua sociedade. Embora o objetivo da organização fosse gerar um retorno anual de pelo menos 6%, Buffett estipulou para si mesmo uma meta muito mais exigente: bater em 10 pontos percentuais por ano o índice médio Dow Jones para o setor. E ele fez muito mais: entre 1965 e 1969, Buffett ampliou as operações da sociedade a uma taxa anual composta de 29,5%, 22 pontos percentuais acima do índice Dow. O investidor que pôs 10 mil dólares na sociedade de Buffett no começo e manteve o investimento até o fim ganhou – após as participações de Buffett sobre os lucros – 150.270 dólares líquidos. O mesmo valor investido no Dow Jones teria chegado a 15.260 dólares. Nesse mesmo período, o Dow perdeu dinheiro em cinco anos diferentes. Buffett teve lucro e bateu o índice em cada um desses anos.

Naqueles tempos, havia um número muito reduzido de gestores de destaque aos quais Buffett poderia se comparar. Gerald Tsai e Fred Carr, os dois mais conhecidos gestores de fundos mútuos, entraram em cena em meados dos anos 1960, mais ou menos na época em que Buffett estava pensando em fechar a sociedade. Tsai e Carr construíram e depois destruíram sua reputação comprando as ações *go-go* dos anos 1960. Num dos primeiros artigos de Carol Loomis para a revista *Fortune*, intitulado "The Jones Nobody Keeps Up With" [O Jones que ninguém consegue acompanhar] e publicado em abril de 1966, ela comparou o desempenho da sociedade de Buffett com o famoso gestor de fundos de risco Alfred Winslow Jones. Nessa época, a A.W. Jones & Company já estava há dez anos em atividade, mas Buffett só tinha nove anos como gestor de investimentos. Carol examinou os retornos de cinco anos ininterruptos de ambos os investidores e descobriu que Buffett foi o vencedor, saindo-se melhor do que Jones 334% das vezes (contra 325%). Mas, como Carol salientou, Buffett logo encerrou sua sociedade, ao passo que Jones continuou no jogo, sofrendo junto com todos os outros que não foram capazes de ver que as ações tinham se tornado brutalmente supervalorizadas.

Deixando de lado o incrível histórico documentado da Buffett Investment Partnership, a alegação de que Buffett é o maior investidor do mundo poderia facilmente se fundamentar no que ele conquistou com a Berkshire Hathaway, como demonstra a Tabela 8.1. No intervalo de 48 anos, entre 1965 e 2012, o valor contábil da Berkshire Hathaway cresceu de 19 dólares por ação para o assombroso valor de 114.214 dólares por ação, ou seja, uma taxa anual de retorno de 19,7%. Em comparação, o índice S&P 500, com dividendos incluídos, cresceu 9,4%. Nesses 48 anos, o índice S&P 500 perdeu dinheiro por 11 anos, quase um em cada cinco. A Berkshire só relatou dois anos negativos.

Tabela 8.1 Desempenho corporativo da Berkshire *versus* o S&P 500

	Mudança percentual anual		
	No valor contábil da Berkshire por ação	No S&P 500 com dividendos incluídos	Resultados relativos
Ano	(1)	(2)	(1) – (2)
1965	23,8	10,0	13,8
1966	20,3	(11,7)	32,0
1967	11,0	30,9	(19,9)
1968	19,0	11,0	8,0
1969	16,2	(8,4)	24,6
1970	12,0	3,9	8,1
1971	16,4	14,6	1,8
1972	21,7	18,9	2,8
1973	4,7	(14,8)	19,5
1974	5,5	(26,4)	31,9
1975	21,9	37,2	(15,3)
1976	59,3	23,6	35,7
1977	31,9	(7,4)	39,3
1978	24,0	6,4	17,6
1979	35,7	18,2	17,5
1980	19,3	32,3	(13,0)
1981	31,4	(5,0)	36,4
1982	40,0	21,4	18,6
1983	32,3	22,4	9,9
1984	13,6	16,1	7,5
1985	48,2	31,6	16,6
1986	26,1	18,6	7,5
1987	19,5	5,1	14,4
1988	20,1	16,6	3,5
1989	44,4	31,7	12,7
1990	7,4	(3,1)	10,5
1991	39,6	30,5	9,1
1992	20,3	7,6	12,7
1993	14,3	10,1	4,2
1994	13,9	1,3	12,6
1995	43,1	37,6	5,5
1996	31,8	23,0	8,8
1997	34,1	33,4	0,7

►

Tabela 8.1 *(continuação)*

	Mudança percentual anual		
	No valor contábil da Berkshire por ação	No S&P 500 com dividendos incluídos	Resultados relativos
Ano	(1)	(2)	(1) – (2)
1998	48,3	28,6	19,7
1999	0,5	21,0	(20,5)
2000	6,5	(9,1)	15,6
2001	(6,2)	(11,9)	5,7
2002	10,0	(22,1)	32,1
2003	21,0	28,7	(7,7)
2004	10,5	10,9	(0,4)
2005	6,4	4,9	1,5
2006	18,4	15,8	2,6
2007	11,0	5,5	5,5
2008	(9,6)	(37,7)	27,4
2009	19,8	26,5	(6,7)
2010	13,0	15,1	(2,1)
2011	4,6	2,1	2,5
2012	14,4	16,0	(1,6)
Ganho composto anual, 1965-2012	19,7%	9,4%	10,3
Ganho geral, 1964-2012	586.817%	7.433%	

Considerando apenas os números, então – desempenho superior mantido durante longos períodos – é difícil ir contra a afirmação de que Warren Buffett é o maior investidor do mundo. Mas e se olharmos além dos números?

Buffett em particular

O que devemos pensar a respeito de um homem que começou a gerir investimentos quando Dwight Eisenhower era o presidente americano e que continua em cena seis décadas depois?

Ainda antes da adolescência, o jovem Buffett anunciou para todos que aos 30 anos seria milionário; caso contrário, pularia do prédio mais alto de Omaha. Claro que ele estava brincando – sobre a parte de saltar –, e até mesmo a ambição de ser milionário não era o que poderíamos esperar. Hoje, ele mais do que superou a meta da juventude, mas os que conhecem Buffett sabem que ele não dá muita importância para o estilo de vida dos bilionários. Ainda mora na mesma casa em Omaha que comprou em 1958, dirige carros americanos de modelo novo, prefere comer cheeseburger, tomar uma Coca e um sorvete em vez de se alimentar de pratos requintados. Seu único vício é seu jatinho particular. Buffett já disse: "Não faço isso pelo dinheiro. É a diversão de fazer dinheiro e vê-lo crescer".[1] E, como sabemos desde o Capítulo 1, nos últimos tempos ele tem tido um enorme prazer ao distribuí-lo por meio de doações.

Num mundo em que o patriotismo frequentemente é visto como um clichê, Warren Buffett não se acanha em exaltar os Estados Unidos. Ele nunca perdeu nenhuma oportunidade de declarar fé no seu país como uma nação que oferece tremendas oportunidades a qualquer pessoa disposta a dar duro. Buffett é dinâmico, alegre e otimista em relação à vida em geral. Segundo a mentalidade convencional, os jovens são os eternos otimistas e, conforme a pessoa envelhece, o pessimismo começa a pesar na balança; Buffett, no entanto, parece ser uma exceção. E eu penso que parte do motivo para isso é que, durante quase seis décadas, ele vem lidando com dinheiro e superando uma longa lista de eventos dramáticos e traumáticos, vendo, por fim, a recuperação e a prosperidade do mercado, da economia e do país.

Um exercício interessante é pesquisar no Google os eventos marcantes das décadas de 1950 a 1990 e dos anos iniciais do século XXI. Embora sejam por demais numerosos para citá-los todos aqui, as manchetes dos jornais americanos incluíram a iminência de uma guerra nuclear; assassinatos e renúncias de presidentes; agitação e tumulto na população civil; guerras regionais; a crise do petróleo; a hiperinflação; taxas de juros de dois dígitos; ataques terroristas – sem falar das recessões ocasionais e das quebras periódicas da Bolsa de Valores.

Quando lhe perguntaram como ele atravessa os episódios traiçoeiros capazes de abalar gravemente os mercados e afugentar a maioria dos investidores, Buffett responde, usando de sua típica informalidade, que apenas tenta ser "ganancioso quando os outros estão com medo e receoso quando os outros estão gananciosos". Mas eu acho que tem mais em jogo. Buffett tem uma habilidade bem desenvolvida não apenas para sobreviver nos tempos perigosos que viram manchete de jornal, mas para investir agressivamente ao longo desses períodos complicados.

A vantagem de ser Buffett

Já faz anos que acadêmicos e investidores profissionais vêm debatendo a validade do conceito que acabou conhecido como "teoria do mercado eficiente". Como você deve se lembrar do Capítulo 6, essa polêmica teoria sugere que analisar ações é perda de tempo porque os preços atuais já refletem todas as informações disponíveis; portanto, em certo sentido, o mercado em si faz toda a pesquisa necessária. Os que adotam essa teoria dizem – só em parte ironicamente – que os investidores profissionais poderiam jogar dardos na página de cotações das ações e escolher as vencedoras com o mesmo nível de acerto dos analistas financeiros experientes que passam horas debruçados sobre os últimos relatórios anuais ou demonstrativos trimestrais.

No entanto, o sucesso de alguns profissionais que continuamente batem os maiores índices – principalmente Warren Buffett – sugere que a teoria do mercado eficiente tem falhas. Além de Buffett, outros investidores alegam que a razão pela qual a maioria dos gestores de investimentos tem desempenho inferior ao do mercado não é porque este é eficiente, mas porque os métodos que eles empregam contêm erros.

Consultores de gestão acreditam que os negócios de sucesso têm três diferenciais: uma vantagem comportamental, uma vantagem analítica e uma vantagem organizacional.[2] Quando estudamos Warren Buffett, podemos ver cada um desses atributos em ação.

Vantagem comportamental

Buffett nos diz que, para investir com sucesso, não é obrigatório ter um QI alto nem fazer cursos formais como os ministrados na maioria das faculdades da área. O que mais importa é o temperamento da pessoa. E, quando Buffett fala de temperamento, ele está se referindo à racionalidade. A pedra angular da racionalidade é a capacidade de enxergar além do presente e analisar vários cenários possíveis até enfim fazer uma escolha deliberada. Em suma, isso é Warren Buffett.

Os que o conhecem concordam que é a racionalidade que o distingue de todos os outros. Como Charlie Munger recorda, "havia mil alunos na minha turma de Direito em Harvard. Eu conhecia todos os estudantes de destaque, e nenhum era tão capaz quanto Warren. Seu cérebro é um mecanismo magistralmente racional".[3] Carol Loomis, da revista *Fortune*, que conhece Warren Buffett há mais de 50 anos, também acredita que a racionalidade é o traço isolado mais importante de seu sucesso como investidor.[4] Roger Lowenstein, autor de *Buffett: The Making of an American Capitalist*, diz: "O talento de Buffett é em ampla medida um talento de caráter, marcado por paciência, disciplina e racionalidade".[5]

Bill Gates, membro do conselho da Berkshire Hathaway, também acha que a racionalidade é o diferencial de Buffett. Esse ponto foi claramente demonstrado quando os dois amigos passaram uma tarde respondendo a perguntas de um auditório lotado de estudantes da Universidade de Washington em Seattle. Uma das primeiras perguntas que um aluno fez foi: "Como você chegou até aqui? Como ficou mais rico do que Deus?". Buffett respirou fundo e começou:

"Como eu cheguei aqui é bem simples, no meu caso. Não foi por causa do QI, como estou certo de que vocês gostarão de saber. O fator principal é a racionalidade. Sempre penso que o QI e o talento representam a força do motor, mas o desempenho e a eficiência com que o motor trabalha dependem da racionalidade. Muitas pessoas começam com motores de 400 cavalos, mas só conseguem um desempenho de 100 cavalos. É bem melhor ter um motor de 200 cavalos e extrair toda a sua potência.

"Então, por que pessoas inteligentes fazem coisas que as atrapalham na hora de obter todo o desempenho a que têm direito? É aqui que entram os hábitos, o caráter, o temperamento e o comportamento racional. Não se deixar levar por seu jeito costumeiro. Como eu disse, todo mundo aqui tem total capacidade de fazer qualquer coisa que eu faço e muito mais. Alguns farão isso e outros, não. Os que não farão será porque se deixaram levar por seu jeito de sempre, não porque o mundo não deixou."[6]

Todos que o conhecem – e também o próprio Buffett – concordam: sua força motriz é a racionalidade. A força motriz de sua estratégia de investimento é a alocação racional de capital. Decidir como alocar os lucros de uma companhia é a decisão mais importante que um gestor pode tomar; decidir como alocar o valor poupado é a decisão mais importante que um investidor pode tomar. A racionalidade – ou seja, mostrar um modo racional de pensar ao tomar essa decisão – é a qualidade que Buffett mais admira. Apesar de os mercados financeiros terem algumas arbitrariedades subjacentes, existe um elemento de razão que permeia todos eles. O sucesso de Buffett resulta de localizar esse elemento e nunca se desviar dele.

Vantagem analítica

Quando Buffett investe, ele vê um negócio. A maioria dos investidores só enxerga o preço da ação. Esses investidores gastam tempo demais e se esforçam demais para observar, predizer e antecipar mudanças de preço, e dedicam muito menos tempo a entender o negócio do qual têm uma parte. Por mais que isso seja elementar, é a raiz do que distingue Buffett.

Possuir e comandar negócios deu-lhe a nítida vantagem de um pensamento analítico. Ele provou tanto do sucesso como do fracasso em suas empreitadas e aplica no mercado de ações as lições que aprendeu. A maioria dos investidores profissionais não teve a mesma formação. Enquanto estavam estudando modelos de precificação de ativos, beta e a teoria moderna do portfólio, Buffett estudava demonstrativos de resultado, exigências para o reinvestimento de capital e a capacidade de suas companhias para gerar caixa. Ele pergunta: "Você consegue de fato explicar a um peixe a sensação de andar em terra firme? Um dia vivido em terra vale mil anos falando disso, e um dia comandando um negócio tem exatamente o mesmo tipo de valor".[7]

Buffett acredita que o investidor e o empresário deveriam enxergar a companhia do mesmo modo porque, essencialmente, eles querem a mesma coisa. O empresário quer comprar a companhia inteira, e o investidor quer comprar partes dela. Se você perguntar aos empresários no que pensam quando compram uma companhia, é provável que respondam: "A quantidade de dinheiro que o negócio pode gerar". Segundo a teoria financeira, existe, ao longo do tempo, uma correlação direta entre o valor de uma companhia e sua capacidade de gerar dinheiro. Portanto, para ter lucro, o empresário e o investidor devem estar contemplando as mesmas variáveis.

Segundo Buffett, "em nossa opinião, os alunos de investimentos precisam de apenas dois cursos bem ministrados: como valorar um negócio e como pensar sobre os preços do mercado".[8]

Lembre-se: o mercado de ações é maníaco-depressivo. Às vezes está freneticamente excitado com as perspectivas futuras e, em outros momentos, mostra-se deprimido sem razão. Claro que isso cria oportunidades, sobretudo quando ações de negócios de destaque estão disponíveis a preços irracionalmente baixos. Mas, assim como você não aceitaria instruções de um conselheiro que manifestasse tendências maníaco-depressivas, tampouco você deveria deixar o mercado ditar suas decisões. O mercado de ações não é um preceptor; ele existe apenas para ajudar o interessado a lidar com a mecânica da compra e da venda de ações. Se você acredita que o mercado de ações é mais inteligente do que você, dê a ele seu dinheiro investindo em fundos indexados. Mas, se você fez sua lição de casa e está convicto de que entende do negócio, deixe o mercado de lado.

Buffett não fica colado no computador, acompanhando na tela cada mínimo movimento de subida ou descida de valores, e parece estar indo muito bem sem essa vigilância. Se você planeja possuir ações de um negócio de destaque por alguns anos, o que acontece no dia a dia do mercado não faz diferença. Você vai se surpreender ao descobrir que seu portfólio encara a realidade muito bem sem que você fique constantemente vendo o que o mercado oferece. Se não acredita, faça um teste consigo mesmo. Tente não ver como anda o mercado durante 48 horas. Não veja no computador nem no aplicativo do seu celular e não ouça o resumo das notícias sobre o mercado de ações na televisão ou no rádio. Se, depois de dois dias, suas companhias estão bem, tente se desligar do mercado de ações por três dias e então por uma semana inteira. Em pouco tempo, você se sentirá convencido de que a saúde de seu investimento sobreviverá e que suas companhias continuarão atuando sem sua atenção constante às cotações das ações.

"Depois que compramos ações, não ficamos abalados se os mercados fecharem por um ano ou dois", diz Buffett. "Não precisamos de cotações diárias em 100% de nossa posição na See's Candies para validar nosso bem-estar. Por que então precisamos de uma cotação sobre nossa participação na Coca-Cola?"[9] Muito claramente, Buffett está nos dizendo que não precisa do preço do mercado para validar os investimentos da Berkshire em ações ordinárias. O mesmo é válido para investidores individuais. Você sabe que se aproximou do nível de Buffett quando sua atenção se desvia do mercado de ações e a única pergunta na sua cabeça é: "Alguém fez alguma bobagem nos últimos tempos que represente uma oportunidade de compra de um bom negócio por um preço ótimo?".

Assim como as pessoas desperdiçam horas se afligindo com o mercado de ações, elas também se preocupam com a economia sem necessidade. Se você se flagra discutindo se a economia promete crescer ou decair, se as taxas de juros estão aumentando ou diminuindo, se há inflação ou deflação, *pare*! Dê um tempo a si mesmo. Buffett é um observador informal da economia, mas não dedica nenhuma quantidade significativa de tempo ou energia a analisá-la com a intenção de predizer o que acontecerá.

Muitas vezes, os investidores começam com uma suposição econômica e então passam a escolher ações que se ajustam o melhor possível a esse grandioso conceito. Buffett considera uma bobagem esse tipo de pensamento. Em primeiro lugar, ninguém tem poder de prever a economia ou o mercado de ações. Em segundo lugar, se você escolhe ações que só serão benéficas em um ambiente econômico específico, é inevitável que esteja abrindo espaço para a rotatividade e a especulação. Quer possa ou não prever corretamente como a economia se comportará, você se encontrará continuamente fazendo ajustes em seu portfólio para obter benefícios no cenário econômico seguinte. Buffett prefere comprar um negócio que traga a oportunidade de colher benefícios, seja qual for a situação econômica. Naturalmente, forças macroeconômicas podem afetar os retornos sobre a margem, mas, no geral, os negócios de Buffett são capazes de gerar um bom lucro, apesar das arbitrariedades da economia. Use o tempo com maior sabedoria e localize um negócio com a capacidade de gerar lucro em todos os ambientes econômicos em vez de alugar ações que se saem bem somente se um palpite sobre a economia por acaso estiver correto.

Vantagem organizacional

Em 1944, Winston Churchill, em um discurso para a Câmara dos Comuns proferido dentro de um edifício seriamente danificado por ataques aéreos um dia antes, disse: "Nós moldamos nossas habitações e, depois, as habitações nos moldam". Essa verdade eloquente, adorada por gerações de arquitetos, também nos ajuda a compreender o molde que é a Berkshire Hathaway e seu construtor. Conforme vamos dissecando as vantagens de Buffett, é muito útil analisar a estrutura organizacional da companhia que ele construiu.

Quando Buffett comprou sua primeira ação da Berkshire Hathaway por 7 dólares, não sei ao certo se ele tinha uma visão grandiosa do que a Berkshire se tornaria meio século depois, mas, como Churchill fora capaz de predizer, a companhia de fato refletia as características de seu arquiteto, e Warren Buffett, o investidor, simboliza fielmente as características de sua companhia.

O sucesso da Berkshire Hathaway se assenta sobre três pilares fundamentais. O primeiro é que as subsidiárias da companhia geram montanhas de caixa que são remetidas organograma acima, até a sede da corporação em Omaha. Esse caixa vem de suas gigantescas operações de seguros, bem como da capacidade de gerar dinheiro de suas subsidiárias não financeiras, que são de sua total propriedade.

O segundo é que Buffett, que aloca o capital, pega esse caixa e reinveste em mais oportunidades que também geram caixa. Desse modo, ele tem meios para comprar ainda mais negócios geradores de caixa, que geram mais caixa com o qual ele pode... Acho que você já entendeu o que quero dizer.

O último pilar é a descentralização. Cada uma das subsidiárias é gerida por operadores muito talentosos que não precisam da ajuda de Buffett para comandar seu negócio. O que é ótimo, pois isso permite que Buffett concentre 100% de sua energia na alocação de capital, seu melhor talento. O manifesto de gestão de Buffett pode ser resumido assim: "Contrate bem, administre pouco". Hoje em dia, a Berkshire Hathaway é uma companhia com mais de 80 subsidiárias e mais de 27 mil funcionários, mas a sede da corporação tem um quadro de apenas 23 pessoas.

A arquitetura da Berkshire Hathaway levou a algo mais poderoso do que uma simples estratégia comercial na opinião de William Thorndike, autor de *O poder de pensar fora da caixa*. Nesse livro, Thorndike afirma: "Buffett desenvolveu uma visão de mundo que enfatiza essencialmente o desenvolvimento de relacionamentos de longo prazo com pessoas e negócios excelentes, assim como evita a rotatividade desnecessária que pode interromper a poderosa cadeia de composição econômica, justamente a essência da criação de valor a longo prazo".[10]

Thorndike acredita que Buffett é mais bem compreendido como um "gestor/investidor/filósofo cujo objetivo primário é reduzir a rotatividade".[11] Por quê? Porque existe um custo na rotatividade – e não estou falando só de comissões dos corretores e de impostos sobre ganhos de capital. Na visão de Buffett, o custo da rotatividade tem uma natureza mais humana. Se você reuniu os melhores negócios, comandados por alguns dos melhores gestores e financiados pelos melhores acionistas, por que iria querer desorganizar a criação de valor a longo prazo que decorre dessa poderosa combinação?

Aprendendo a pensar como Buffett

Ao longo desses 20 anos em que venho escrevendo e ministrando palestras sobre Warren Buffett e seu sucesso ímpar, um comentário que ouço com frequência, com uma ou outra variação, é: "Bom, se eu tivesse milhões, também poderia ganhar rios de dinheiro no mercado de ações". Nunca entendi esse tipo de pensamento. Se você seguir essa lógica, está dizendo que primeiro você tem de ser rico antes de poder obter o talento de se tornar rico. No entanto, quero lembrar aos leitores que Buffett desenvolveu um sistema de investimento muito antes de ter ganhado milhões, que dirá bilhões.

Vou fazer tudo que estiver a meu alcance para convencê-lo de que, no âmbito de seus próprios parâmetros financeiros, não há motivo para você não alcançar o sucesso ao estilo de Buffett, se integrar os princípios que ele adota ao seu modo de pensar e basear suas decisões de investimento nesses princípios. Não posso garantir que, se você começar com 100 dólares, terá bilhões muitos anos depois, mas posso garantir que você terá um resultado melhor do que alguém com os mesmos recursos financeiros que dependa de qualquer um dos muitos esquemas de especuladores facilmente disponíveis.

Então, vamos seguir passo a passo o processo, usando uma situação hipotética.

Vamos imaginar que você tenha de tomar uma decisão muito importante. Amanhã terá a oportunidade de escolher um negócio – e somente um – no qual investir. Para tornar mais interessante esta simulação, vamos imaginar também que, assim que você tomar essa decisão, ela não poderá ser modificada; além disso, você tem de conservar esse investimento por dez anos. Em última instância, os lucros dessa iniciativa servirão para seu sustento quando se aposentar. Então, no que você vai pensar?

Princípios de negócio

O negócio é simples e compreensível? Você não pode ter um palpite inteligente sobre o futuro do seu negócio, a menos que compreenda como ele gera dinheiro. Com demasiada frequência, as pessoas investem em ações sem nenhuma ideia de como a companhia faz suas vendas, incorre em despesas e gera lucros. Se você consegue entender o processo econômico, está pronto para, com inteligência, dar seguimento a sua pesquisa.

O negócio tem um histórico consistente de operações? Se você vai investir o futuro de sua família numa companhia, vai precisar saber se ela já resistiu ou não ao teste do tempo. É pouco provável que você aposte seu futuro numa companhia nova que ainda não provou os diferentes ciclos econômicos e as várias forças competitivas. Você deve se assegurar de que a companhia já esteja em operação há tempo suficiente a ponto de demonstrar a capacidade de ter lucros significativos ao longo do tempo.

O negócio tem uma perspectiva favorável a longo prazo? O melhor negócio para ter – aquele com as melhores perspectivas de futuro a longo prazo – é o que Warren Buffett chama de franquia, ou seja, um negócio que vende um produto ou serviço necessário ou desejado, sem substituto próximo, e cujos lucros não são regulados. A franquia tipicamente tem uma grande dose de valores e vantagens econômicas intangíveis que lhe permite encarar melhor os efeitos da inflação. Já o pior negócio para ter é o que opera com uma commodity. Esse tipo de negócio vende produtos ou serviços indistinguíveis dos da concorrência. Negócios de commodities têm pouca ou nenhuma vantagem econômica. O único fator de distinção entre essas companhias é o preço. A dificuldade de possuir um negócio de commodity é que, usando o preço como arma, às vezes esses negócios vendem seu produto abaixo do custo para atrair temporariamente novos clientes, na expectativa de que se mantenham fiéis. Se você é concorrente de outros negócios que de vez em quando vendem seus produtos abaixo do custo, você está condenado.

Em geral, a maioria dos negócios está em algum ponto entre os dois tipos: ou são franquias fracas ou negócios fortes de commodities. Uma franquia fraca tem perspectivas mais favoráveis a longo prazo do que um negócio forte de commodity. Mesmo uma franquia fraca ainda tem algum poder de precificação que lhe permite obter retornos acima da média sobre o capital investido. Por outro lado, um negócio forte de commodity só obterá retornos acima da média se for o fornecedor de mais baixo custo. Uma vantagem de possuir uma franquia é que ela pode aguentar uma gestão incompetente e mesmo assim sobreviver, ao passo que, num negócio de commodity, uma gestão incompetente é letal.

Princípios de gestão

A gestão é racional? Como você não precisa vigiar o mercado de ações ou a economia em geral, vigie então o caixa de sua companhia. A maneira como a gestão reinveste o fluxo de caixa operacional determinará se você obtém ou não um retorno adequado do seu investimento. Se seu negócio gera mais dinheiro do que o necessário para continuar em operação, ou seja, justamente o tipo de negócio que você quer, observe de perto a conduta da gestão. O gestor racional investirá o caixa excedente somente em projetos que rendam ganhos a taxas mais altas do que o custo do capital. Se essas taxas não estiverem disponíveis, o gestor racional devolverá o dinheiro aos acionistas, aumentando os dividendos e comprando as ações de volta. Já os gestores irracionais buscam constantemente maneiras de gastar o caixa excedente em vez de devolvê-lo aos acionistas. Esse comportamento vem à tona quando investem abaixo do custo do capital.

A gestão é transparente com os acionistas? Embora talvez você nunca tenha a oportunidade de participar de uma reunião com o CEO do seu negócio, você pode saber bastante sobre CEOs em geral pela maneira como eles se comunicam com seus acionistas. O seu gestor relata o progresso da companhia de uma maneira que mostre claramente como estão se desempenhando as diversas divisões operacionais? O gestor confessa os fracassos tão abertamente quanto se gaba de seus sucessos? E, ainda mais importante, a gestão proclama sem rodeios que o principal objetivo da companhia é maximizar o retorno total do investimento de seus acionistas?

A gestão resiste ao imperativo institucional? Existe uma força invisível e poderosa que instiga os gestores a agir de modo irracional e ignorar os interesses dos proprietários: é o imperativo institucional – a imitação insensata das atitudes de outros gestores, como um bando de lemingues. A justificativa para esse comportamento parte da lógica de que, se outras companhias estão agindo assim, então deve estar certo. Uma medida da competência do gestor é até que ponto ele é capaz de pensar por si mesmo e evitar a mentalidade do bando.

Princípios financeiros

Foco no retorno sobre o patrimônio líquido, não no lucro por ação. A maioria dos investidores usa o lucro por ação para julgar o desempenho anual de uma companhia, verificando se alcançam um recorde ou concretizam um grande aumento em relação ao ano anterior. Mas, como as companhias continuamente acrescentam à sua base de capital a retenção de uma parte de seus lucros do ano anterior, o aumento dos lucros (que automaticamente aumenta o lucro por ação) realmente não tem sentido. Quando a empresa relata em alto e bom som que houve um "lucro recorde por ação", os investidores são iludidos e acreditam que a gestão fez um trabalho espetacular, ano após ano. Uma medida mais verdadeira do desempenho anual – porque leva em consideração a base de capital da companhia em contínuo crescimento – é seu retorno sobre o patrimônio líquido, ou a razão entre os lucros operacionais e o patrimônio dos acionistas.

Cálculo dos "lucros do proprietário". O valor de um negócio é determinado pela sua habilidade de gerar dinheiro. Buffett vai em busca de companhias que gerem excesso de dinheiro em relação a suas necessidades, em vez de companhias que consomem dinheiro. Mas, ao determinar o valor de um negócio, é importante entender que nem todos os ganhos resultam de processos iguais. Companhias com alta proporção de ativos fixos em relação aos lucros exigirão uma porção maior de lucros retidos para continuar viáveis, em comparação com companhias com proporção menor entre ativos fixos e lucros porque partes dos lucros podem ser destinados a manter e melhorar esses ativos. Por isso, os lucros contábeis precisam ser ajustados a fim de refletir a capacidade do negócio para gerar dinheiro.

Um quadro mais exato é fornecido pelo que Buffett chama de "lucros do proprietário". Para determinar esses lucros, basta somar a depreciação, a exaustão e os encargos da amortização ao lucro líquido e depois subtrair os investimentos em capital necessários para que a companhia mantenha sua posição econômica e o volume de unidades.

Busque companhias com altas margens de lucro. Altas margens de lucro refletem não apenas um negócio forte como a tenacidade da gestão para controlar os custos. Buffett adora gestores que priorizam o corte de custos e detesta aqueles que permitem que os custos aumentem. Indiretamente, os acionistas possuem os lucros do negócio. Cada dólar gasto sem bom senso priva os proprietários do negócio de um dólar de lucro. Com o passar dos anos, Buffett tem observado que é típico das companhias com operações dispendiosas encontrar meios de sustentar ou aumentar seus custos, ao passo que as que têm custo abaixo da média se orgulham de encontrar meios de cortar despesas.

Para cada dólar retido, garanta que a companhia criou pelo menos um dólar de valor de mercado. Este é um teste financeiro rápido que lhe indicará não só a força do negócio como até que ponto a gestão alocou racionalmente os recursos da companhia. Do lucro líquido da empresa, subtraia todos os dividendos pagos aos acionistas. O que resta são os lucros acumulados da companhia. Agora, some os lucros acumulados no período dos últimos dez anos. A seguir, calcule a diferença entre o valor de mercado atual da empresa e seu valor de mercado há dez anos. Se o seu negócio empregou de maneira improdutiva os lucros acumulados dos últimos dez anos, o mercado terminará por alcançá-lo e estipular um preço mais baixo para o negócio. Se o aumento do valor de mercado da companhia é menor do que a soma dos lucros acumulados, a companhia está caminhando para trás, mas, se seu negócio foi capaz de obter retornos acima da média sobre o lucro acumulado, o ganho de valor de mercado do negócio deve exceder a soma dos lucros acumulados da companhia e com isso criar mais do que um dólar de valor de mercado para cada dólar retido.

Princípios de mercado

Qual é o valor do negócio? O valor de um negócio são os fluxos de caixa estimados que se espera que ocorram durante a existência do negócio, descontados a uma taxa de juros apropriada. Os fluxos de caixa de um negócio são os lucros do proprietário da companhia. Ao mensurar os lucros do proprietário durante um período longo, você compreenderá se estão crescendo com consistência a algum índice médio ou apenas oscilando em torno de algum valor constante.

Se a empresa tem lucros que sobem e descem sem um padrão definido, você deve descontar esses lucros por uma taxa de juros de longo prazo. Se os lucros do proprietário mostram um padrão previsível de crescimento, a taxa de desconto pode ser reduzida dessa taxa de crescimento. Não se torne excessivamente otimista quanto à taxa de crescimento futuro de uma companhia. É melhor usar uma estimativa conservadora do que permitir que o entusiasmo inflacione o valor do negócio. Buffett adota o índice de longo prazo do Tesouro dos Estados Unidos como fator de desconto e não adiciona a essa taxa de desconto um prêmio de risco sobre o capital do acionista, mas ajusta para cima esse fator de desconto quando as taxas de juro declinam.

O negócio pode ser comprado com um desconto significativo em relação a seu valor? Assim que você determina o valor de um negócio, o passo seguinte é conferir o preço no mercado. A regra de Buffett é comprar o negócio somente quando seu preço estiver com um desconto significativo em relação ao seu valor. Preste atenção: somente nos últimos estágios da aquisição é que Buffett olha como estão os preços no mercado.

Calcular o valor de um negócio não é uma operação matematicamente complexa. Os problemas surgem, porém, quando um analista erra em sua estimativa do fluxo de caixa futuro de uma companhia. Buffett lida com esse problema de duas maneiras. Primeiro, ele aumenta as chances de prever corretamente os fluxos de caixa futuros, ficando com negócios de natureza simples e estável. Segundo, ele insiste que, em cada companhia que adquire, deve existir uma margem de segurança entre o preço de compra da empresa e seu valor determinado. Essa margem de segurança ajuda a criar uma almofada de proteção que o salvaguardará – e a você também – de companhias cujo fluxo de caixa esteja mudando.

* * *

Agora que você é proprietário de um negócio em vez de alguém que aluga ações, está pronto para expandir seu portfólio teórico de apenas um tipo de ação para vários. Como não está mais medindo seu sucesso apenas pela mudança dos preços, nem comparando a mudança anual do preço com um referencial de ações ordinárias, você tem a liberdade de escolher os melhores negócios disponíveis. Não existe uma lei que diga que você deve incluir todos os grandes setores em seu portfólio, nem que deve incluir 40, 50, 60 ou 100 ações em sua carteira para garantir uma diversificação adequada.

Buffett acredita que uma diversificação ampla só é exigida quando os investidores não entendem o que estão fazendo. Se esses investidores que "não sabem nada" querem possuir ações ordinárias, devem ter um grande número de títulos e espaçar suas aquisições a intervalos maiores. Em outras palavras, o investidor que não sabe nada deve usar um fundo indexado e fazer aquisições de custo médio. Não há nada de vergonhoso em se tornar um investidor de títulos indexados. Inclusive, como Buffett salienta, esse investidor terá um desempenho superior ao da maioria dos investidores profissionais, e ele comenta: "Paradoxalmente, quando o dinheiro 'burro' admite suas limitações, deixa de ser burro".[12]

"Por outro lado", diz Buffett, "se você, como investidor, sabe alguma coisa, se é capaz de entender a economia do negócio e pode encontrar de cinco a dez companhias com preços razoáveis e importantes vantagens competitivas a longo prazo, para você a diversificação convencional não faz sentido."[13] Buffett lhe pede que considere isto: se o melhor negócio que você possui apresenta o menor risco financeiro e tem as perspectivas de longo prazo mais favoráveis, por que poria dinheiro em seu 20º negócio favorito em vez de colocar mais dinheiro nas melhores escolhas?

Os princípios de Buffett

Princípios de negócio

O negócio é simples e compreensível?
O negócio tem um histórico consistente de operações?
O negócio tem uma perspectiva favorável a longo prazo?

Princípios de gestão

A gestão é racional?
A gestão é transparente com seus acionistas?
A gestão resiste ao imperativo institucional?

Princípios financeiros

Foque no retorno sobre o patrimônio líquido, não no lucro por ação.
Calcule os "lucros do proprietário".
Busque companhias com altas margens de lucro.
Para cada dólar retido pela empresa, certifique-se de que ela tenha criado pelo menos um dólar de valor de mercado.

Princípios de mercado

Qual é o valor do negócio?
O negócio pode ser comprado com um desconto significativo em relação ao seu valor?

Agora, considere como está indo seu portfólio hipotético, que, neste momento, tem mais de uma ação. Você pode mensurar o progresso econômico dos negócios que possui calculando seus "lucros transparentes" [*look-through earnings*], tal como faz Buffett. Multiplique os lucros por ação pelo número de ações que tem para calcular o poder de ganho total de suas empresas. Como Buffett explica, a meta do proprietário do negócio é criar um portfólio de companhias que, em dez anos, produzirão o mais alto nível de lucros transparentes.

Como agora a mais alta prioridade de seu portfólio passa a ser o crescimento dos lucros transparentes, e não as mudanças de preço, muitas coisas começam a mudar. Em primeiro lugar, você estará menos propenso a vender seus melhores negócios apenas porque teria lucro. Ironicamente, gestores corporativos entendem isso quando focam suas próprias operações comerciais. Como Buffett explica, "a companhia matriz que possui uma subsidiária com uma economia de longo prazo excepcional não tem muita probabilidade de vender essa empresa, não importa o preço".[14] O CEO que deseja aumentar o valor do negócio não venderá a joia da coroa da companhia. No entanto, esse mesmo CEO irá impulsivamente vender ações de seu portfólio pessoal com base numa lógica tão frágil quanto a ideia de que "ninguém vai à falência quando lucra". Buffett diz que, "em nosso modo de ver, o que faz sentido nos negócios também faz com as ações. Normalmente, o investidor deve conservar uma pequena participação num negócio espetacular com a mesma tenacidade que o proprietário exibiria se fosse dono do negócio inteiro".[15]

Agora que você é o gestor de um portfólio de negócios, não só evitará vender seus melhores negócios, como também escolherá com muito mais cuidado novas opções para aquisição. Como gestor de uma carteira, você deve resistir à tentação de comprar uma companhia marginal apenas porque tem uma reserva de dinheiro. Se a companhia não passar pelo filtro de seus princípios, não compre. Tenha paciência e espere pelo negócio certo. É errado presumir que, se não está comprando e vendendo, você não está evoluindo. Na opinião de Buffett, é muito difícil tomar centenas de decisões inteligentes ao longo da vida. Ele prefere muito mais posicionar seu portfólio para só ter de tomar poucas decisões inteligentes.

Descobrindo seu próprio jeito

"Há algo na mente, configurada para encontrar padrões reais e imaginários, que se rebela contra a noção de uma desordem fundamental."[16] Essas palavras, escritas por George Johnson em seu livro *Fogo na mente*, revelam o dilema que todos os investidores enfrentam. A mente anseia por padrões, na opinião de Johnson; padrões sugerem ordem, e isso nos permite planejar e ter uma noção de nossos recursos.

O que acabamos entendendo sobre Buffett é que ele está continuamente buscando padrões – padrões que possam ser encontrados na hora de analisar um negócio. Ele também sabe que esses padrões de negócio, em algum momento, revelarão o padrão futuro do preço da ação. Claro que o padrão do preço de uma ação não obrigatoriamente acompanhará cada mudança no padrão do negócio, mas, se seu horizonte de tempo for longo o suficiente, é notável como os padrões de preço terminarão por corresponder aos padrões do negócio.

Um alto número de investidores está em busca de padrões nos lugares errados. Eles estão convencidos de que existe um padrão previsível para avaliar as mudanças de preço no curto prazo, mas estão enganados. Simplesmente, não existem padrões previsíveis para adivinhar os rumos futuros do mercado de ações. Os padrões exatos não se repetem. Mesmo assim, os investidores continuam tentando.

Como os investidores navegam num mundo sem reconhecimento de padrões? A resposta é olhar no lugar certo, no nível certo. Embora a economia e o mercado como um todo sejam por demais complexos e grandes para serem previsíveis, há padrões reconhecíveis no nível de uma companhia: dentro de cada companhia existem padrões de negócio, de gestão e financeiros.

Se você estudar esses padrões, na maioria dos casos poderá fazer previsões razoáveis sobre o futuro da companhia. Warren Buffett se concentra nesses padrões, e não naqueles de comportamento imprevisível de milhões de investidores. Ele diz: "Sempre achei mais fácil avaliar os pesos ditados pelos elementos fundamentais".[17]

Uma coisa que podemos afirmar com certeza é que o conhecimento atua no sentido de aumentar nosso retorno de investimento e reduzir o risco geral. Acredito que também posso afirmar que o conhecimento é o que define a diferença entre investimento e especulação. No final, quanto mais você sabe sobre suas companhias, menor é a probabilidade de que a pura especulação venha a dominar seu raciocínio e suas atitudes.

Ron Chernow, que escreve livros sobre finanças, afirma que "os sistemas financeiros refletem os valores da socidade".[18] Acredito que isso é verdadeiro em ampla medida. De tempos em tempos, parece que erramos em nossa atribuição de valor, e, então, nossos mercados sucumbem às forças da especulação.

Logo nos corrigimos e seguimos adiante em nossa trajetória financeira, mas em pouco tempo tropeçamos e retomamos aqueles hábitos destrutivos. Uma maneira de interromper esse círculo vicioso é nos educando a respeito do que funciona e do que não funciona.

Buffett teve uma parcela de fracassos e sem dúvida experimentará mais alguns nos próximos anos, mas sucesso nos investimentos não é sinônimo de infalibilidade. Pelo contrário, resulta de fazer mais coisas certas do que erradas. O jeito Warren Buffett de investir não é diferente. A abordagem dele é bem-sucedida porque decorre tanto da eliminação de coisas que podem facilmente dar errado – que são muitas e desconcertantes (prever mercados, economias e preços de ação) – quanto da exigência de que você entenda determinadas coisas de forma correta, coisas que são simples e poucas (sobretudo avaliar um negócio). O preço do negócio pode ser encontrado verificando sua cotação. Determinar o valor requer alguns cálculos, mas isso não está além da capacidade de quem está disposto a fazer sua lição de casa.

Como você não se preocupa mais com o mercado de ações, a economia ou a previsão do preço de ações, agora está livre para dedicar mais tempo entendendo os negócios que possui. Você pode passar um tempo mais produtivo lendo relatórios anuais e artigos sobre negócios e o segmento do seu interesse, o que vai melhorar seus conhecimentos como proprietário. Aliás, o fato de você se mostrar disposto a investigar seu próprio negócio diminui sua dependência em relação a todos os outros que ganham a vida aconselhando as pessoas a tomar atitudes irracionais.

Por fim, as melhores ideias de investimento decorrerão de você fazer o trabalho que lhe compete. Mas não se sinta intimidado. O jeito Warren Buffett de investir não está além da possibilidade de compreensão dos investidores mais sérios. Você não precisa se tornar uma autoridade especializada em valorar negócios para ter sucesso ao adotar essa estratégia. No entanto, caso se sinta desconfortável ao aplicar você mesmo esses princípios, nada impede que faça as mesmas perguntas a consultores financeiros. Inclusive, quanto mais você dialoga sobre preço e valor, mais começa a entender e admirar o jeito Buffett de investir.

Ao longo da vida, Buffett tentou diferentes métodos de investir. Quando era bem jovem, chegou até a tentar a sorte com gráficos de ações. Seu tutor na análise de títulos foi o mais brilhante profissional de finanças: Benjamin Graham. No começo de sua carreira, foi-lhe muito proveitoso o estudo das estratégias de investimento de Phil Fisher. E teve ainda a sorte grande de ter tido Charlie Munger como sócio, com quem pôde colocar em prática tudo que tinha aprendido. Ao longo de uma carreira de seis décadas, e ainda em plena atividade, Buffett enfrentou incontáveis desafios econômicos, políticos e militares que conseguiu atravessar até chegar ao outro lado. Em meio a todas as distrações, ele encontrou seu nicho – aquele ponto em que todas as coisas fazem sentido e em que a estratégia de investimento coabita com a personalidade. Ele diz: "Nossa atitude [de investimento] se ajusta à nossa personalidade e ao modo como queremos levar a vida".[19]

Essa harmonia é facilmente identificada nas atitudes de Buffett. Ele está sempre alegre e é muito solícito. Sua empolgação ao ir para o trabalho todos os dias é genuína. Ele diz: "Tenho na vida tudo que quero, bem aqui. Adoro todos os dias. Quer dizer, é como se eu fizesse sapateado aqui, além de só trabalhar com pessoas de quem gosto".[20] Depois acrescenta: "Não existe no mundo um trabalho mais divertido do que dirigir a Berkshire, e me considero afortunado por estar onde estou".[21]

Apêndice

Tabela A.1 Portfólio de ações ordinárias da Berkshire Hathaway – 1977

Número de ações	Companhia	Custo	Valor de mercado
934.300	The Washington Post Company	$ 10.628	$ 33.401
1.969.953	GEICO Preferenciais Conversíveis	19.417	33.033
592.650	Interpublic Group of Companies	4.531	17.187
220.000	Capital Cities Communications, Inc.	10.909	13.228
1.294.308	GEICO Ações Ordinárias	4.116	10.516
324.580	Kaiser Aluminum and Chemical Corp.	11.218	9.981
226.900	Knight-Ridder Newspapers	7.534	8.736
170.800	Ogilvy & Mather International	2.762	6.960
1.305.800	Kaiser Industries, Inc.	778	6.039
	Total	$ 71.893	$ 139.081
	Todas as outras ações ordinárias	34.996	41.992
	Total de ações ordinárias	$ 106.889	$ 181.073

Fonte: Relatório anual, Berkshire Hathaway, 1977.
Nota: As quantias em dólar estão em milhares.

Tabela A.2 Portfólio de ações ordinárias da Berkshire Hathaway – 1978

Número de ações	Companhia	Custo	Valor de mercado
934.000	The Washington Post Company	$ 10.628	$ 43.445
1.986.953	GEICO Preferenciais Conversíveis	19.417	28.314
953.750	SAFECO Corporation	23.867	26.467
592.650	Interpublic Group of Companies	4.531	19.039
1.066.934	Kaiser Aluminum and Chemical Corp.	18.085	18.671
453.800	Knight-Ridder Newspapers	7.534	10.267
1.294.308	GEICO Ações Ordinárias	4.116	9.060
246.450	American Broadcasting Companies	6.082	8.626
	Total	$ 94.260	$ 163.889
	Todas as outras ações ordinárias	39.506	57.040
	Total de ações ordinárias	$ 133.766	$ 220.929

Fonte: Relatório anual, Berkshire Hathaway, 1978.
Nota: As quantias em dólar estão em milhares.

Tabela A.3 Portfólio de ações ordinárias da Berkshire Hathaway – 1979

Número de ações	Companhia	Custo	Valor de mercado
5.730.114	GEICO Corp. (ações ordinárias)	$ 28.288	$ 68.045
1.868.000	The Washington Post Company	10.628	39.241
1.007.500	Handy & Harman	21.825	38.537
953.750	SAFECO Corporation	23.867	35.527
711.180	Interpublic Group of Companies	4.531	23.736
1.211.834	Kaiser Aluminum and Chemical Corp.	20.629	23.328
771.900	F.W. Woolworth Company	15.515	19.394
328.700	General Foods, Inc.	11.437	11.053
246.450	American Broadcasting Companies	6.082	9.673
289.700	Affiliated Publications, Inc.	2.821	8.800
391.400	Ogilvy & Mather International	3.709	7.828
282.500	Media General, Inc.	4.545	7.345
112.545	Amerada Hess	2.8	5.487
	Total	$ 156.738	$ 297.994
	Todas as outras ações ordinárias	28.675	36.686
	Total de ações ordinárias	$ 185.413	$ 334.680

Fonte: Relatório anual, Berkshire Hathaway, 1979.
Nota: As quantias em dólar estão em milhares.

Tabela A.4 Portfólio de ações ordinárias da Berkshire Hathaway – 1980

Número de ações	Companhia	Custo	Valor de mercado
7.200.000	GEICO Corporation	$ 47.138	$ 105.300
1.983.812	General Foods	62.507	59.889
2.015.000	Handy & Harman	21.825	58.435
1.250.525	SAFECO Corporation	32.063	45.177
1.868.600	The Washington Post Company	10.628	42.277
464.317	Aluminum Company of America	25.577	27.685
1.211.834	Kaiser Aluminum and Chemical Corp.	20.629	27.569
711.180	Interpublic Group of Companies	4.531	22.135
667.124	F.W. Woolworth Company	13.583	16.511
370.088	Pinkerton's, Inc.	12.144	16.489
475.217	Cleveland-Cliffs Iron Company	12.942	15.894
434.550	Affiliated Publications, Inc.	2.821	12.222
245.700	R.J. Reynolds Industries	8.702	11.228
391.400	Ogilvy & Mather International	3.709	9.981
282.500	Media General	4.545	8.334
247.039	National Detroit Corporation	5.930	6.299
151.104	The Times Mirror Company	4.447	6.271
881.500	National Student Marketing	5.128	5.895
	Total	$ 298.848	$ 497.591
	Todas as outras ações ordinárias	26.313	32.096
	Total de ações ordinárias	$ 325.161	$ 529.687

Fonte: Relatório anual, Berkshire Hathaway, 1980.
Nota: As quantias em dólar estão em milhares.

Tabela A.5 Portfólio de ações ordinárias da Berkshire Hathaway – 1981

Número de ações	Companhia	Custo	Valor de mercado
7.200.000	GEICO Corporation	$ 47.138	$ 199.800
1.764.824	R.J. Reynolds Industries	76.668	83.127
2.101.244	General Foods	66.277	66.714
1.868.600	The Washington Post Company	10.628	58.160
2.015.000	Handy & Harman	21.825	36.270
785.225	SAFECO Corporation	21.329	31.016
711.180	Interpublic Group of Companies	4.531	23.202

►

Tabela A.5 *(continuação)*

Número de ações	Companhia	Custo	Valor de mercado
370.088	Pinkerton's, Inc.	12.144	19.675
703.634	Aluminum Company of America	19.359	18.031
420.441	Arcata Corporation	14.076	15.136
475.217	Cleveland-Cliffs Iron Company	12.942	14.362
451.650	Affiliated Publications, Inc.	3.297	14.362
441.522	GATX Corporation	17.147	13.466
391.400	Ogilvy & Mather International	3.709	12.329
282.500	Media General	4.545	11.088
	Total	$ 335.615	$ 616.490
	Todas as outras ações ordinárias	16.131	22.739
	Total de ações ordinárias	$ 351.746	$ 639.229

Fonte: Relatório anual, Berkshire Hathaway, 1981.
Nota: As quantias em dólar estão em milhares.

Tabela A.6 Portfólio de ações ordinárias da Berkshire Hathaway – 1982

Número de ações	Companhia	Custo	Valor de mercado
7.200.000	GEICO Corporation	$ 47.138	$ 309.600
3.107.675	R.J. Reynolds Industries	142.343	158.715
1.868.600	The Washington Post Company	10.628	103.240
2.101.244	General Foods	66.277	83.680
1.531.391	Time, Inc.	45.273	79.824
908.800	Crum & Forster	47.144	48.962
2.379.200	Handy & Harman	27.318	46.692
711.180	Interpublic Group of Companies	4.531	34.314
460.650	Affiliated Publications, Inc.	3.516	16.929
391.400	Ogilvy & Mather International	3.709	17.319
282.500	Media General	4.545	12.289
	Total	$ 402.422	$ 911.564
	Todas as outras ações ordinárias	21.611	34.058
	Total de ações ordinárias	$ 424.033	$ 945.622

Fonte: Relatório anual, Berkshire Hathaway, 1982.
Nota: As quantias em dólar estão em milhares.

Tabela A.7 Portfólio de ações ordinárias da Berkshire Hathaway – 1983

Número de ações	Companhia	Custo	Valor de mercado
6.850.000	GEICO Corporation	$ 47.138	$ 398.156
5.618.661	R.J. Reynolds Industries	268.918	314.334
4.451.544	General Foods	163.786	228.698
1.868.600	The Washington Post Company	10.628	136.875
901.788	Time, Inc.	27.732	56.860
2.379.200	Handy & Harman	27.318	42.231
636.310	Interpublic Group of Companies	4.056	33.088
690.975	Affiliated Publications, Inc.	3.516	26.603
250.400	Ogilvy & Mather International	2.580	12.833
197.200	Media General	3.191	11.191
	Total	$ 558.863	$ 1.260.869
	Todas as outras ações ordinárias	7.485	18.044
	Total de ações ordinárias	$ 566.348	$ 1.278.913

Fonte: Relatório anual, Berkshire Hathaway, 1983.
Nota: As quantias em dólar estão em milhares.

Tabela A.8 Portfólio de ações ordinárias da Berkshire Hathaway – 1984

Número de ações	Companhia	Custo	Valor de mercado
6.850.000	GEICO Corporation	$ 47.138	$ 397.300
4.047.191	General Foods	149.870	226.137
3.895.710	Exxon Corporation	173.401	175.307
1.868.600	The Washington Post Company	10.628	149.955
2.553.488	Time, Inc.	89.237	109.162
740.400	American Broadcasting Companies	44.416	46.738
2.379.200	Handy & Harman	27.318	38.662
690.975	Affiliated Publications, Inc.	3.516	32.908
818.872	Interpublic Group of Companies	2.570	28.149
555.949	Northwest Industries	26.581	27.242
	Total	$ 573.340	$ 1.231.560
	Todas as outras ações ordinárias	11.634	37.326
	Total de ações ordinárias	$ 584.974	$ 1.268.886

Fonte: Relatório anual, Berkshire Hathaway, 1984.
Nota: As quantias em dólar estão em milhares.

Tabela A.9 Portfólio de ações ordinárias da Berkshire Hathaway – 1985

Número de ações	Companhia	Custo	Valor de mercado
6.850.000	GEICO Corporation	$ 45.713	$ 595.950
1.727.765	The Washington Post Company	9.731	205.172
900.800	American Broadcasting Companies	54.435	108.997
2.350.922	Beatrice Companies, Inc.	106.811	108.142
1.036.461	Affiliated Publications, Inc.	3.516	55.710
2.553.488	Time, Inc.	20.385	52.669
2.379.200	Handy & Harman	27.318	43.718
	Total	$ 267.909	$ 1.170.358
	Todas as outras ações ordinárias	7.201	27.963
	Total de ações ordinárias	$ 275.110	$ 1.198.321

Fonte: Relatório anual, Berkshire Hathaway, 1985.
Nota: As quantias em dólar estão em milhares.

Tabela A.10 Portfólio de ações ordinárias da Berkshire Hathaway – 1986

Número de ações	Companhia	Custo	Valor de mercado
2.990.000	Capital Cities/ABC, Inc.	$ 515.775	$ 801.694
6.850.000	GEICO Corporation	45.713	674.725
1.727.765	The Washington Post Company	9.731	269.531
2.379.200	Handy & Harman	27.318	46.989
489.300	Lear Siegler, Inc.	44.064	44.587
	Total	$ 642.601	$ 1.837.526
	Todas as outras ações ordinárias	12.763	36.507
	Total de ações ordinárias	$ 655.364	$ 1.874.033

Fonte: Relatório anual, Berkshire Hathaway, 1986.
Nota: As quantias em dólar estão em milhares.

Tabela A.11 Portfólio de ações ordinárias da Berkshire Hathaway – 1987

Número de ações	Companhia	Custo	Valor de mercado
3.000.000	Capital Cities/ABC, Inc.	$ 517.500	$ 1.035.000
6.850.000	GEICO Corporation	45.713	756.925
1.727.765	The Washington Post Company	9.731	323.092
	Total de ações ordinárias	$ 572.944	$ 2.115.017

Fonte: Relatório anual, Berkshire Hathaway, 1987.
Nota: As quantias em dólar estão em milhares.

Tabela A.12 Portfólio de ações ordinárias da Berkshire Hathaway – 1988

Número de ações	Companhia	Custo	Valor de mercado
3.000.000	Capital Cities/ABC, Inc.	$ 517.500	$ 1.086.750
6.850.000	GEICO Corporation	45.713	849.400
14.172.500	The Coca-Cola Company	592.540	632.448
1.727.765	The Washington Post Company	9.731	364.126
2.400.000	Federal Home Loan Mortgage Corp.	71.729	121.200
	Total de ações ordinárias	$ 1.237.213	$ 3.053.924

Fonte: Relatório anual, Berkshire Hathaway, 1988.
Nota: As quantias em dólar estão em milhares.

Tabela A.13 Portfólio de ações ordinárias da Berkshire Hathaway – 1989

Número de ações	Companhia	Custo	Valor de mercado
23.350.000	The Coca-Cola Company	$ 1.023.920	$ 1.803.787
3.000.000	Capital Cities/ABC, Inc.	517.500	1.692.375
6.850.000	GEICO Corporation	45.713	1.044.625
1.727.765	The Washington Post Company	9.731	486.366
2.400.000	Federal Home Loan Mortgage Corp.	71.729	161.100
	Total de ações ordinárias	$ 1.668.593	$ 5.188.253

Fonte: Relatório anual, Berkshire Hathaway, 1989.
Nota: As quantias em dólar estão em milhares.

Tabela A.14 Portfólio de ações ordinárias da Berkshire Hathaway – 1990

Número de ações	Companhia	Custo	Valor de mercado
46.700.000	The Coca-Cola Company	$ 1.023.920	$ 2.171.550
3.000.000	Capital Cities/ABC, Inc.	517.500	1.377.375
6.850.000	GEICO Corporation	45.713	1.110.556
1.727.765	The Washington Post Company	9.731	342.097
2.400.000	Federal Home Loan Mortgage Corp.	71.729	117.000
	Total de ações ordinárias	$ 1.958.024	$ 5.407.953

Fonte: Relatório anual, Berkshire Hathaway, 1990.
Nota: As quantias em dólar estão em milhares.

Tabela A.15 Portfólio de ações ordinárias da Berkshire Hathaway – 1991

Número de ações	Companhia	Custo	Valor de mercado
46.700.000	The Coca-Cola Company	$ 1.023.920	$ 3.747.675
6.850.000	GEICO Corporation	45.713	1.363.150
24.000.000	The Gillette Company	600.000	1.347.000
3.000.000	Capital Cities/ABC, Inc.	517.500	1.300.500
2.495.200	Federal Home Loan Mortgage Corp.	77.245	343.090
1.727.765	The Washington Post Company	9.731	336.050
31.247.000	Guinness plc	264.782	296.755
5.000.000	Wells Fargo & Company	289.431	290.000
	Total de ações ordinárias	$ 2.828.322	$ 9.024.220

Fonte: Relatório anual, Berkshire Hathaway, 1991.
Nota: As quantias em dólar estão em milhares.

Tabela A.16 Portfólio de ações ordinárias da Berkshire Hathaway – 1992

Número de ações	Companhia	Custo	Valor de mercado
93.400.000	The Coca-Cola Company	$ 1.023.920	$ 3.911.125
34.250.000	GEICO Corporation	45.713	2.226.250
3.000.000	Capital Cities/ABC, Inc	517.500	1.523.500
24.000.000	The Gillette Company	600.000	1.365.000
16.196.700	Federal Home Loan Mortgage Corp.	414.527	783.515

Tabela A.16 *(continuação)*

Número de ações	Companhia	Custo	Valor de mercado
6.358.418	Wells Fargo & Company	380.983	485.624
4.350.000	General Dynamics	312.438	450.769
1.727.765	The Washington Post Company	9.731	396.954
38.335.000	Guinness plc	333.019	299.581
	Total de ações ordinárias	$ 3.637.831	$ 11.442.318

Fonte: Relatório anual, Berkshire Hathaway, 1992.
Nota: As quantias em dólar estão em milhares.

Tabela A.17 Portfólio de ações ordinárias da Berkshire Hathaway – 1993

Número de ações	Companhia	Custo	Valor de mercado
93.400.000	The Coca-Cola Company	$ 1.023.920	$ 4.167.975
34.250.000	GEICO Corporation	45.713	1.759.594
24.000.000	The Gillette Company	600.000	1.431.000
2.000.000	Capital Cities/ABC, Inc.	345.000	1.239.000
6.791.218	Wells Fargo & Company	423.680	878.614
13.654.600	Federal Home Loan Mortgage Corp.	307.505	681.023
1.727.765	The Washington Post Company	9.731	440.148
4.350.000	General Dynamics	94.938	401.287
38.335.000	Guinness plc	333.019	270.822
	Total de ações ordinárias	$ 3.183.506	$ 11.269.463

Fonte: Relatório anual, Berkshire Hathaway, 1993.
Nota: As quantias em dólar estão em milhares.

Tabela A.18 Portfólio de ações ordinárias da Berkshire Hathaway – 1994

Número de ações	Companhia	Custo	Valor de mercado
93.400.000	The Coca-Cola Company	$ 1.023.920	$ 5.150.000
24.000.000	The Gillette Company	600.000	1.797.000
20.000.000	Capital Cities/ABC, Inc.	345.000	1.705.000

Tabela A.18 *(continuação)*

Número de ações	Companhia	Custo	Valor de mercado
34.250.000	GEICO Corporation	45.713	1.678.250
6.791.218	Wells Fargo & Company	423.680	984.272
27.759.941	American Express Company	723.919	818.918
13.654.600	Federal Home Loan Mortgage Corp.	270.468	644.441
1.727.765	The Washington Post Company	9.731	418.983
19.453.300	PNC Bank Corporation	503.046	410.951
6.854.500	Gannett Co., Inc.	335.216	365.002
	Total de ações ordinárias	$ 4.280.693	$ 13.972.817

Fonte: Relatório anual, Berkshire Hathaway, 1994.
Nota: As quantias em dólar estão em milhares.

Tabela A.19 Portfólio de ações ordinárias da Berkshire Hathaway – 1995

Número de ações	Companhia	Custo	Valor de mercado
49.456.900	American Express Company	$ 1.392,70	$ 2.046,30
20.000.000	Capital Cities/ABC, Inc.	345,00	2.467,50
100.000.000	The Coca-Cola Company	1.298,90	7.425,00
12.502.500	Federal Home Loan Mortgage Corp.	260,10	1.044,00
34.250.000	GEICO Corporation	45,70	2.393,20
48.000.000	The Gillette Company	600,00	2.502,00
6.791.218	Wells Fargo & Company	423,70	1.466,90
	Total de ações ordinárias	$ 4.366,10	$ 19.344,90

Fonte: Relatório anual, Berkshire Hathaway, 1995.
Nota: As quantias em dólar estão em milhões.

Tabela A.20 Portfólio de ações ordinárias da Berkshire Hathaway – 1996

Número de ações	Companhia	Custo	Valor de mercado
49.456.900	American Express Company	$ 1.392,70	$ 2.794,30
200.000.000	The Coca-Cola Company	1.298,90	10.525,00
24.614.214	The Walt Disney Company	577,00	1.716,80
64.246.000	Federal Home Loan Mortgage Corp.	333,40	1.772,80

Tabela A.20 *(continuação)*

Número de ações	Companhia	Custo	Valor de mercado
48.000.000	The Gillette Company	600,00	3.732,00
30.156.600	McDonald's Corporation	1.265,30	1.368,40
1.727.765	The Washington Post Company	10,60	579,00
7.291.418	Wells Fargo & Company	497,80	1.966,90
	Total de ações ordinárias	$ 5.975,70	$ 24.455,20

Fonte: Relatório anual, Berkshire Hathaway, 1996.
Nota: As quantias em dólar estão em milhões.

Tabela A.21 Portfólio de ações ordinárias da Berkshire Hathaway – 1997

Número de ações	Companhia	Custo	Valor de mercado
49.456.900	American Express Company	$ 1.392.70	$ 4.414,00
200.000.000	The Coca-Cola Company	1.298,90	13.337,50
21.563.414	The Walt Disney Company	381,20	2.134,80
63.977.600	Freddie Mac	329,40	2.683,10
48.000.000	The Gillette Company	600,00	4.821,00
23.733.198	Travelers Group Inc.	604,40	1.278,60
1.727.765	The Washington Post Company	10,60	840,60
6.690.218	Wells Fargo & Company	412,60	2.270,90
	Total de ações ordinárias	$ 5.029,80	$ 31.780,50

Fonte: Relatório anual, Berkshire Hathaway, 1997.
Nota: As quantias em dólar estão em milhões.

Tabela A.22 Portfólio de ações ordinárias da Berkshire Hathaway – 1998

Número de ações	Companhia	Custo*	Valor de mercado
50.536.900	American Express Company	$ 1.470	$ 5.180
200.000.000	The Coca-Cola Company	1.299	13.400
51.202.242	The Walt Disney Company	281	1.536
60.298.000	Freddie Mac	308	3.885
96.000.000	The Gillette Company	600	4.590

Tabela A.22 *(continuação)*

Número de ações	Companhia	Custo*	Valor de mercado
1.727.765	The Washington Post Company	11	999
63.595.180	Wells Fargo & Company	392	2.540
	Outras	2.683	5.135
	Total de ações ordinárias	$ 7.044	$ 37.265

* Representa a base de custo de impostos que, no agregado, é de 1,5 bilhão de dólares, menos o custo GAAP.

Fonte: Relatório anual, Berkshire Hathaway, 1998.

Nota: As quantias em dólar estão em milhões.

Tabela A.23 Portfólio de ações ordinárias da Berkshire Hathaway – 1999

Número de ações	Companhia	Custo*	Valor de mercado
50.536.900	American Express Company	$ 1.470	$ 8.402
200.000.000	The Coca-Cola Company	1.299	11.650
59.559.300	The Walt Disney Company	281	1.536
60.298.000	Freddie Mac	294	2.803
96.000.000	The Gillette Company	600	3.954
1.727.765	The Washington Post Company	11	960
59.136.680	Wells Fargo & Company	349	2.391
	Outras	4.180	6.848
	Total de ações ordinárias	$ 8.203	$ 37.008

* Representa a base de custo de impostos que, no agregado, é de 691 milhões de dólares, menos o custo GAAP.

Fonte: Relatório anual, Berkshire Hathaway, 1999.

Nota: As quantias em dólar estão em milhões.

Tabela A.24 Portfólio de ações ordinárias da Berkshire Hathaway – 2000

Número de ações	Companhia	Custo	Valor de mercado
151.610.700	American Express Company	$ 1.470	$ 8.329
200.000.000	The Coca-Cola Company	1.299	12.188
96.000.000	The Gillette Company	600	3.468

Tabela A.24 *(continuação)*

Número de ações	Companhia	Custo	Valor de mercado
1.727.765	The Washington Post Company	11	1.066
55.071.380	Wells Fargo & Company	319	3.067
	Outras	6.703	9.501
	Total de ações ordinárias	$ 10.402	$ 37.619

Fonte: Relatório anual, Berkshire Hathaway, 2000.
Nota: As quantias em dólar estão em milhões.

Tabela A.25 Portfólio de ações ordinárias da Berkshire Hathaway – 2001

Número de ações	Companhia	Custo*	Valor de mercado
151.610.700	American Express Company	$ 1.470	$ 5.410
200.000.000	The Coca-Cola Company	1.299	9.430
96.000.000	The Gillette Company	600	3.206
15.999.200	H&R Block, Inc.	255	715
24.000.000	Moody's Corporation	499	957
1.727.765	The Washington Post Company	11	916
53.265.080	Wells Fargo & Company	306	2.315
	Outras	4.103	5.726
	Total de ações ordinárias	$ 8.543	$ 28.675

Fonte: Relatório anual, Berkshire Hathaway, 2001.
Nota: As quantias em dólar estão em milhões.

Tabela A.26 Portfólio de ações ordinárias da Berkshire Hathaway – 2002

Número de ações	Companhia	Custo	Valor de mercado
151.610.700	American Express Company	$ 1.470	$ 5.359
200.000.000	The Coca-Cola Company	1.299	8.768
15.999.200	H&R Block, Inc.	255	643
24.000.000	Moody's Corporation	499	991
1.727.765	The Washington Post Company	11	1.275
53.265.080	Wells Fargo & Company	306	2.497
	Outras	4.621	5.383
	Total de ações ordinárias	$ 9.146	$ 28.363

Fonte: Relatório anual, Berkshire Hathaway, 2002.
Nota: As quantias em dólar estão em milhões.

Tabela A.27 Portfólio de ações ordinárias da Berkshire Hathaway – 2003

Número de ações	Companhia	Custo	Valor de mercado
151.610.700	American Express Company	$ 1.470	$ 7.312
200.000.000	The Coca-Cola Company	1.299	10.150
96.000.000	The Gillette Company	600	3.526
14.610.900	H&R Block, Inc.	227	809
15.476.500	HCA Inc.	492	665
6.708.760	M&T Bank Corporation	103	659
24.000.000	Moody's Corporation	499	1.453
2.338.961.000	PetroChina Company Limited	488	1.340
1.727.765	The Washington Post Company	11	1.367
56.448.380	Wells Fargo & Company	463	3.324
	Outras	2.863	4.682
	Total de ações ordinárias	$ 8.515	$ 35.287

Fonte: Relatório anual, Berkshire Hathaway, 2003.
Nota: As quantias em dólar estão em milhões.

Tabela A.28 Portfólio de ações ordinárias da Berkshire Hathaway – 2004

Número de ações	Companhia	Custo	Valor de mercado
151.610.700	American Express Company	$ 1.470	$ 8.546
200.000.000	The Coca-Cola Company	1.299	8.328
96.000.000	The Gillette Company	600	4.299
14.350.600	H&R Block, Inc.	233	703
6.708.760	M&T Bank Corporation	103	723
24.000.000	Moody's Corporation	499	2.084
2.338.961.000	PetroChina Ações "H" (ou equivalentes)	488	1.249
1.727.765	The Washington Post Company	11	1.698
56.448.380	Wells Fargo & Company	463	3.508
1.724.200	White Mountain Insurance	369	1.114
	Outras	3.351	5.465
	Total de ações ordinárias	$ 9.056	$ 37.717

Fonte: Relatório anual, Berkshire Hathaway, 2004.
Nota: As quantias em dólar estão em milhões.

Tabela A.29 Portfólio de ações ordinárias da Berkshire Hathaway – 2005

Número de ações	Companhia	Custo	Valor de mercado
151.610.700	American Express Company	$ 1.287	$ 7.802
30.322.137	Ameriprise Financial, Inc.	183	1.243
43.854.200	Anheuser-Busch, Inc.	2.133	1.844
200.000.000	The Coca-Cola Company	1.299	8.062
6.708.760	M&T Bank Corporation	103	732
48.000.000	Moody's Corporation	499	2.084
2.338.961.000	PetroChina Ações "H" (ou equivalentes)	488	1.915
100.000.000	The Procter & Gamble Company	940	5.788
19.944.300	Wal-Mart Stores, Inc.	944	933
1.727.765	The Washington Post Company	11	1.322
95.092.200	Wells Fargo & Company	2.754	5.975
1.724.200	White Mountain Insurance	369	963
	Outras	4.937	7.154
	Total de ações ordinárias	$ 15.947	$ 46.721

Fonte: Relatório anual, Berkshire Hathaway, 2005.
Nota: As quantias em dólar estão em milhões.

Tabela A.30 Portfólio de ações ordinárias da Berkshire Hathaway – 2006

Número de ações	Companhia	Custo	Valor de mercado
151.610.700	American Express Company	$ 1.287	$ 9.198
36.417.400	Anheuser-Busch, Inc.	1.761	1.792
200.000.000	The Coca-Cola Company	1.299	9.650
17.938.100	ConocoPhillips	1.066	1.291
21.334.900	Johnson & Johnson	1.250	1.409
6.708.760	M&T Bank Corporation	103	820
48.000.000	Moody's Corporation	499	3.315
2.338.961.000	PetroChina Ações "H" (ou equivalentes)	488	3.313
3.486.006	POSCO	572	1.158
100.000.000	The Procter & Gamble Company	940	6.427
299.707.000	Tesco plc	1.340	1.820
31.033.800	U.S. Bancorp	969	1.123
17.072.192	USG Corp.	536	936

Tabela A.30 *(continuação)*

Número de ações	Companhia	Custo	Valor de mercado
19.944.300	Wal-Mart Stores, Inc.	942	921
1.727.765	The Washington Post Company	11	1.288
218.169.300	Wells Fargo & Company	3.697	7.758
1.724.200	White Mountain Insurance	369	999
	Outras	5.866	8.315
	Total de ações ordinárias	$ 22.995	$ 61.533

Fonte: Relatório anual, Berkshire Hathaway, 2006.
Nota: As quantias em dólar estão em milhões.

Tabela A.31 Portfólio de ações ordinárias da Berkshire Hathaway – 2007

Número de ações	Companhia	Custo	Valor de mercado
151.610.700	American Express Company	$ 1.287	$ 7.887
35.563.200	Anheuser-Busch, Inc.	1.718	1.861
60.828.818	Burlington Northern Santa Fe	4.731	5.063
200.000.000	The Coca-Cola Company	1.299	12.274
17.508.700	ConocoPhillips	1.039	1.546
64.271.948	Johnson & Johnson	3.943	4.287
124.393.800	Kraft Foods, Inc.	4.152	4.059
48.000.000	Moody's Corporation	499	1.714
3.486.006	POSCO	572	2.136
101.472.000	The Procter & Gamble Company	1.030	7.450
17.170.953	Sanofi-Aventis	1.466	1.575
227.307.000	Tesco plc	1.326	2.156
75.176.026	U.S. Bancorp	2.417	2.386
17.072.192	USG Corp.	536	611
19.944.300	Wal-Mart Stores, Inc.	942	948
1.727.765	The Washington Post Company	11	1.367
303.407.068	Wells Fargo & Company	6.677	9.160
1.724.200	White Mountain Insurance	369	886
	Outras	5.238	7.633
	Total de ações ordinárias	$ 39.252	$ 74.999

Fonte: Relatório anual, Berkshire Hathaway, 2007.
Nota: As quantias em dólar estão em milhões.

Tabela A.32 Portfólio de ações ordinárias da Berkshire Hathaway – 2008

Número de ações	Companhia	Custo	Valor de mercado
151.610.700	American Express Company	$ 1.287	$ 2.812
200.000.000	The Coca-Cola Company	1.299	9.054
84.896.273	ConocoPhillips	7.008	4.398
30.009.591	Johnson & Johnson	1.847	1.795
130.272.500	Kraft Foods, Inc.	4.330	3.498
3.947.554	POSCO	768	1.191
91.941.010	The Procter & Gamble Company	643	5.684
22.111.966	Sanofi-Aventis	1.827	1.404
11.262.000	Swiss Re	733	530
227.307.000	Tesco plc	1.326	1.193
75.145.426	U.S. Bancorp	2.337	1.879
19.944.300	Wal-Mart Stores, Inc.	942	1.118
1.727.765	The Washington Post Company	11	674
304.392.068	Wells Fargo & Company	6.702	8.973
	Outras	6.035	4.870
	Total de ações ordinárias	$ 37.135	$ 49.073

Fonte: Relatório anual, Berkshire Hathaway, 2008.
Nota: As quantias em dólar estão em milhões.

Tabela A.33 Portfólio de ações ordinárias da Berkshire Hathaway – 2009

Número de ações	Companhia	Custo	Valor de mercado
151.610.700	American Express Company	$ 1.287	$ 6.143
225.000.000	BYD Company, Ltd.	232	1.986
200.000.000	The Coca-Cola Company	1.299	11.400
37.711.330	ConocoPhillips	2.741	1.926
28.530.467	Johnson & Johnson	1.724	1.838
130.272.500	Kraft Foods, Inc.	4.330	3.541
3.947.554	POSCO	768	2.092
83.128.411	The Procter & Gamble Company	533	5.040

Tabela A.33 *(continuação)*

Número de ações	Companhia	Custo	Valor de mercado
25.108.967	Sanofi-Aventis	2.027	1.979
234.247.373	Tesco plc	1.367	1.620
76.633.426	U.S. Bancorp	2.371	1.725
39.037.142	Wal-Mart Stores, Inc.	1.893	2.087
334.235.585	Wells Fargo & Company	7.394	9.021
	Outras	6.680	8.636
	Total de ações ordinárias	$ 34.646	$ 59.034

Fonte: Relatório anual, Berkshire Hathaway, 2009.
Nota: As quantias em dólar estão em milhões.

Tabela A.34 Portfólio de ações ordinárias da Berkshire Hathaway – 2010

Número de ações	Companhia	Custo	Valor de mercado
151.610.700	American Express Company	$ 1.287	$ 6.507
225.000.000	BYD Company, Ltd.	232	1.182
200.000.000	The Coca-Cola Company	1.299	13.154
29.109.637	ConocoPhillips	2.028	1.982
45.022.563	Johnson & Johnson	2.749	2.785
97.214.684	Kraft Foods, Inc.	3.207	3.063
19.259.600	Munich Re	2.896	2.924
3.947.554	POSCO	768	1.706
72.391.036	The Procter & Gamble Company	464	4.657
25.848.838	Sanofi-Aventis	2.060	1.656
242.163.773	Tesco plc	1.414	1.608
78.060.769	U.S. Bancorp	2.401	2.105
39.037.142	Wal-Mart Stores, Inc.	1.893	2.105
358.936.125	Wells Fargo & Company	8.015	11.123
	Outras	3.020	4.956
	Total de ações ordinárias	$ 33.733	$ 61.513

Fonte: Relatório anual, Berkshire Hathaway, 2010.
Nota: As quantias em dólar estão em milhões.

Tabela A.35 Portfólio de ações ordinárias da Berkshire Hathaway – 2011

Número de ações	Companhia	Custo	Valor de mercado
151.610.700	American Express Company	$ 1.287	$ 7.151
200.000.000	The Coca-Cola Company	1.299	13.994
29.100.937	ConocoPhillips	2.027	2.121
63.905.931	International Business Machines Corp.	10.856	11.751
31.416.127	Johnson & Johnson	1.880	2.060
79.034.713	Kraft Foods, Inc.	2.589	2.953
20.060.390	Munich Re	2.990	2.464
3.947.555	POSCO	768	1.301
72.391.036	The Procter & Gamble Company	464	4.829
25.848.838	Sanofi	2.055	1.900
291.577.428	Tesco plc	1.719	1.827
78.060.769	U.S. Bancorp	2.401	2.112
39.037.142	Wal-Mart Stores, Inc.	1.893	2.333
400.015.828	Wells Fargo & Company	9.086	11.024
	Outras	6.895	9.171
	Total de ações ordinárias	$ 48.209	$ 76.991

Fonte: Relatório anual, Berkshire Hathaway, 2011.
Nota: As quantias em dólar estão em milhões.

Tabela A.36 Portfólio de ações ordinárias da Berkshire Hathaway – 2012

Número de ações	Companhia	Custo	Valor de mercado
151.610.700	American Express Company	$ 1.287	$ 8.715
400.000.000	The Coca-Cola Company	1.299	14.500
24.123.911	ConocoPhillips	1.219	1.399
22.999.600	DirecTV	1.057	1.154
68.115.484	International Business Machines Corp.	11.680	13.048
28.415.250	Moody's Corporation	287	1.430
20.060.390	Munich Re	2.990	3.599
20.668.118	Phillips 66	660	1.097

Tabela A.36 *(continuação)*

Número de ações	Companhia	Custo	Valor de mercado
3.947.555	POSCO	768	1.295
52.477.678	The Procter & Gamble Company	336	3.563
25.848.838	Sanofi	2.073	2.438
415.510.889	Tesco plc	2.350	2.268
78.060.769	U.S. Bancorp	2.401	2.493
54.823.433	Wal-Mart Stores, Inc.	2.837	3.741
456.170.061	Wells Fargo & Company	10.906	15.592
	Outras	7.646	11.330
	Total de ações ordinárias	$ 49.796	$ 87.662

Fonte: Relatório anual, Berkshire Hathaway, 2012.
Nota: As quantias em dólar estão em milhões.

Notas

Capítulo 1 – Um evento 5 sigmas

1. Carol Loomis, *Tap Dancing to Work: Warren Buffett on Practically Everything, 1966-2012* (Nova York: Time Inc., 2012), p. 256.
2. Matthew Bishop e Michael Green, *Philanthrocapitalism: How Giving Can Save the World* (Nova York: Bloomsbury Press, 2008), p. 1.
3. Loomis, *Tap Dancing to Work*, p. 258.
4. Ibid., p. 261.
5. Bishop e Green, *Philanthrocapitalism*, p. 75.
6. Loomis, *Tap Dancing to Work*, p. 149.
7. Ibid., p. 315.
8. Alice Schroeder, *The Snowball: Warren Buffett and the Business of Life* (Nova York: Random House, 2008), p. 51 e p. 55. [Edição brasileira: *A bola de neve: Warren Buffett e o negócio da vida*. Rio de Janeiro: Sextante, 2008.]
9. Roger Lowenstein, *Buffett: The Making of an American Capitalist* (Nova York: Random House, 1995), p. 10.
10. Schroeder, *Snowball*, p. 62.
11. Ibid.
12. Ibid.
13. Adam Smith, *Supermoney* (Hoboken, NJ: John Wiley & Sons, 2006), p. 178.
14. Ibid.

15. Loomis, *Tap Dancing to Work*, p. 67.
16. Lowenstein, *Buffett*, p. 26.
17. Schroeder, *Snowball*, p. 146. Schroeder associa esta hábil analogia à caverna de Platão, referência originalmente feita por Patrick Byrne.
18. John Train, *The Money Masters* (Nova York: Penguin Books, 1981), p. 11.
19. John Brooks, *The Go-Go Years* (Nova York: Weybright & Talley, 1973).
20. Train, *Money Masters*, p. 12.
21. Relatório anual da Berkshire Hathaway, 1987, p. 22.
22. Relatório anual da Berkshire Hathaway, 2011, p. 9.
23. Loomis, *Tap Dancing to Work*, p. 62. A letra grega sigma é usada em estatística para representar o desvio-padrão da média. Um evento 5 sigmas, que mede cinco desvios, tem uma chance em 3.488.555 de acontecer. Em outros termos, o evento 5 sigmas tem uma chance de 99,99994% de estar certo.
24. Ibid.

Capítulo 2 – A formação de Warren Buffett

1. Adam Smith, *Supermoney* (Nova York: Random House, 1972), p. 172.
2. *New York Times*, 2 dez. 1934, p. 13D.
3. Benjamin Graham e David Dodd, *Security Analysis*, 3ª ed. (Nova York: McGraw-Hill, 1951), p. 38.
4. Ibid., p. 13.
5. "Ben Graham: The Grandfather of Investment Value Is Still Concerned", *Institutional Investor*, abril 1974, p. 62.
6. Ibid., p. 61.
7. John Train, *The Money Masters* (Nova York: Penguin Books, 1981), p. 60.
8. Philip Fisher, *Common Stocks and Uncommon Profits* (Nova York: Harper & Brothers, 1958), p.11. [Edição brasileira: *Ações ordinárias, lucros extraordinários*. São Paulo: Saraiva, 2011.]
9. Ibid., p. 16.
10. Ibid., p. 33.
11. Philip Fisher, *Developing an Investment Philosophy*, Financial Analysts Research Foundation, Monografia n. 10, p. 1.
12. Fisher, *Common Stocks*, p. 13.
13. Fisher, *Developing an Investment Philosophy*, p. 29.
14. Andrew Kilpatrick, *Of Permanent Value: The Story of Warren Buffett*, ed. rev. (Birmingham, AL: AKPE, 2000), p. 89.
15. Robert Hagstrom, *Investing: The Last Liberal Art* (Nova York: Columbia University Press, 2013).

16. Comentários feitos durante a assembleia anual da Berkshire Hathaway em 1997; citados na biografia de Charlie Munger, *Damn Right!*, de Janet Lowe (Nova York: John Wiley & Sons, 2000).
17. Andrew Kilpatrick, *Warren Buffett: The Good Guy of Wall Street* (Nova York: Donald I. Fine, 1992), p. 38.
18. Robert Lenzner, "Warren Buffett's Idea of Heaven: 'I Don't Have to Work with People I Don't Like'", *Forbes*, 18 out. 1993, p. 43.
19. Relatório anual da Berkshire Hathaway, 1989, p. 21.
20. Ibid.
21. L. J. Davis, "Buffett Takes Stock", *New York Times Magazine*, 1º abr. 1990, p. 61.
22. Relatório anual da Berkshire Hathaway, 1987, p. 15.
23. Warren Buffett, "The Superinvestors of Graham-and-Doddsville", *Hermes*, outono 1984.
24. Relatório anual da Berkshire Hathaway, 1990, p. 17.
25. Benjamin Graham, *The Intelligent Investor*, 4ª ed. (Nova York: Harper & Row, 1973), p. 287. [Edição brasileira: *O investidor inteligente*. São Paulo: HarperCollins, 2017.]
26. Warren Buffett, "What We Can Learn from Philip Fisher", *Forbes*, 19 out. 1987, p. 40.
27. "The Money Men – How Omaha Beats Wall Street", *Forbes*, 1º nov. 1969, p. 82.

Capítulo 3 – Comprando um negócio

1. Relatório anual da Berkshire Hathaway, 1987, p. 14.
2. Robert Lenzner, "Warren Buffett's Idea of Heaven: 'I Don't Have to Work with People I Don't Like'", *Forbes*, 18 out. 1993.
3. *Fortune*, 29 nov. 1993, p. 11.
4. Relatório anual da Berkshire Hathaway, 1987, p. 7.
5. Relatório anual da Berkshire Hathaway, 1989, p. 22.
6. Assembleia anual da Berkshire Hathaway de 1995, citada em Andrew Kilpatrick, *Of Permanent Value: The Story of Warren Buffett*, ed. rev. (Birmingham, AL: AKPE, 2004), p. 1.356.
7. *St. Petersburg Times* (15 dez. 1999), citado em Kilpatrick, *Of Permanent Value* (2004), p. 1.356.
8. *Fortune* (22 nov. 1999), citado em Kilpatrick, *Of Permanent Value* (2004), p. 1.356.
9. Assembleia anual da Berkshire Hathaway de 1996, Kilpatrick (2004), p. 1.344.
10. Relatório anual da Berkshire Hathaway, 1982, p. 57.
11. Lenzner, "Warren Buffett's Idea of Heaven".
12. Relatório anual da Berkshire Hathaway, 1989.
13. Carol Loomis, "The Inside Story of Warren Buffett", *Fortune*, 11 abr. 1988.

14. Relatório anual da Berkshire Hathaway, 1988, p. 5.
15. Relatório anual, 1986, p. 5.
16. Kilpatrick, *Of Permanent Value* (2000), p. 89.
17. Relatório anual da Berkshire Hathaway, 1989, p. 22.
18. Linda Grant, "The $4 Billion Regular Guy", *Los Angeles Times*, 17 abr. 1991 (seção Revista), p. 36.
19. Lenzner, "Warren Buffett 's Idea of Heaven".
20. Relatório anual da Berkshire Hathaway, 1985, p. 9.
21. Relatório anual da Berkshire Hathaway, 1987, p. 20.
22. Ibid., 21.
23. Relatório anual da Berkshire Hathaway, 1984, p. 15.
24. Relatório anual da Berkshire Hathaway, 1986, p. 25.
25. Carol Loomis, *Tap Dancing to Work: Warren Buffett on Practically Everything, 1966-2012* (Nova York: Time Inc., 2012).
26. Relatório anual da Berkshire Hathaway, 1990, p. 16.
27. Cartas aos acionistas da Berkshire Hathaway, 1977-1983, p. 52.
28. Relatório anual da Berkshire Hathaway, 1989, p. 5.
29. Jim Rasmussen, "Buffett Talks Strategy with Students", *Omaha World Herald*, 2 jan. 1994, p. 26.
30. Relatório anual da Berkshire Hathaway, 1992, p. 14.
31. Cartas aos acionistas da Berkshire Hathaway, 1977-1983, p. 53.
32. Lowenstein, *Buffett: The Making of an American Capitalist* (Nova York: Random House, 1995), p. 323.
33. Cartas aos acionistas da Berkshire Hathaway, 1977-1983, p. 82.

Capítulo 4 – Compras de ações ordinárias

1. Mary Rowland, "Mastermind of a Media Empire", *Working Women*, 11 nov. 1989, p. 115.
2. Relatório anual da The Washington Post Company, 1991, p. 2.
3. Relatório anual da Berkshire Hathaway, 1992, p. 5.
4. Relatório anual da Berkshire Hathaway, 1985, p. 19.
5. Chalmers M. Roberts, *The Washington Post: The First 100 Years* (Boston: Houghton Mifflin, 1977), p. 449.
6. Relatório anual da Berkshire Hathaway, 1991, p. 8.
7. Ibid., p. 9.
8. William Thorndike Jr., *The Outsiders: Eight Unconventional CEOs and Their Radically Rational Blueprint for Success* (Boston: Harvard Business Review Press, 2012), p. 9.110. [Edição brasileira: *O poder de pensar fora da caixa*. Rio de Janeiro: HarperCollins, 2017.]

9. Carol Loomis, "An Accident Report on GEICO", *Fortune*, jun. 1976, p. 120.
10. Embora o mercado em baixa de 1973-1974 possa ter contribuído para a queda anterior da GEICO, seu declínio em 1975 e 1976 foi inteiramente por sua própria culpa. Em 1975, o Índice 500 da Standard & Poor's começou em 70,23 e terminou o ano em 90,9. No ano seguinte, o mercado de ações estava igualmente forte. Em 1976, o mercado de ações subiu, e as taxas de juros caíram. A queda no preço da ação de GEICO não teve nada a ver com os mercados financeiros.
11. Beth Brophy, "After the Fall and Rise", *Forbes*, 2 fev. 1981, p. 86.
12. Lynn Dodds, "Handling the Naysayers", *Financial World*, 17 ago. 1985, p. 42.
13. Cartas aos acionistas da Berkshire Hathaway, 1977-1983, p. 33.
14. Andrew Kilpatrick, *Warren Buffett: The Good Guy of Wall Street* (Nova York: Donald Fine, 1992), p. 102.
15. Anthony Bianco, "Why Warren Buffett Is Breaking His Own Rules", *BusinessWeek*, 15 abr. 1985, p. 34.
16. Relatório anual da Berkshire Hathaway, 1991, p. 8.
17. Bianco, "Why Warren Buffett Is Breaking His Own Rules".
18. Dennis Kneale, "Murphy & Burke", *Wall Street Journal*, 2 fev. 1990, p. 1.
19. Relatório anual da Capital Cities/ABC Inc., 1992.
20. "A Star Is Born", *BusinessWeek*, 1º abr. 1985, p. 77.
21. Anthony Baldo, "CEO of the Year Daniel B. Burke", *Financial World*, 2 abr. 1991, p. 38.
22. Relatório anual da Berkshire Hathaway, 1985, p. 20.
23. Roger Lowenstein, *Buffett: The Making of an American Capitalist* (Nova York: Random House, 1995), p. 323.
24. Relatório anual da Berkshire Hathaway, 1993, p. 14.
25. Kilpatrick, *Warren Buffett: The Good Guy of Wall Street*, p. 123.
26. Mark Pendergrast, *For God, Country and Coca-Cola* (Nova York: Scribners, 1993). [Edição brasileira: *Por Deus, pela pátria e pela Coca-Cola*. Rio de Janeiro: Ediouro, 1993.]
27. Art Harris, "The Man Who Changed the Real Thing", *Washington Post*, 22 jul. 1985, B1.
28. "Strategy of the 1980s", Coca-Cola Company.
29. Ibid.
30. Relatório anual da Berkshire Hathaway, 1992, p. 13.
31. Ibid.
32. John Dorfman, "Wells Fargo Has Bulls and Bears; So Who's Right?", *Wall Street Journal*, 1º nov. 1990, C1.
33. Ibid.
34. John Liscio, "Trading Points", *Barron's*, 29 out. 1990, p. 51.

35. Cartas aos acionistas da Berkshire Hathaway, 1977-1983, p. 15.
36. Relatório anual da Berkshire Hathaway, 1990, p. 16.
37. Reid Nagle, "Interpreting the Banking Numbers", em *The Financial Services Industry – Banks, Thrifts, Insurance Companies, and Securities Firms*, Alfred C. Morley (ed.), p. 25-41 (Charlottesville, VA: Association of Investment Management and Research, 1991).
38. "CEO Silver Award", *Financial World*, 5 abr. 1988, p. 92.
39. Gary Hector, "Warren Buffett's Favorite Banker", *Forbes*, 18 out. 1993, p. 46.
40. Relatório anual da Berkshire Hathaway, 1990, p. 16.
41. Ibid.
42. Ibid.
43. R. Hutchings Vernon, "Mother of All Annual Meetings", *Barron's*, 6 maio 1991.
44. John Taylor, "A Leveraged Bet", *Forbes*, 15 abr. 1991, p. 42.
45. Relatório anual da Berkshire Hathaway, 1994, p. 17.
46. Dominic Rushe, "Warren Buffett Buys $10bn IBM Stake", *The Guardian*, 4 nov. 2011.
47. Relatório anual da Berkshire Hathaway, 2011, p. 7.
48. Ibid.
49. Ibid., p. 6.
50. Ibid., p. 7.
51. Rushe, "Warren Buffett Buys $10bn IBM Stake".
52. Agradeço a Grady Buckett, CFA, diretor de tecnologia do Morningstar, por seu tutorial.
53. Steve Lohr, "IBM Delivers Solid Quarterly Profits", *New York Times*, 18 jul. 2012.
54. Relatório anual da Berkshire Hathaway, 2011, p. 7.
55. Citação de Warren Buffett na CNBC, 14 fev. 2013.
56. Michael de La Merced e Andrew Ross Sorkin, "Berkshire and 3G Capital in a $23 Billion Deal for Heinz", *New York Times*, 19 fev. 2013.
57. Relatório anual da Berkshire Hathaway, 1987, p. 15.

Capítulo 5 – Gestão do portfólio de investimentos

1. Conversa com Warren Buffett, ago. 1994.
2. Dan Callaghan, Legg Mason Capital Management/Morningstar Mutual Funds.
3. Relatório anual da Berkshire Hathaway, 1993, p. 15.
4. Ibid.
5. Conversa com Warren Buffett, ago. 1994.
6. *Outstanding Investor Digest*, 10 ago. 1995, p. 63.
7. Ibid.
8. Peter L. Bernstein, *Against the Gods* (Nova York: John Wiley & Sons, 1996), p. 63. [Edição brasileira: *Desafio aos deuses*. Rio de Janeiro: Alta Books, 2018.]

9. Ibid.
10. Ibid.
11. *Outstanding Investor Digest*, 5 maio 1995, p. 49.
12. Robert L. Winkler, *An Introduction to Bayesian Inference and Decision* (Nova York: Holt, Rinehart & Winston, 1972), p. 17.
13. Andrew Kilpatrick, *Of Permanent Value: The Story of Warren Buffett* (Birmingham, AL: AKPE, 1998), p. 800.
14. *Outstanding Investor Digest*, 18 abr. 1990, p. 16.
15. Ibid.
16. *Outstanding Investor Digest*, 23 jun. 1994, p. 19.
17. Edward O. Thorp, *Beat the Dealer: A Winning Strategy for the Game of Twenty-One* (Nova York: Vintage Books, 1962).
18. Sou grato a Bill Miller por me apresentar o modelo de crescimento de J. L. Kelly.
19. C. E. Shannon, "A Mathematical Theory of Communication", *Bell System Technical Journal* 27, no. 3 (jul. 1948).
20. J. L. Kelly Jr., "A New Interpretation of Information Rate", *Bell System Technical Journal* 35, no. 3 (jul. 1956).
21. *Outstanding Investor Digest*, 5 maio 1995, p. 57.
22. Andrew Beyer, *Picking Winners: A Horse Player's Guide* (Nova York: Houghton Mifflin, 1994), p. 178.
23. *Outstanding Investor Digest*, 5 maio 1995, p. 58.
24. Benjamin Graham, *The Memoirs of the Dean of Wall Street* (Nova York: McGraw-Hill, 1996), p. 239.
25. O discurso virou um artigo da *Hermes*, publicação da Escola de Administração da Universidade Columbia (outono 1984), com o mesmo título. Os comentários aqui citados foram extraídos desse artigo.
26. Warren Buffett, "The Superinvestors of Graham-and-Doddsville", *Hermes*, outono 1984. Os superinvestidores que Buffett citou no artigo incluem Walter Schloss, que trabalhou na Graham-Newman Corporation em meados dos anos 1950, junto com Buffett; Tom Knapp, outro ex-pupilo da Graham-Newman que mais tarde formou a Tweedy, Browne Partners com Ed Anderson, outro seguidor de Graham; Bill Ruane, ex-aluno de Graham que posteriormente fundou o Sequoia Fund com Rick Cuniff; o parceiro de Buffett Charlie Munger; Rick Guerin, da Pacific Partners; e Stan Perlmeter, da Perlmeter Investments.
27. Relatório anual da Berkshire Hathaway, 1991, p. 15.
28. Jess H. Chua e Richard S. Woodward, "J. M. Keynes's Investment Performance: A Note", *Journal of Finance* 38, no. 1 (mar. 1983).

29. Ibid.
30. Ibid.
31. Buffett, “Superinvestors”.
32. Ibid.
33. Ibid.
34. Relatório anual do Sequoia Fund, 1996.
35. Solveig Jansson, “GEICO Sticks to Its Last”, *Institutional Investor*, jul. 1986, p. 130.
36. Relatório anual da Berkshire Hathaway, 1986, p. 15.
37. Relatório anual da Berkshire Hathaway, 1995, p. 10.
38. A pesquisa descrita foi realizada com Joan Lamm-Tennant, PhD, na Villanova University.
39. K. J. Martijn Cremers e Antti Petajisto, “How Active Is Your Fund Manager? A New Measure That Predicts Performance”, Yale ICF Working Paper no. 06-14, 31 mar. 2009.
40. “Active Funds Come out of the Closet”, *Barron's*, 17 nov. 2012.
41. Buffett, “Superinvestors”.
42. Joseph Nocera, “Who 's Got the Answers?”, *Fortune*, 24 nov. 1997, p. 329.
43. Ibid.
44. V. Eugene Shahan, “Are Short-Term Performance and Value Investing Mutually Exclusive?”, *Hermes*, primavera 1986.
45. Relatório trimestral do Sequoia Fund, 31 mar. 1996.
46. Comentário de Warren Buffett amplamente citado.
47. Relatório anual da Berkshire Hathaway, 1987, p. 14.
48. Ibid.
49. Ibid.
50. Relatório anual da Berkshire Hathaway, 1981, p. 39.
51. Benjamin Graham e David Dodd, *Security Analysis*, 3ª ed. (New York: McGraw--Hill, 1951).
52. Relatório anual da Berkshire Hathaway, 1987, p. 15.
53. Relatório anual da Berkshire Hathaway, 1991, p. 8.
54. Ibid.
55. *Outstanding Investor Digest*, 10 ago. 1995, p. 10.
56. Relatório anual da Berkshire Hathaway, 1991, p. 15.
57. Relatório anual da Berkshire Hathaway, 1996.
58. Robert Jeffrey e Robert Arnott, “Is Your Alpha Big Enough to Cover Its Taxes?”, *Journal of Portfolio Management*, primavera 1993.
59. Ibid.
60. Brett Duval Fromson, “Are These the New Warren Buffetts?”, *Fortune*, 30 out. 1989, em Carol Loomis, *Tap Dancing to Work: Warren Buffett on Practically Everything, 1966--2012* (Nova York: Time Inc., 2012), p. 101.

Capítulo 6 – A psicologia do investimento

1. *Outstanding Investor Digest*, 10 ago. 1995, p. 11.
2. Benjamin Graham, *The Intelligent Investor* (Nova York: Harper & Row, 1973), p. 106. [Edição brasileira: *O investidor inteligente*. Rio de Janeiro: HarperCollins, 2017.]
3. Jonathan Fuerbringer, "Why Both Bulls and Bears Can Act So Bird-Brained", *New York Times*, 30 mar. 1997, seção 3, p. 6.
4. Jonathan Burton, "It Just Ain't Rational", *Fee Advisor*, set./out. 1996, p. 26.
5. Brian O'Reilly, "Why Can't Johnny Invest?", *Fortune*, 9 nov. 1998, p. 73.
6. Fuerbringer, "Why Both Bulls and Bears Can Act So Bird-Brained".
7. Larry Swedore, "Frequent Monitoring of Your Portfolio Can Be Injurious to Your Health", www.indexfunds.com/articles/20021015_myopic_com_gen_LS.htm.
8. Shlomo Benartzi e Richard Thaler, "Myopic Loss Aversion and the Equity Risk Premium", *Quarterly Journal of Economics*, 110, n. 1 (fev. 1995), p. 73-92.
9. Relatório anual da Berkshire Hathaway, 1984, p. 14.
10. Graham, *Intelligent Investor*.
11. Ibid.
12. Para um resumo histórico abrangente e bem escrito do desenvolvimento das finanças modernas, ver Peter Bernstein, *Capital Ideas: The Improbable Origins of Modern Wall Street* (Nova York: Free Press, 1992).
13. Relatório anual da Berkshire Hathaway, 1993, p. 13.
14. Ibid.
15. *Outstanding Investor Digest*, 23 jun. 1994, p. 19.
16. *Outstanding Investor Digest*, 8 ago. 1996, p. 29.
17. Relatório anual da Berkshire Hathaway, 1988, p. 18.
18. Ibid.
19. Andrew Kilpatrick, *Of Permanent Value: The Story of Warren Buffett* (Birmingham, AL: AKPE, 1988), p. 683.

Capítulo 7 – O valor da paciência

1. Andrei Shleifer e Robert Vishny, "The New Theory of the Firm: Equilibrium Short Horizons of Investors and Firms", *American Economic Review, Paper and Proceedings* 80, n. 2 (1990): p. 148-153.
2. Ibid.
3. Keith Stanovich, *What Intelligence Tests Miss: The Psychology of Rational Thought* (New Haven: Yale University Press, 2009). Ver também Keith Stanovich, "Rationality versus Intelligence", Project Syndicate (06-04-2009), www.project-syndicate.org.

4. Keith Stanovich, "Rational and Irrational Thought: The Thinking That IQ Tests Miss", *Scientific American Mind* (nov./dez. 2009), p. 35.
5. Jack Treynor, *Treynor on Institutional Investing* (Hoboken, NJ: John Wiley & Sons, 2008), p. 425.
6. Ibid., p. 424.
7. Ibid.
8. Daniel Kahneman, *Thinking Fast and Slow* (New York: Farrar, Straus & Giroux, 2011), p. 4. [Edição brasileira: *Rápido e devagar – duas formas de pensar.* Rio de Janeiro: Objetiva, 2012.]
9. O taco custa 1,05 dólar e a bola, 0,05 centavos de dólar. São necessários cinto minutos para 100 máquinas produzirem 100 dispositivos. Serão necessários 47 dias para os lírios cobrirem metade do lago.
10. D. N. Perkins, "Mindware and Metacurriculm", em *Creating the Future: Perspectives on Educational Change*, comp. e ed. por Dee Dickinson (Baltimore: Johns Hopkins University School of Education, 2002).
11. Ilia Dicher, Kelly Long e Dexin Zhou, "The Dark Side of Trading", Emory University School of Law, Relatório de pesquisa n. 11, p. 95-143.
12. Carol Loomis, *Tap Dancing to Work: Warren Buffett on Practically Everything, 1966-2012* (Nova York: Time Inc., 2012), p. 101.

Capítulo 8 – O maior investidor do mundo

1. Roger Lowenstein, *Buffett: The Making of an American Capitalist* (Nova York: Random House, 1995), p. 20.
2. John Pratt e Richard Zeckhauser, eds., *Principals and Agents: The Structure of Business* (Boston: Harvard Business School Press, 1985).
3. Carol Loomis, *Tap Dancing to Work: Warren Buffett on Practically Everything, 1966-2012* (Nova York: Time Inc., 2012), p. 101.
4. Conversa com Carol Loomis, fev. 2012.
5. Lowenstein, *Buffett.*
6. Loomis, *Tap Dancing to Work*, p. 134.
7. Carol Loomis, "Inside Story of Warren Buffett", *Fortune*, 11 abr. 1988, p. 34.
8. Relatório anual da Berkshire Hathaway, 1996, p. 16.
9. Relatório anual da Berkshire Hathaway, 1993, p. 15.
10. William N. Thorndike Jr., *The Outsiders: Eight Unconventional CEOs and Their Radically Rational Blueprint for Success* (Boston: Harvard Business Review Press, 2012), p. 194. [Edição brasileira: *O poder de pensar fora da caixa.* Rio de Janeiro: HarperCollins, 2017.]
11. Ibid.
12. Relatório anual da Berkshire Hathaway, 1993, p. 16.

13. Ibid.
14. Ibid., p. 14.
15. Ibid.
16. George Johnson, *Fire in the Mind: Science, Faith, and the Search for Order* (Nova York: Vintage Books, 1995), p. 104. [Edição brasileira: *Fogo na mente*. Rio de Janeiro: Campus, 1997.]
17. Andrew Kilpatrick, *Of Permanent Value: The Story of Warren Buffett* (Birmingham, AL: APKE, 1998), p. 794.
18. Ron Chernow, *The Death of the Banker: The Decline and Fall of the Great Financial Dynasties and the Triumph of Small Investors* (Nova York: Vintage Books, 1997).
19. Relatório anual da Berkshire Hathaway, 1987, p. 15.
20. Robert Lenzner, "Warren Buffett's Idea of Heaven: 'I Don't Have to Work with People I Don't Like'", *Forbes*, 18 out. 1993, p. 40.
21. Relatório anual da Berkshire Hathaway, 1992, p. 16.

Agradecimentos

Como eu já disse em muitas ocasiões, o sucesso de *O jeito Warren Buffett de investir* é, antes de mais nada, um tributo a Warren Buffett. Sua sagacidade, sua integridade e sua postura intelectual têm encantado milhões de investidores no mundo todo. Essa combinação sem paralelos o torna o mais popular modelo do papel do investidor hoje em dia, além de o maior investidor da história.

Em primeiro lugar, agradeço a Warren Buffett por seus ensinamentos e por permitir o uso de seu material protegido por direitos autorais. É impossível melhorar o que o sr. Buffett já disse. Os leitores deste livro têm a sorte de ler as palavras dele em vez de serem forçados a lidar com algum tipo de paráfrase. Também quero agradecer a Debbie Bosanek, pela gentileza e boa vontade em manter a comunicação fluindo, pois imagino que ela tivesse mil outras coisas exigindo sua atenção naquele dia.

Também desejo agradecer a Charlie Munger por suas contribuições intelectuais ao estudo dos investimentos. Suas concepções sobre a “psicologia do erro de julgamento” [*“psychology of misjudgment”*] e o “entrelaçamento de modelos mentais” [*“latticework of mental models”*] são extremamente importantes e deveriam ser estudadas por todos. Sou também muito grato pelas conversas profundas que pude manter com ele e por suas generosas palavras de apoio.

Sinto uma imensa gratidão por Carol Loomis. Dois anos antes de o sr. Buffett começar sua sociedade, Carol deu início à sua jornada como pesquisadora associada na revista *Fortune*. Hoje, é editora sênior itinerante da *Fortune*, autora de sucesso do *New York Times* e uma das maiores jornalistas americanas. E, como muitos de vocês já sabem, é ela que edita os relatórios anuais da Berkshire Hathaway desde 1977. As primeiras palavras de encorajamento que Carol disse a mim tiveram um significado maior do que posso expressar.

Gostaria de proferir aqui um obrigado muito especial a Andy Kilpatrick, autor de *Of Permanent Value: The Story of Warren Buffett*. Sempre que me confundia ao citar algum fato ou não enxergava com clareza algum evento em particular, recorria ao livro de Andy. E, se ainda precisava de ajuda, telefonava para ele, que rapidamente me fornecia o que eu estava procurando. Andy é um cavalheiro, e eu o considero o historiador oficial da Berkshire Hathaway.

Quem faz parte da comunidade Berkshire Hathaway há 30 anos já teve o privilégio de participar de milhares de conversas, trocas de cartas e e-mails. Eu não consigo recordar nenhuma situação desagradável – o que diz muito sobre os fiéis à Berkshire. Tendo isso em mente, quero estender meus agradecimentos a Chuck Akre, Jack Bogle, David Braverman, Jamie Clark, Bob Coleman, Larry Cunningham, Chris Davis, Pat Dorsey, Charles Ellis, Henry Emerson, Ken Fisher, Phil Fisher, Bob Goldfarb, Burton Gray, Mason Hawkins, Ajit Jain, Joan Lamm-Tennant, Virginia Leith, John Lloyd, Paul Lountzis, Janet Lowe, Peter Lynch, Michael Mauboussin, Robert Miles, Bill Miller, Ericka Peterson, Larry Pidgeon, Lisa Rapuano, Laura Rittenhouse, John Rothchild, Bill Ruane, Tom Russo, Alice Schroeder, Lou Simpson, Ed Thorp, Wally Weitz e David Winters.

Sou muito grato ao valioso amigo Charles E. Haldeman Jr., que estava lá desde o começo. Eu me lembro do dia em que lhe perguntei se devia fazer meu MBA ou escrever um livro sobre Warren Buffett. Ed disse: "Escreva o livro!". Foi um bom conselho. Ele leu o manuscrito original e fez várias sugestões que muito contribuíram para aperfeiçoar este volume. Obrigado, Ed.

Sou grato à John Wiley & Sons por não somente publicar este livro como também pelo apoio inabalável e pela incansável dedicação a esta obra ao longo dos últimos 20 anos. Todos na Wiley são verdadeiros profissionais. Quero começar agradecendo a Myles Thompson por ter apostado neste marinheiro de primeira viagem. Também quero agradecer a Jennifer Pincott, Mary Daniello, Joan O'Neil, Pamela van Giessen e a equipe atual: Kevin Commins e Judy Howarth.

Mais uma vez e sempre, sou eternamente grato à minha agente, Laurie Harper, da Sebastian Literary Agency. Laurie é a agente perfeita. Inteligente, leal, alegre, sempre agindo com o mais alto nível de integridade. Mais importante ainda, está sempre disposta a fazer todo o possível para garantir que nosso trabalho em conjunto seja de primeira linha. Em suma, Laurie é especial.

Há 20 anos, Myles Thompson enviou o primeiro rascunho deste livro para Maggie Stuckey e perguntou se ela poderia colaborar com seus conhecimentos para ajudar um escritor novato. Desde então, Maggie e eu já escrevemos nove livros juntos, e muitas vezes me perguntei o que teria acontecido se ela não tivesse concordado em ser minha parceira de escrita. Embora separados por um continente, sempre me surpreendo como Maggie é capaz de se conectar tão intimamente com o material. Ela trabalha incansavelmente em um capítulo após o outro, sempre buscando a melhor maneira de estruturar as informações e transmitir em linguagem simples o material que lhe enviei. Maggie Stuckey é simplesmente a melhor em sua área.

Qualquer pessoa que já tenha escrito um livro sabe que isso significa ficar sozinho horas e horas que, se não fosse essa atividade, poderiam ser dedicadas a passeios com a família. Escrever requer alguns sacrifícios do autor, mas posso garantir que exige muito mais de seus familiares. Amo meus filhos de todo o coração e sou grato para sempre à minha esposa, Maggie, que nunca deixou de me apoiar. No dia em que lhe disse que ia escrever um livro, ela sorriu e me convenceu de que isso poderia ser feito. Seu amor constante torna possíveis todas as coisas. Ainda que minha família apareça por último nesta lista de agradecimentos, em meu coração ela está sempre em primeiro lugar.

O mérito por todas as coisas boas e certas neste livro vai para as pessoas citadas acima. Já em relação a eventuais erros e omissões, eu sou o único responsável.

R. G. H.